DES ENFANTS
AU REGARD DE PIERRE

MIRA ROTHENBERG

DES ENFANTS
AU REGARD
DE PIERRE

TRADUIT DE L'AMÉRICAIN PAR
ASSOMPTION VLOEBERGH

ÉDITIONS DU SEUIL
27, rue Jacob, Paris VIᵉ

ISBN 2-02-005205-9

Éditeur original : The Dial Press, New York.
Titre original : *Children With Emerald Eyes.*
© 1977, Mira Rothenberg.
© *Éditions du Seuil*, 1979, pour la traduction française.

à mon fils Kivie
que j'aime par-dessus tout

Le cas de Mira

Pourquoi écrire une préface alors que les récits de Mira parlent d'eux-mêmes? J'ai bien peur que ce ne soit là un vestige de notre manie scientifique de vouloir expliquer, et de notre illusion de vouloir interpréter, toutes les énigmes que nous vivons. Mais expliquer revient à aplatir les choses, à les rendre plus superficielles, alors que le travail de Mira cherche à atteindre le fond même de toutes les possibilités de communication entre humains.

C'est là son talent, c'est là son travail quotidien. Elle n'étudie pas la communication : elle atteint son but simplement en étant là, avec les enfants. Simplement en étant là, à leur contact, avec une empathie illimitée pour leur folie. Sa méthode est de ne rien faire, *wu wei*, comme recommandait Lao-Tzeu. Elle observe, laissant les enfants vivre leur colère avec quelqu'un qui ne les contre pas. Et soudain leur colère n'a plus de sens, ils n'ont plus besoin de se défendre, et la santé mentale renaît.

Non, il me serait impossible de décrire avec précision cette méthode thérapeutique d'*acting-out* que Mira et son équipe ont utilisée avec une patience, une tolérance et une endurance sans bornes.

J'ai moi-même été témoin des résultats. Le style anecdotique adopté par Mira parle de lui-même; il entraîne le lecteur au cœur du processus, sans aucun fil conducteur théorique.

C'est là la richesse de ce livre.

Joost A. M. Meerloo

Ancien professeur adjoint, université de l'État de New York — Ancien chargé de cours en psychologie sociale, École nouvelle pour la recherche sociale.

Des enfants « déplacés »

Un professeur entra dans la salle de l'université de Columbia — je crois qu'il s'appelait Hopkins — et s'adressa à notre chargé de cours :

— On m'a dit que vous aviez ici quelqu'un qui connaît plusieurs langues d'Europe de l'Est.

Je me sentis défaillir : mais non, il n'y a personne de tel ici, pensai-je — avec l'envie de disparaître dans le mur.

Il jeta un regard circulaire et dit :

« Personne? J'ai dû me tromper de cours.

Et il sortit.

Soulagée, je me « décollai » du mur et repris mon travail. Le répit fut de courte durée. Hopkins revint quelques minutes plus tard.

« C'est bien dans cette salle, dit-il. Allons, faites-vous connaître, nous avons besoin de vous. Qui est-ce?

J'étais plus morte que vive.

« Écoutez, poursuivit-il, il s'agit d'un groupe d'enfants qui viennent d'Europe; ils ont entre onze et treize ans. La plupart d'entre eux sont nés dans un camp — leurs mères les ont abandonnés pour qu'ils puissent échapper aux nazis. Ils ont été recueillis par des paysans, des religieuses, par tous ceux qui ont bien voulu d'eux. Maintenant, ils sont ici. On les a retrouvés et ramenés, à la demande de leurs familles, de certaines organisations, ou de leurs parents naturels. Ce sont des sauvages; des écorchés vifs, qui souffrent. Ils sont pitoyables; ils ne connaissent pas notre langue. Ils ne font confiance à personne; ils ont besoin de quoi? de quelqu'un qui puisse leur parler. Ils sont trente-deux. Une vraie tour de Babel! Ils ne comprennent personne. Ils ne se comprennent même pas entre eux. Certains parlent polonais, d'autres russe, d'autres encore allemand, tchèque ou yiddish. Il faut que quelqu'un leur serve d'interprète. Ils doivent s'américaniser à l'intérieur de l'école religieuse juive. Mais personne n'a réussi à rester dans leur classe assez longtemps pour leur parler.

Je voyais très bien la situation — et pas question que je m'en mêle. J'avais quitté la Pologne à peu près dans les mêmes circonstances qu'eux. Je connaissais leur souffrance, leur terreur, et leur fureur. Pas question que je plonge dans tout cela. Je me taisais.

« Bien, poursuivit le professeur, qui est-ce? Qui va aider ces enfants-là?

La camarade qui partageait ma chambre à la Maison internationale me regarda.

— Tais-toi, murmurai-je.

Mais le professeur, qui était aux aguets, remarqua notre échange.

— Bien, me dit-il, comment vous appelez-vous?

Je répondis.

« Ah! mais c'est bien vous. Je savais que j'arriverais à vous trouver.

L'idiot, pensai-je. Il joue à l'humaniste. Il ne sait donc pas à quel point il est démodé?

« Bon, quand y allez-vous?

— Il n'en est pas question.

Il fut scandalisé.

— Mais ils sont des vôtres. Vous ne voulez pas les aider?

— Non. Ces cicatrices-là sont trop profondes.

— Ces cicatrices?

— Les miennes et les leurs. Je veux oublier. Si j'y vais, leurs blessures deviendront les miennes. Je ne veux pas.

J'aurais, à voir son désarroi, éclaté de rire si les circonstances avaient été autres.

Comment discuter avec quelqu'un qui a cette expression-là sur le visage? Peut-on ramener le temps en arrière et décider : « Non, la haine, la douleur, la torture, ça n'existe pas? » Comment se jouer pareille comédie? Le professeur ne pouvait pas comprendre ce qui se passait en moi.

J'étais jeune, et lui vieux. Ou plutôt, *moi* j'étais vieille, et lui jeune.

Tant de morts : quand on a la mort pour compagne, on finit par se confondre avec elle. Mais moi, je pensais avoir laissé tout cela derrière moi. J'avais essayé.

Et maintenant, ces enfants me replongeaient dans mon passé.

« Non, redis-je, non.

Il partit. Mes camarades me regardaient avec de grands yeux. Le lendemain, il revint. Il avait réfléchi et essayé de comprendre. Mais sans succès.

Il revint à la charge. Je refusai de nouveau. Il revint encore le jour suivant; il avait l'air anxieux, désemparé.

— L'un des enfants est très malade, mais il se méfie du médecin, expliqua-t-il.

Là, je le suivis.

J'entendis le Pr Einsenberg confier à son assistant : « Ils sont fous, à Columbia, de nous envoyer cette fille. A peine plus grande que les gosses, et probablement pas beaucoup plus âgée qu'eux. Comment diable va-t-elle s'en tirer? Je ne peux pas les laisser se déchaîner contre elle. »

Mais il s'adressa à moi fort poliment :

« Voici votre domaine.

Il me désigna une porte :

« Les enfants sont là. Je vous donnerai tout ce dont vous avez besoin. Vous pouvez suivre le programme de votre choix, vous avez carte blanche — je vous soutiendrai si tout marche bien. Si vous avez besoin de moi, je suis dans mon bureau, en bas. Vous n'avez qu'à venir me chercher. Ou crier. »

Son visage n'exprimait qu'un seul mot : « Seigneur! »

J'entrai dans la classe et examinai la situation. Un champ de bataille.

Trente-deux enfants affamés, exaspérés, furieux, blessés. Qui attendaient de pouvoir enfin passer leur rage sur quelque chose.

Hitler? Il était mort. Leurs parents? Ils étaient, devant eux, terrorisés. Moi? Oui. L'Amérique. Moi.

Des enfants. Ce n'étaient pas vraiment des enfants. Je voyais trente-deux visages de petits vieux sur des corps d'enfants. Des

13

corps tordus, difformes; comme les branches d'un arbre qui n'avait pu croître normalement. Des enfants déformés non par les ravages du temps, mais par ceux de la barbarie et de la haine.

Qu'était-ce que l'enfance, pour ces enfants? Leurs visages étaient devenus des masques, bien différents de ceux des tragédies grecques; ces masques que leur avait collés la « race supérieure ».

A mort, à mort : l'air était lourd de menace. Nous nous mesurions du regard.

Je leur dis mon nom en yiddish. Je leur dis aussi quelles langues je parlais.

« Êtes-vous une *goy?* me demanda l'un d'eux.

— Non, je parle yiddish.

— Et alors?

On m'attaqua aussitôt de tous les côtés. Les questions fusaient de partout. Et ils donnaient eux-mêmes les réponses.

Le Pr Hopkins avait raison. Une tour de Babel. C'était un brave homme, mais, en raison même de sa gentillesse, il ne comprenait pas la profondeur de la tragédie vécue par ces enfants. Pour comprendre, il fallait avoir connu la haine.

Une fillette dont les yeux semblaient lancer du venin m'interrogea en français.

J'avais oublié le français — et l'un des enfants joua le rôle d'interprète. Elle voulait savoir pourquoi j'étais ici! Une autre passa à l'attaque en tchèque. Étais-je américaine? Puis un autre enfant se mit à supplier, en russe, qu'on lui permette de retourner chez ses « parents » paysans.

Un autre encore me montra un couteau caché dans sa manche et me déclara en polonais qu'il le réservait pour les *goys* si jamais ils venaient le prendre.

Un autre me demanda en allemand comment j'avais pu rester en vie. Qui ou quoi avais-je vendu pour être encore vivante?

Le lendemain et les jours suivants, je revins les écouter déverser sur moi leur venin. Je regardais s'étaler leur désespoir. J'écoutais leurs récits, bien plus atroces que tous ceux qu'aurait pu produire une imagination malade. Et tous les jours, je les entendais me répéter : « Nous voulons rentrer. »

Je connaissais trop bien cette litanie, et le sentiment qu'elle traduisait. Mon pays. Notre pays.

Mais jamais je ne les ai vus pleurer.

Je devais les former. Leur apprendre à devenir américains. A témoigner de la reconnaissance parce qu'ils étaient ici. Je devais leur apprendre la langue.

Ils ne voulaient pas être américains. Ils voulaient être eux-mêmes. Ils ne voulaient pas se montrer reconnaissants; ils refusaient d'être arrachés à leur pays, à leur terre d'origine. Ils n'avaient pas besoin d'apprendre une autre langue — ils avaient déjà la leur. Ils auraient préféré mourir chez eux que de vivre ici. Ni le Pr Hopkins ni le Dr Einsenberg ne pouvaient comprendre cela. Moi, oui.

Si vous capturez un cheval sauvage dans la montagne, si vous le nourrissez et prenez soin de lui, il arrivera peut-être à vous aimer; mais jamais il ne vous sera reconnaissant. Jamais il n'oubliera ses montagnes, ses prairies — sa liberté. Et il gardera l'espoir d'y retourner.

Je devais leur apprendre l'histoire, la lecture, l'écriture, l'arithmétique. Je devais les civiliser, les rendre acceptables aux yeux de l'Amérique. C'était une plaisanterie amère et cruelle. Ils n'apprenaient rien. Puis un jour, profitant d'une accalmie dans leurs assauts de haine, je leur parlai des Indiens d'Amérique. Je leur racontai comment ces hommes auxquels le pays appartenait étaient devenus des réfugiés dans leur propre contrée, dont on les avait dépossédés. Je trouvai un livre de poèmes des Indiens, qui parlaient de la terre qu'ils aimaient, des animaux avec lesquels ils vivaient, de leur force et de leur amour, de leur haine et de leur fierté. Et de leur liberté.

Les enfants réagirent. Quelque chose avait bougé en eux. Les Indiens devaient éprouver pour l'Amérique ce qu'eux-mêmes ressentaient pour leur pays d'origine.

Et nous devinrent tous des Indiens. On débarrassa la classe de ses meubles. On installa des *teepees* et peignit une rivière sur le plancher. Nous construisîmes des canoës et des animaux grandeur nature, en papier mâché.

Le pauvre Dr Eisenberg, qui était un homme courageux

15

malgré sa timidité, conseilla au président d'une quelconque organisation, venu aux nouvelles : « Laissez-la faire, ils se comprennent. » Et le président hocha la tête en disant : « D'accord, puisque vous le dites; mais je n'appelle pas cela de l'enseignement. »

Les enfants commencèrent lentement à se débarrasser de leurs carapaces. Nous vivions dans les *teepees*. Nous y mangions. Ils ne voulaient pas rentrer chez eux. Et tous les jours, je leur racontais des histoires sur les Indiens, plus merveilleuses les unes que les autres. J'inventais pour eux des histoires qui parlaient de générosité, de fierté, de courage, d'amour de la liberté et des animaux. Les enfants étaient pris par ces récits où régnaient aussi la violence, la crainte et le respect de la nature. Je n'avais qu'une peur, c'était que mon imagination tarisse : dans ce cas, je perdrais les enfants, et eux perdraient le monde qu'ils venaient de découvrir. Et si jamais les Indiens me mettaient la main dessus? Ils me scalperaient sûrement pour tous les mensonges que je proférais. Ma seule excuse était que je ne pourrais jamais leur porter réellement tort; peu importe, au fond que je les aie dépeints comme des gens charmants ou des êtres féroces.

Les enfants buvaient littéralement mes paroles. Ils avaient tellement soif de fierté et de dignité, d'amour et de dévouement.

Au début, ils n'osèrent même pas devenir vraiment des Indiens. Ils choisirent d'être leurs animaux. Et nous inventâmes un jeu, pour nous seuls. Nous étions des tigres, des lions, des loups — les animaux les plus dangereux et les plus féroces. Mais nous étions libres. Nous étions toujours en train de guetter une proie, cherchant perpétuellement à tuer et à nous venger.

Puis nous avons inventé un nouveau jeu; mais cette fois nous avons invité le Dr Eisenberg.

Nous étions encore des animaux, mais certains enfants avaient choisi des bêtes plus douces, qui ne tuaient personne. Par exemple, il y avait des aigles : des aigles fiers, qui planaient au-dessus des cimes. Des chevaux aussi, animaux libres et sensibles, amis des Indiens. Des cerfs, rapides, beaux et très doux. Et des buffles. Rachel devint même un chaton. Un chaton qu'elle avait « découvert dans une poubelle », c'est-à-dire là où on l'avait trouvée, elle. Chaque enfant devenait l'animal de son

16

choix — un animal indien. Et chacun inventait et récitait son propre poème — dicté par l'esprit de son animal.

Joseph se débarrassa même de son couteau, parce qu'il ne savait pas où le mettre : il était à peu près nu, mis à part ses peintures, puisqu'il était un cheval de montagne. Le Dr Eisenberg sembla gêné et intimidé par toute la rage, la cruauté, mais aussi par l'amour et la poésie qui jaillissaient de la bouche de ces enfants. Il leur demanda :

— Et Mira, qui est-elle? C'est la gardienne de tous les animaux?

Un enfant répondit :

— Oh non! Elle est l'animal le plus féroce de nous tous. C'est la lionne.

Et un autre ajouta :

— Oui, mais elle est aussi le soleil et la terre où vivent les animaux.

Le Dr Eisenberg sortit; il pleurait. Puis il revint, avec une glace, et me dit :

— Le président de l'organisation avait tort. C'*est* de l'enseignement.

Nous étions très fiers, les enfants et moi. Et nous avons mangé la glace jusqu'à nous en rendre malades.

Ensuite, nous sommes devenus de vrais Indiens. De bons Indiens, fiers, forts et féroces. Nous avons monté une pièce sur eux et nous avons invité toute l'école.

Dans leur anglais haché, les enfants parlaient avec une infinie poésie des Indiens qu'ils étaient devenus. C'était beau, à la fois très pur et fort. Et ils rendaient si bien la justice.

Peu après le spectacle, Joseph mourut. Il n'avait pu supporter la liberté. Il avait longtemps réussi à survivre dans les bois et les décharges publiques, n'ayant que la peau sur les os. Mais la liberté, c'était trop pour lui. On n'a pas pu déterminer la cause de sa mort; aucun manuel de médecine n'enseigne qu'on peut mourir de liberté. On ne meurt pas de bonheur. Pourtant, c'est ce qui était arrivé à Joseph.

Ceux qui restaient, les autres Indiens, ont appris les métiers d'artisanat indiens. Nous avons appris à tisser et à faire de la poterie. Nous avons lu encore des récits et des poèmes indiens. Nous en avons écrit nous-mêmes. Nous avons étudié l'histoire et le folklore des Indiens, en les comparant à ceux de notre pays d'origine.

Je me rappelle encore un jour d'orage. Le tonnerre était assourdissant, et les éclairs aveuglants. Il tombait des trombes d'eau. Malgré toute leur bravoure d'Indiens, les enfants étaient terrifiés. Sur ma table, il y avait une Bible, comme c'est le cas dans toutes les classes de l'école religieuse juive. Les enfants m'avertirent de ne pas y toucher : si par malheur elle tombait par terre, Dieu me réduirait en cendres, et eux aussi peut-être. C'est la foudre qui se chargerait de mon exécution. Dans mon désir de prouver aux enfants combien cette superstition était fausse, j'eus soudain une idée. Je fis tomber « accidentellement » la Bible par terre. Un silence de mort s'installa dans la pièce. Les enfants disparurent dans leurs *teepees*, respirant avec peine, prêts au châtiment imminent. On n'entendait plus que le tonnerre. J'attendis. Ils ne sortaient pas de leurs tentes. Je commençai à fredonner un air que j'aimais bien et à m'affairer de-ci de-là. Lentement, très lentement, de petits visages barbouillés de larmes firent leur apparition, un par un, à l'entrée des *teepees*. Ils me regardaient chanter et contemplaient la Bible qui gisait là, par terre. Alors ils commencèrent à sortir en rampant. Soudain, je fus entourée de trente et un petits enfants qui me serraient dans leurs bras et me mouillaient le visage de leurs larmes et de leurs baisers. C'était la première fois qu'ils m'embrassaient.

Puis nous avons commencé à sortir. Au début, nous formions une seule file, pour aller à l'école et revenir à la maison. Parce qu'il y avait plein de *goys* dans les rues, et que « c'était dangereux ». Ensuite, nous avons appris à « jouer à chat ». Évidemment, c'était un « jeu indien » et nous étions tous des chevaux ou des guerriers. Enfin, nous nous sommes aventurés dans le métro pour aller à Inwood Park, où il y avait des grottes d'Indiens. Nous avons suivi les vieilles pistes indiennes et passé beaucoup de temps dans les grottes. En même temps, les enfants apprenaient les mathématiques pour évaluer les distances, la géographie et la cartographie pour repérer les grottes, etc.

Un jour, je reçus d'un organisme s'occupant d'adoption d'enfants une lettre qui concernait une orpheline française. Le soir, au lieu de raconter aux enfants l'histoire « indienne » habituelle, je leur parlai de l'orpheline. Ils furent très émus. Ils discutèrent beaucoup entre eux, puis vinrent me trouver pour me demander quelque chose : ils auraient souhaité adopter cette enfant. J'étais sidérée. Cela signifiait qu'ils se sentaient suffisamment en sécurité pour pouvoir, à leur tour, prendre quelqu'un en charge. Le Dr Eisenberg crut que j'étais devenue folle. Mais nous tînmes bon. Nous avons écrit à l'organisme d'adoption et expliqué la situation. Dans leurs lettres, les enfants disaient qu'ils souhaitaient partager avec cette orpheline l'amour et la sécurité qu'ils avaient trouvés. Ils voulaient partager la solitude de cette enfant-là, afin qu'ainsi elle se sente moins seule. Ils voulaient lui apporter tout ce que je leur avais moi-même apporté. Ils se procureraient de l'argent pour lui venir en aide. Ils tisseraient des couvertures indiennes et les vendraient pour avoir les cent cinquante dollars nécessaires chaque année. L'organisme d'adoption accepta.

Alors, les enfants écrivirent à l'orpheline, qui leur répondit en joignant sa photo. Pauvre petite! Après cela, elle reçut tous les mois trente et une lettres, trente et un dessins, parfois trente et un colis, trente et un récits détaillés de la vie de chacun, et trente et une expressions d'amour différentes. Elle devint leur petite sœur. Elle partagea avec eux son histoire et ses chagrins. Quand ses chaussures devenaient trop petites, elle le leur écrivait; quand elle avait mal aux dents, quand sa maîtresse, à l'orphelinat, n'avait pas été gentille avec elle ou quand on l'avait battue, elle le leur confiait. Elle leur disait tout. En échange, ils lui parlaient de leurs souffrances, de toutes celles qu'ils n'avaient jamais pu me dire et qu'elle comprenait, elle, comme eux pouvaient comprendre les siennes. Dans cet échange, ils guérissaient leurs blessures mutuellement.

Les enfants payaient leurs dettes régulièrement. Ils gagnaient de l'argent en organisant des expositions où ils vendaient les couvertures qu'ils avaient tissées. Au début, nous les vendions aux passants, dans la rue. Les enfants étaient coriaces en affaires : ils avaient toujours peur d'être « volés » ou « roulés ».

Un jour, une religieuse s'arrêta et acheta une couverture. Les enfants la volèrent copieusement! A leurs yeux, elle était doublement coupable. C'était une *goy* et une religieuse : autant dire qu'elle était deux fois *goy*.

Elle paya sa couverture un prix exorbitant : dix dollars, c'est-à-dire le quinzième de l'aide annuelle accordée à l'orpheline française. J'étais fort gênée, et j'expliquai la situation à cette malheureuse « cliente ». Le lendemain, quatorze religieuses firent leur apparition et chacune acheta une couverture à dix dollars. Les enfants étaient consternés. Ils ne comprenaient pas. Où était passée leur haine des *goys* et des religieuses? Ils ne pouvaient pas les voler ainsi. Ils refusèrent l'argent, en disant que les couvertures ne valaient pas tant. Mais les religieuses insistèrent. Et elles se lièrent d'amitié avec eux.

Je suis restée avec ces enfants pendant deux ans et demi. Ils ont appris à vivre et à aimer, mais aussi à devenir de bons élèves. Ils avaient à présent le niveau des enfants de leur âge dans toutes les matières; ils étaient même souvent plus avancés.

Quand je dus les quitter, ils se mirent en grève — ils étaient devenus suffisamment américains pour cela! Ils firent des pancartes et, pendant toute une semaine, ils défilèrent dans la rue en tournant autour de l'école. Sur une pancarte ils avaient écrit : « Nous voulons que Mira reste avec nous. » Une autre disait : « Mira, ne nous quitte pas », etc. Ils appelèrent les religieuses en renfort, et même le Dr Eisenberg.

Je devais finir mes études à Columbia; mon travail auprès des enfants était terminé. Cinq ans plus tard, ils continuaient à aider leur « fille » adoptive.

Je repris donc mes études à l'université Columbia. Pendant trois mois, je fus comme tout le monde, tranquille, studieuse, jouissant de la paix et du calme retrouvés. Puis un garçon nommé Lawrence Greenberg arriva. Il travaillait dans une institution pour jeunes délinquants, qu'il essayait de révolutionner. Il s'était inscrit dans notre cours pour se « remettre dans le bain » : il devait écrire un livre sur son établissement. Je l'écoutais poliment, avec curiosité et, parfois même, avec passion. Deux semaines plus tard, j'étais avec lui dans le train qui nous conduisait à son institution. Ce que je vis en arrivant m'effraya. Tous ces garçons avaient l'air d'être presque des adultes. Une foule, déjà, de criminels et de fous. Non, je ne pouvais rien faire pour eux — si j'avais été un homme, oui, peut-être. Lawrence ne se découragea pas. Il me montra les petits. Il y en avait quelques-uns. Je ne fus pas impressionnée. « Ils ont besoin de vous, répétait-il sans arrêt, vraiment besoin. »

Un mois plus tard, environ, je signai mon contrat d'engagement pour travailler à Katy Kill Falls avec les petits.

J'y suis restée un an. Ce fut une année affreuse et inoubliable. Une « dame » venait à Katy Kill les jours de visite. Elle avait un fils dans l'établissement; il était parmi les plus jeunes. Mes contacts avec lui étaient très limités : chaque fois qu'il avait peur, de lui ou des plus grands, il se précipitait dans ma classe en hurlant : « Kay Rothenberg », et il se cachait derrière moi pour que je le protège. Il était différent des autres enfants. Je percevais cette différence, mais j'étais incapable de lui donner un nom. La « dame » (c'est ainsi que nous l'appelions) commença à se lier avec moi et à me parler d'une école qui s'ouvrait à New York. Elle me dit qu'il s'agissait d'un établissement pour enfants schizophrènes, autistiques, comme son fils. C'était du chinois pour moi. Je ne comprenais pas le sens des mots qu'elle utilisait, mais elle n'y prêta aucune attention.

— Je sens que vous feriez du bon travail là-bas. Cela devrait beaucoup vous plaire. Essayez, présentez-vous, je vous recommanderai.

J'y suis allée. J'y ai rencontré Peter[1]. En comparaison, Katy Kill était un véritable paradis. J'ai commencé à travailler là, avec Danny, mon premier enfant autistique. La « dame » avait raison. J'ai adoré ce travail, et il m'est même arrivé, parfois, de ne pas le faire trop mal.

J'ai écrit l'histoire de ces enfants parce que je les ai aimés. Et les aimant, j'ai appris à mieux les comprendre; à avoir de la compassion pour leur douleur, du respect pour leurs efforts et de l'admiration pour leur courage.

1. Voir le chapitre « Peter ».

Et c'est cela que je voudrais faire partager. En les aimant, j'ai appris une fois de plus à voir les humains dans leur dignité, sans préjuger de ce qui est bien ou mal.

J'ai constaté qu'en dépit de la tragédie de notre condition, on trouve en chaque être des ressources d'énergie formidables, qu'il faut utiliser sans s'arrêter aux étiquettes. Cela aussi, je voudrais le faire partager.

J'ai travaillé pendant vingt ans, de la manière la plus officielle, avec des enfants perturbés. Je les ai connus, cherchés et aimés durant presque toute ma vie — sans que cela soit officiel.

Quand j'étais petite fille, en Pologne, il y avait chez moi un « idiot du village ». Il marmonnait au lieu de parler, faisait des grimaces, et riait quand il aurait dû pleurer. C'était un garçon de treize ans, qui n'avait ni parents, ni maison, ni pays. Il vivait de mendicité, forçant les villageois à lui donner ce dont il avait besoin pour survivre. On cédait, moitié par pitié, moitié par peur.

Un jour, je me promenais dans un champ en mangeant une tartine de beurre, quand l'idiot survint. Mêlant comme d'habitude exigences et prières, il balbutia sa demande en tendant la main vers mon pain. Je refusai. Mais je lui donnai une bouchée de ma tartine. Je voulais bien partager, mais pas me laisser dépouiller; je reconnaissais notre égalité et n'admettais pas vraiment sa folie. Il fut surpris. Il prit le morceau que je lui tendais et me le cracha à la figure dans un geste de fureur. Il s'en alla. Quelques minutes plus tard, il fit demi-tour et revint vers moi, avec sur le visage une expression absolument normale. Il prit un bout de ma tartine et, d'une voix très claire, me dit : « D'accord. Merci. »

Nous avions conclu un pacte, jeté un pont entre nous, pour toujours. Chaque fois que nous nous rencontrions, nous allions dans les bois et nous nous partagions un morceau de pain, un joli caillou, une fleur. Pour tout le monde, il restait l' « idiot du village » — jusqu'au jour où les Allemands le tuèrent.

Je compris alors que la santé mentale et la folie faisaient partie du même continuum. Il n'y a entre elles qu'une différence de degrés.

Au cours de toutes ces années, j'ai été fascinée par la diversité des forteresses que les enfants bâtissent pour se protéger des horreurs qu'ils devinent autour d'eux. J'ai essayé de les atteindre au fond de ces forteresses. Je voulais savoir quel type de pont il fallait construire pour franchir les fossés qui entouraient leurs places fortes, et trouver la fissure, la porte, qui permettrait d'y entrer. Je voulais les aider à sortir eux-mêmes de leurs terrifiantes prisons.

Chaque fois que quelque chose nous blesse, nous construisons nous aussi une forteresse autour de la blessure, et nous nous isolons, de crainte de souffrir encore. La solidité des murs dépend de la gravité de la blessure. Parfois, ils sont si minces qu'ils s'écroulent facilement, et nous nous retrouvons à l'air libre. Mais certains ont une telle épaisseur qu'ils semblent indestructibles et nous protègent trop bien. Parfois pendant toute une vie. Les enfants que j'ai rencontrés vivent à l'intérieur de ce genre de murailles, qui semblent résister à tout, souvent pour toujours.

C'est ce que je voudrais montrer dans ce livre. Parler de ces murs et de l'être qui s'y trouve enfermé, dire pourquoi et comment les enfants les ont bâtis, comprendre à quoi leur sert leur forteresse.

Je voudrais surtout dire à tout le monde que ces enfants, normaux ou fous, font partie du continuum humain. L'enfant fou doit suivre un certain chemin, alors que l'enfant normal suit un sentier qui nous est simplement plus familier. Cette différence est plus quantitative que qualitative. L'enfant fou a peur, se blesse, enrage et pleure, comme l'enfant normal. Lui aussi se protège par la fureur, l'attaque ou la fuite. Simplement, ses réactions sont plus intenses.

L'enfant fou et l'enfant normal passent par les mêmes stades de développement. Mais souvent l'enfant fou s'arrête à un certain stade et l'utilise à des fins différentes, pendant que l'enfant normal dépasse cette étape et continue à se développer.

La seule chose importante que possède un être humain, c'est lui-même. Ce « lui-même » est fait de la combinaison de ses expériences et de son hérédité. C'est cela que l'on doit respecter. L'enfant, qu'il soit sain ou non, est le résultat de cette combinaison. En reconnaissant et en admettant les modes d'expression de la folie, nous affirmons que les enfants fous existent et qu'eux aussi sont importants.

Il faut savoir que le manque de logique apparent de la folie cache en réalité une logique parfaite dans le contexte où évolue l'enfant fou. Toute folie individuelle est, pour son auteur, une création pleine de bon sens et de sensibilité, destinée à le protéger de ce dont il a une peur mortelle.

Chaque enfant construit sa propre citadelle. Et, comme tous les enfants sont différents les uns des autres, leurs citadelles aussi sont différentes — tout comme le genre de ponts qu'on doit bâtir pour pénétrer dans la place forte. Chaque enfant se défend à sa manière contre la terreur qui l'envahit. Mais tous se protègent de la même peur — celle de la destruction — et mènent le même combat, celui de leur survie.

Ils ont construit un labyrinthe, tissé une toile d'araignée. Dès que l'on trouve l'ouverture, le fil qui conduit au cœur de la folie, tout devient logique et nous pouvons enfin les comprendre.

Dès que nous comprenons la folie, nous n'en avons plus peur; la magie se dissipe et nos superstitions s'envolent.

Je voudrais montrer l'humanité du fou, le dénominateur commun de la santé mentale et de la folie, qui existe chez tous les enfants. Je veux aussi montrer comment nous avons nous-mêmes contribué à faire naître chez ces enfants la peur et l'incompréhension de notre monde; comment ils se sont défendus et comment, dans notre terreur, nous nous sommes défendus contre eux. J'aimerais communiquer aux autres la fascination et le respect que j'ai éprouvés devant l'ingéniosité fantastique dont ces enfants font preuve pour se défendre contre la peur et chercher à obtenir d'une manière détournée ce qu'ils désirent avec tant d'ardeur, comme n'importe quel enfant : l'amour et la compréhension indispensables à la survie.

La santé mentale ou la folie ne sont ni bonnes ni mauvaises : elles existent, c'est tout. Elles constituent une forme de réponse au besoin de survivre. C'est ce que nous en faisons qui est bien ou mal. Si la folie dérange la société, elle blesse encore plus l'enfant qui en est victime.

Je voudrais également recommander au lecteur de ne pas

considérer la folie sous un jour sentimental, comme il est de bon ton de le faire à notre époque. Les meurtres, les crimes que le fou commet envers lui-même ou envers les autres sont aussi dangereux qu'inutiles. Nous devons sincèrement l'aider; nous n'avons pas à lui pardonner ni, pire encore, à l'ignorer.

Aucune folie n'est incurable — simplement, il existe certaines formes que nous ne savons pas comment soigner. Aucune folie n'est effrayante au point de devenir intouchable, c'est-à-dire incurable. Si on l'aborde avec compréhension et compassion, elle *peut* être soignée.

Chacune des histoires racontées dans ce livre parle d'une construction différente de la folie et des différents moyens d'atteindre l'enfant au fond de sa forteresse. Ces enfants, ce sont nos enfants. Et nous, les adultes, délibérément ou — comme c'est plus souvent le cas — sans le vouloir, nous avons travaillé à leur destruction.

Entre la santé mentale et la folie, la frontière est étroite. Mais chez nos enfants, elle devient perfide.

Je voudrais que l'on n'ait plus peur de ces enfants étranges. Quand on connaît les raisons de leur folie, même si l'on en ignore la cause, les craintes s'évanouissent.

Mais les enfants peuvent être effrayants.

Certains ont une intelligence exceptionnelle, dans laquelle ils s'enferment. D'autres ont un niveau intellectuel très bas, mais, en même temps, manifestent dans certains domaines un génie inexplicable. C'est difficile à comprendre et l'on a peur.

D'autres sont tellement effrayés, vivent dans une telle terreur perpétuelle, que souvent ils voient et sentent des choses bien avant qu'elles ne soient perçues par leur entourage. Et cela aussi fait peur.

D'autres encore sont si terrorisés et si profondément blessés qu'ils pensent que toute aide qu'on leur offre va servir à les détruire. Ils se défendent. Ce qui nous effraie et nous blesse.

La peur et la colère nées de leur blessure en poussent d'autres à s'attaquer à nous, physiquement. Et nous avons peur.

D'autres, sans dire un mot, sont très conscients de tout ce qui se passe autour d'eux, mais ne tirent aucun parti de leurs connaissances, parce qu'ils ont trop peur pour oser parler. Jamais

25

ils n'expriment ouvertement leur terreur. Et cela encore nous fait peur.

Enfin, je formulerai un dernier souhait : c'est que le lecteur voie et aime les enfants, qu'ils soient normaux ou fous. Non pas parce qu'ils sont malades ou sains, mais tout simplement parce qu'ils *existent*.

Histoire de Jonny

A sa naissance, en 1950, Jonny ne pesait qu'une livre et demie. C'était l'un des plus petits bébés qui aient jamais survécu aux États-Unis. Après avoir passé cinq mois et demi dans le ventre de sa mère et trois mois et demi dans une couveuse, il fit enfin connaissance avec notre monde. Il pesait alors 2 kg 500.

Jonny n'était pas ce qu'on appelle un beau bébé. Il n'était pas très attirant. La chaleur de la couveuse lui avait roussi les cheveux et brûlé la peau : il avait l'air étrange, avec sa couleur chocolat et ses cheveux orange vif. En grandissant, son apparence ne devint guère plus humaine : jamais on ne l'entendait pleurer, ni rire, ni gazouiller. Il ne souriait pas. Il était incapable de fixer son regard sur quelque chose ou quelqu'un. Il ne savait pas tenir sa tête droite. Il ne supportait aucun contact physique. Quand on changeait ses couches, son corps devenait raide; si on le tenait dans les bras, il refusait de boire son biberon. Il avait un sommeil très irrégulier; il ne dormait que quelques heures d'affilée, malgré les sédatifs qu'on lui administrait.

Ce qu'il y avait sans doute de plus impressionnant chez lui, c'était sa façon de remuer la tête : il la faisait pivoter sans arrêt, ou bien il la balançait de droite à gauche. Quand il devint plus fort, il se mit à la cogner dans tout ce qui l'entourait : les parois de son lit, les murs, les fenêtres, et même les gens.

Il semblait ne rien ressentir. Il était comme insensible à la douleur. Quand on le frappait ou bien quand il se boxait lui-même, avec une telle force qu'il était ensuite couvert de bleus, il ne pleurait jamais. Quand on le chatouillait, il ne riait pas. Quand on l'appelait par son prénom, il ne répondait pas. Si un

27

bruit se produisait dans la pièce, il ne l'entendait pas. Jamais son regard ne se fixait sur les autres : ses yeux étaient ailleurs, au-dessus ou au-delà des visages.

Jusqu'à l'âge de cinq ans, Jonny se déplaça dans une petite voiture, ou bien on le porta dans les bras. Quand il commença à marcher, si toutefois on peut appeler cela marcher, on aurait dit qu'il était ivre : il faisait quelques pas en titubant, puis s'écroulait par terre et se mettait à ramper. Tout son corps semblait désarticulé; chacun de ses membres paraissait avoir une vie autonome.

Comme si cela ne suffisait pas encore, Jonny subit, dès l'âge de neuf mois et jusqu'à huit ans, des attaques de croup qui le menaient une ou deux fois par an à l'hôpital, où l'on devait le placer sous une tente à oxygène.

Jonny était vivant, certes — mais pour mener quel genre d'existence?

Ses parents ne firent rien de spécial pour lui jusqu'à deux ans. Les pédiatres leur avaient conseillé d'attendre, de laisser à l'enfant le temps de « rattraper son retard ». Mais un jour, il fallut bien se rendre à l'évidence : loin de se combler, le retard ne faisait que s'aggraver. Jonny était sourd et muet. Ses parents entreprirent alors un long voyage à travers les États-Unis, qui les laissa désespérés, et presque sans ressources.

Une sommité médicale avait déclaré qu'un nerf auditif de Jonny, alors âgé de deux ans, était dégénéré. Son diagnostic avait été formel : surdité totale.

Six mois plus tard, Jonny partit pour New York, où il subit un test auditif plus approfondi. Diagnostic : surdité *presque* totale.

On lui fit porter un appareil acoustique et on le traita désormais comme un sourd-muet. Ses parents essayèrent à plusieurs reprises de le faire entrer dans des écoles spécialisées. Sa candidature était presque toujours refusée. Quand par hasard on l'acceptait, au bout de quelque temps on renvoyait Jonny chez lui en notant qu' « il ne s'adaptait pas », ou bien qu' « il ne souffrait pas seulement de problèmes de surdité ».

En 1953, les parents de Jonny le conduisirent dans un grand hôpital. Des spécialistes essayèrent de découvrir l'origine de ses troubles multiples. Ils firent des radiographies de son crâne et de ses jambes, cherchant s'il ne souffrait pas d'une difformité quelconque qui aurait pu l'empêcher de marcher. Mais ses os étaient en parfait état.

On essaya sans succès de lui faire passer un examen électro-encéphalographique (qui permet de mesurer l'activité électrique du cerveau). Les tests psychologiques révélèrent, que Jonny avait l'esprit très vif. Un psychiatre pour enfants déclara aux parents de Jonny qu'à son avis, leur fils n'avait aucune lésion cérébrale, mais qu'il était peut-être atteint d'autisme, c'est-à-dire d'un trouble mental grave. C'était la première fois que les parents de Jonny entendaient prononcer ce mot. Le médecin ne leur laissa guère d'espoir : si leur enfant était autistique, il n'y avait pas grand-chose à faire, car il s'agissait d'une maladie fort mal connue.

A nouveau, ils se mirent en quête d'une école qui voudrait bien accueillir cet étrange enfant, affublé d'un appareil pour sourds et de cette étiquette : « autistique », qui allait désormais le suivre partout. Ils passèrent tout le pays au peigne fin et finirent par y découvrir douze écoles : certaines étaient trop chères ; les autres déclarèrent qu' « on ne pouvait vraiment rien faire pour Jonny, étant donné qu'on ignorait à peu près tout de sa maladie ».

Désemparés, une fois de plus, les parents de Jonny se tournèrent alors vers les chiropracteurs et les cliniques privées. Parmi tous les médecins qu'ils rencontrèrent à cette époque, certains leur affirmèrent que Jonny était spastique ; pour d'autres, il s'agissait d'un débile mental. Généralement, le diagnostic s'accompagnait du conseil : « Confiez-le à un établissement et tâchez d'oublier. »

Mais les parents refusaient d'abandonner. Ils étaient convaincus qu'il fallait chercher la clef du problème dans le comportement de l'enfant : il leur semblait étrange que ce garçon de trois ans, muet, doté d'une très mauvaise coordination motrice, incapable de tenir quoi que ce soit avec ses mains, puisse par ailleurs faire des dessins doués de signification et d'une qualité artistique incontestables. Ce n'était pas tout : Jonny réussissait des puzzles compliqués, il arrivait à faire tenir une pièce de monnaie sur la tranche, il connaissait l'alphabet et savait écrire son nom avec des lettres découpées.

A cinq ans, Jonny fut conduit dans un nouveau centre pédiatrique. Cette fois, on fit un examen électro-encéphalographique, qui ne révéla aucune lésion cérébrale. Les radiographies du crâne et des membres ne montrèrent aucune anomalie. Les tests psychologiques révélèrent une fois de plus que Jonny était très éveillé mais hyperactif. Un psychiatre laissa entendre que l'enfant n'était peut-être pas totalement sourd, mais il fut incapable de dire ce qu'il fallait faire. Un autre décréta que Jonny était un débile mental. C'est alors qu'un jeune psychiatre suggéra aux parents de s'adresser à moi.

Je me souviens qu'en 1956, deux psychiatres prirent contact avec moi, chacun de son côté, pour me demander si j'accepterais de rencontrer, peut-être pour travailler avec lui, un garçon de six ans qui était sourd, muet et sans doute atteint de troubles émotionnels profonds.

En janvier 1957, la mère de Jonny fit appel à moi. Je compris qu'il s'agissait du même enfant. Elle m'expliqua qu'elle avait hésité plusieurs mois avant de faire une nouvelle tentative, parce qu'elle redoutait de s'entendre répondre encore une fois : « Je ne sais pas. » Moi non plus, « je ne savais pas ». Mais quelque chose en moi me disait que je devais essayer, qu'en réalité je *savais* déjà.

En général, je préfère ignorer les diagnostics qu'ont pu établir mes confrères tant que je n'ai pas rencontré moi-même l'enfant plusieurs fois ; j'aime mieux le voir avec mon propre regard, sans idée préconçue. J'en avertis les parents de Jonny. Et c'est ainsi que, munie d'un minimum d'informations, je reçus un jour l'enfant et ses parents. Je crois que je me rappellerai toujours cette première entrevue. Je n'avais jamais vu un enfant aussi laid. Il semblait avoir cinq ou six ans. Il ne marchait pas vraiment : on aurait dit plutôt qu'il se *poussait* en avant. Ses jambes, ses pieds, ses mains et ses bras partaient chacun de leur côté. Tout son corps déployait une activité intense, beaucoup plus compliquée qu'une simple marche. Chaque pas semblait exiger un effort presque indescriptible. L'enfant était incapable de vous regarder en face; ses yeux étaient perdus dans le vague; sa tête ballottait sans cesse d'avant en arrière ou de droite à gauche, ou bien elle se mettait à tourner. Jonny s'écroula comme une masse, désarticulé, comme s'il ne pouvait supporter le poids de son corps.

L'enfant ne regardait nulle part; il n'émettait aucun son. Il semblait coupé de la vie, comme enfermé dans son univers. L'avachissement de ses muscles le rendait grotesque. De grands cernes noirs autour des yeux lui assombrissaient le regard. L'absence de toute expression sur le visage était effrayante : c'était comme si rien n'existait autour de lui, ni personne — pas même lui.

De temps en temps, il levait les bras et se mettait à fouetter l'air de ses mains, comme un oiseau qui bat des ailes mais ne sait plus voler. Parfois, il se donnait des coups de poing en plein visage.

Dans le silence de la pièce, je croyais entendre les questions de l'enfant : « M'aimeras-tu? Découvriras-tu la vérité? » J'avais l'impression qu'il m'examinait de tout son être et qu'il cherchait à m'évaluer, bien que son regard ne m'ait pas fixée une seule fois.

De mon côté, je le regardais attentivement et je sentis à ce moment-là que je *savais*. Je mis un disque sur le pick-up et je laissai Jonny le regarder tourner. Il était censé ne rien entendre. Quand il fut complètement absorbé par la musique, je dis soudain d'une voix calme : « Ça suffit, Jonny. Arrête le tourne-disque. » Jonny se retourna, les poings sur les hanches; il me fit face, puis il secoua la tête d'un air furieux pour dire « non », sans réaliser ce qu'il était en train de faire. Puis, comprenant qu'il venait de laisser échapper son secret, il se boucha les oreilles, et son visage prit une expression bizarre, faite d'un mélange de peur et de soulagement. Au cours des années qui suivirent, il devait souvent répéter ce geste, d'abord sans se contrôler, puis volontairement; il le faisait par colère, mais aussi parfois pour rire, pour symboliser la manière dont il savait se couper du monde lorsqu'il avait envie de lui échapper.

A partir de cet instant, on sut que Jonny n'était pas sourd. Son secret était découvert. En même temps, il était évident que notre relation devrait être sincère, loyale. J'aimais et je comprenais suffisamment Jonny pour découvrir ce qu'il cachait derrière toutes ses lignes de défense, tout au fond de sa coquille. Je devrais le protéger contre le monde extérieur, mais aussi contre lui-même. D'une certaine manière, je lui avais ôté l'espèce de pouvoir magique qu'il avait acquis en apprenant à tromper son entourage. En contrepartie, il deviendrait un enfant qu'on empêcherait de nuire à lui-même et aux autres. Il reconnaissait que j'étais la plus forte. Mais il savait que j'utiliserais mon pouvoir pour lui venir en aide.

Après cette première séance, je vis Jonny d'abord quatre heures, puis six heures par semaine. On lui ôta son appareil acoustique; et il oublia de plus en plus souvent qu'il « n'entendait pas ». Au début, il n'abandonnait sa pseudo-surdité qu'avec moi; puis cela lui arriva chez lui, avec ses parents et même avec des étrangers, surtout lorsqu'il était question de quelque chose qu'il aurait voulu faire, ou bien posséder. Trois ans plus tard, Jonny ne faisait plus jamais semblant d'être sourd; parfois, il semblait même entendre mieux que la moyenne des gens.

Au fur et à mesure qu'augmentait sa confiance en moi, il commença à mieux marcher. Au début, après avoir fait quelques pas, il tombait sur les mains et les genoux; mais, peu à peu, il fit des progrès et sa marche devint plus assurée. Pendant un certain temps, il n'accepta de marcher que chez moi ou bien il grimpait les escaliers pour rendre visite à mes voisins. Mais vint le moment où il fallut affronter l'épreuve, et descendre dans la rue. Nous allions jusqu'au jardin public. Jonny faisait le trajet moitié marchant, moitié traîné ou porté par moi. Au terrain de jeux, après bien des frayeurs et des difficultés, il découvrit le plaisir de la balançoire. Ce fut désormais le but de nos sorties quotidiennes. Quand je sentis que Jonny devenait plus robuste, je refusai de le porter quand il tombait par terre et, parfois, je le laissais ramper un bon moment. Il se lassa rapidement de cette situation qui n'était pour lui ni utile ni confortable; au bout de quelques mois, il marchait comme n'importe quel garçon de son âge.

Quand Jonny se fut convaincu qu'il avait établi une relation bien réelle avec moi, il osa dormir plus longtemps. Avant, il n'avait pas plus de quatre ou six heures de sommeil par nuit; il commença à dormir huit heures, ou même dix heures d'affilée. Je demandai alors à sa mère de ne plus lui donner de somnifères. Après deux ou trois mois, Jonny dormait très bien sans ses pilules; sans doute parce qu'il savait maintenant que le sommeil n'entraînerait pas sa destruction ou son anéantissement. Un après-midi, il s'endormit chez moi d'un sommeil profond qui dura une vingtaine de minutes. Je remarquai que, tout en dormant, il faisait avec sa bouche des mouvements de succion et tendait les mains, comme pour saisir quelque chose. J'allai chercher un biberon, je le remplis de lait et quand Jonny s'éveilla, je lui mis la tétine dans la bouche. Il resta là, tranquille, têtant son biberon. Je mis sa tête sur mes genoux et commençai à le caresser. Pour la première fois, il ne se raidit pas pour fuir un contact physique; il acceptait enfin que quelqu'un le touchât. Pendant plusieurs jours, je continuai à lui donner le biberon et à le tenir sur mes genoux pendant qu'il têtait.

Quelque temps après, comme j'étais à moitié couchée par terre, tandis que Jonny jouait à côté de moi avec des cubes, tout à coup, il s'approcha à quatre pattes et s'enroula tout contre moi dans une position qui rappelait celle d'un fœtus : son dos touchait mon ventre. Il s'endormit aussitôt. Il sommeilla dans cette posture pendant cinq ou six minutes, qui me parurent durer une éternité... Puis il se réveilla, bâilla d'un air satisfait et pour la première fois, il commença de lui-même à toucher mes bras. Je le pris doucement sur mes genoux, l'embrassai et le serrai dans mes bras; cela parut lui plaire.

Jamais il ne répéta cette scène du « fœtus ». Mais, pendant des semaines, il continua à prendre le biberon. Puis, d'un seul coup, il y renonça. Mais, à partir de ce moment-là, quand je voulais le toucher, le câliner ou l'embrasser, il acceptait mon contact avec un mélange de prudence, de peur, de curiosité et aussi de plaisir. Peu de temps après, sa mère m'annonçait : « J'ai enfin un enfant. » Jonny ne la repoussait plus quand elle voulait l'embrasser. Peu à peu, l'enfant accepta le contact d'autres personnes; il sauta bientôt dans les bras qui se tendaient vers lui. Mais il faisait tout de même preuve de discrimination : il n'allait que vers ceux qu'il aimait. De temps en temps, il se comportait en aveugle : il touchait les contours de l'objet ou de la personne qu'il voyait pour la première fois, comme pour mieux faire connaissance avec eux.

Dès le début, j'avais été frappée par l'immense intérêt que Jonny manifestait pour toutes les sources de lumière. Plus elles étaient brillantes, plus elles l'attiraient. Quand il voyait une lampe, il allait se planter dessous à quatre pattes, regardait fixement l'ampoule, puis ses mains commençaient à fouetter l'air comme s'il battait des ailes; il bandait son corps, tandis que son visage se crispait, comme s'il eût fourni un effort surhumain. Plus tard, quand il sut se servir de sa voix, il laissait échapper en même temps des hurlements bizarres, qui rappelaient à la fois le cri de la mouette et celui de l'otarie. On aurait dit qu'il voulait pénétrer dans cette lumière qui l'attirait tant et qui semblait l'appeler. Je remarquai qu'il gardait les yeux fixés sur des lampes aveuglantes sans même cligner des paupières; il pouvait aussi toucher des ampoules brûlantes sans se faire mal.

Quand nous sortions, Jonny me traînait d'un magasin de photo à un autre; il en repérait les éclairages bien avant moi. Un jour, je lui achetai des projecteurs. Il les allumait et les éteignait sans cesse (faisant en même temps sauter les plombs un nombre incalculable de fois...). Il regardait « comment c'était à l'intérieur », il les touchait, et les traînait partout avec lui. Soudain, son attitude changea. Il commença à sentir la chaleur des ampoules; quand il mettait les doigts dessus, il criait, et ses yeux ne supportaient plus la lumière intense. Les lampes avaient pris pour lui une autre signification. Pendant longtemps, son comportement m'avait déconcertée. Puis je m'étais souvenue de la chaleur et de l'éclairage des couveuses. Pour Jonny, la lumière symbolisait la chaleur — la vie, peut-être. Lorsqu'il put accepter la vraie chaleur que lui donnait sa relation avec moi, avec sa famille, avec tous les autres, il renonça à la chaleur artificielle des lampes, ses « fausses mamans ». Et il brisa toutes ses ampoules, l'une après l'autre.

Maintenant que j'avais compris pourquoi la lumière l'avait tant fasciné, il fallait aller plus loin. Je décidai donc d'offrir une couveuse à Jonny. J'étais pleinement consciente du danger que présentait une telle expérience : au lieu d'aider Jonny, elle pouvait le faire régresser et réduire à néant tous les progrès accomplis depuis plusieurs mois. J'avais parlé de ce problème avec les parents de l'enfant, en leur expliquant les risques de l'opération. C'est eux qui prirent la décision de tenter cette nouvelle chance. Le père de Jonny construisit une réplique grandeur nature de la couveuse où l'enfant avait vécu. Quand elle fut terminée, il l'amena chez moi. Nous avions mis à l'intérieur une poupée de la taille de Jonny au moment où on l'avait placé en couveuse.

Le lendemain, ses parents m'amenèrent l'enfant, puis le laissèrent seul avec moi, attendant dehors l'issue des événements. Lorsque Jonny entra dans la pièce, les lampes de la couveuse étaient allumées. Il la vit immédiatement, et s'arrêta net. Il commença à trembler de tout son corps; son visage devint livide. Nous étions arrivés à l'instant décisif. Il semblait chanceler sous le coup, lorsque, soudain, pour la première fois depuis que nous nous connaissions, il me regarda droit dans les yeux l'espace d'une seconde. C'était un regard chargé de douleur, d'angoisse et de reproche, qui semblait dire : « Comment as-tu pu me faire une chose pareille? » Il me fallut rassembler toute mon énergie pour me rappeler que je n'avais agi que dans son intérêt. Les événements m'avaient donné raison, puisque pendant quelques minutes, Jonny était devenu complètement différent : il avait abandonné son visage vide de toute expression. Pour la première fois, il m'était apparu intact, physiquement et affectivement. Je savais que, maintenant, nous avions gagné une partie de la bataille.

J'allai à la fenêtre pour prévenir les parents que tout allait bien. Quand je revins près de l'enfant, je le vis qui guettait la couveuse, comme un chasseur — ou une proie — à l'affût. Puis il l'examina attentivement. Il se mit à jouer avec la poupée; il la lavait, lui donnait des fessées. Les jours suivants, le jeu continua et je voyais son visage s'animer de plus en plus : son air absent, son total détachement étaient en train de s'évanouir.

Quand Jonny jouait avec la couveuse ou la poupée, il émettait des sons de plus en plus variés, comme s'il essayait de parler d'elles, ou avec elles. Lui qui avait été jusqu'à présent un enfant silencieux, il se faisait maintenant si bien entendre que je cessai de m'inquiéter pour ses cordes vocales : elles étaient sûrement en parfait état. En regardant et en écoutant Jonny, je compris qu'il voulait échapper au son de sa propre voix, tout comme il avait auparavant essayé de fuir les voix de son entourage. Parler ou écouter étaient pour lui de trop lourdes responsabilités. J'installai un magnétophone tout près de la couveuse, pour enregistrer les sons qu'émettait Jonny en jouant. Quand je lui fis entendre l'enregistrement, sa première réaction fut de se boucher les oreilles. Mais il était fasciné par tous les appareils mécaniques. Au bout de quelque temps, la tentation fut trop forte : il commença à enregistrer lui-même sa voix et à l'écouter. Ses productions sonores se diversifièrent de plus en plus, jusqu'au jour où il dit : « Maman. »

Le magnétophone me servit ensuite à dire à Jonny des choses qu'il aurait eu trop de mal à entendre de ma propre bouche. C'est ainsi qu'un jour, pour la première fois, il se mit à pleurer. Jonny avait reçu en cadeau un petit chien qui était tombé malade après quelques semaines. L'enfant avait parfaitement compris ce qui se passait : il apporta à ses parents un livre de médecine. On fit tout ce qu'on put pour sauver l'animal, on l'amena chez le vétérinaire, mais il mourut. Jonny ignorait encore la nouvelle quand il vint chez moi. Je lui annonçai la mort de son petit chien et je compris, à son regard vide de toute expression, qu'il « avait coupé le contact » et refusait de m'entendre. J'avais pris la précaution de mettre en marche le magnétophone. Un peu plus tard, dans la même journée, je repassai soudain l'enregistrement; Jonny, pris au dépourvu, entendit l'histoire de la mort du chiot. Alors, pour la première fois depuis deux ans que je le connaissais, il s'effondra et se mit à sangloter. A partir de ce jour-là, il pleura chaque fois qu'il avait de la peine. Il apprit aussi à rire, faisant preuve parfois d'un sens de l'humour assez développé.

Trois ans après notre première rencontre, Jonny, qui était alors âgé de dix ans, avait parcouru un long chemin. Il entendait à peu près tout ce qu'on lui disait, il marchait bien, il savait

36

sauter, courir, bondir, nager, monter à bicyclette, peindre, dessiner et se servir d'appareils électriques. Il pleurait quand il avait de la peine, il riait quand il était heureux, il savait aimer et être aimé. Il se liait à des enfants et à des adultes, manipulant les autres avec une habileté assez rare pour un garçon de son âge. A vrai dire, il était très éveillé. Et, surtout, il était *vivant*.

Mais il avait encore du chemin à faire. Il ne parlait toujours pas, bien qu'il eût dit une fois : « Va-t'en » et « Je ne peux pas. » Mais il parlait dans son sommeil; et on l'avait vu, semble-t-il, converser avec son chien et son panda.

Anthony

— A vous de jouer, dit-il.

Je m'exécutai.

« J'ai une dame, dit-il.

C'était vrai.

Depuis six mois, trois fois par semaine, pendant une heure, nous faisions une partie, deux parfois.

De chaque côté de la table autour de laquelle nous étions assis, nous poursuivions notre lutte au-dessus d'un damier. Les pions nous servaient de munitions. Depuis le début, nos deux volontés se livraient un combat acharné. L'enjeu était de taille, puisqu'il s'agissait de la santé mentale d'Anthony.

Quand Anthony arriva chez moi, il était fatigué. Fatigué par la lutte qu'il menait depuis trop longtemps sans succès. Fatigué d'un amour douloureux à force d'être inassouvi. Fatigué d'un monde plein de contradictions — où un habile magicien jongle si adroitement avec le bien et le mal qu'il les rend interchangeables. Fatigué de ce monde où le fort tue et survit, tandis que le doux attend de se faire tuer. Fatigué de ne pas pouvoir choisir entre ces deux solutions.

Anthony arriva chez moi au moment où il était sur le point d'abandonner la partie, de renoncer à appartenir à un monde qu'il ne pouvait pas comprendre et dans lequel il ne savait pas s'intégrer. Il allait se retirer dans son univers où ni la « réalité » ni l'« équilibre mental » n'auraient de place.

Je ne savais pas dans combien de temps il prendrait cette décision. Mais ce que je savais, c'est qu'une fois sa décision prise, il serait difficile, sinon impossible, de la modifier. Il n'y avait pas une minute à perdre.

39

Anthony poursuivait toujours son combat. Baisser les bras signifiait la défaite.

Parfois, il faisait penser à une mare d'eau stagnante, privée de toute vie, attendant passivement qu'on l'assèche.

A d'autres moments, son désespoir, sa douleur et sa fureur étaient tels qu'il semblait sur le point d'exploser. Il était comme un bateau pirate en flammes, secoué par l'explosion des munitions; tous les marins sont morts, le capitaine est blessé et dirige le bateau vers la catastrophe finale, vers les récifs qui vont le déchiqueter. Son orgueil est aussi grand que sa peur; il ne veut pas qu'on le capture vivant, ni montrer sa faiblesse.

Anthony était sur le point de choisir. Ne faisant confiance à personne, il refusait toute aide.

Tandis que je regardais attentivement l'enfant, un horrible soupçon m'envahit lentement. Le combat entre sa folie et son équilibre mental était inégal : la folie avait à sa disposition beaucoup plus de munitions. Et c'est ainsi que nous avons commencé nos parties de dames avec pour enjeu la santé mentale d'Anthony. Il ne pouvait rien prendre directement, parce qu'il avait trop peur de demander, de recevoir ou de se procurer quelque chose. Je ne pouvais rien lui donner directement, parce que j'avais peur d'aller trop loin, de l'étouffer en voulant trop lui apporter, et de lui imposer mon propre acharnement à le sauver; par maladresse je risquais de le pousser vers la décision que je redoutais le plus — le suicide de son équilibre, de sa personnalité. J'espérais toujours pouvoir l'aider d'une manière ou d'une autre à renforcer les munitions qui lui permettraient de sauver sa santé mentale.

Anthony était doté d'une grande force intérieure, mais elle se dispersait dans le combat qui mettait aux prises son désir de vivre et celui de mourir, son désir de lutter et celui d'abandonner. Je devais encourager son désir de vivre, même si sa volonté de lutter s'affaiblissait. Et c'est ainsi que le combat devint celui de nos deux volontés, dressées l'une contre l'autre.

Pour nous défier, nous choisîmes le jeu de dames. Sur le damier, Anthony devait apprendre à jouer en concentrant sa force et sa volonté; il devait apprendre comment gagner et perdre vraiment, et continuer malgré tout à jouer.

Le champ de bataille, c'était la vie. Et nous jouions aux dames. Quand il sut enfin comment utiliser ses colères, ses joies, ses haines et ses amours, l'énergie de jouer, il apprit automatiquement, un tout petit peu, à aimer. Quand la partie était en cours, nous ne parlions presque jamais de ce qui le faisait souffrir. Nous tournions autour de sa douleur, l'effleurant par endroits, puis, d'un accord tacite, nous nous en éloignions rapidement, à de rares exceptions près. Alors que nos deux volontés se livraient ce duel effrayant où se jouait la santé mentale d'Anthony, quelque chose se passait en lui qui allait l'aider à choisir de vivre.

Lorsque Anthony arriva chez moi, il avait dix ans et demi. Il faisait l'objet d'un diagnostic pour le moins confus : retard mental, lésion cérébrale, schizophrénie infantile, autisme, délinquance juvénile. Ce qu'on lui reprochait essentiellement, c'était sa terrible violence physique contre les enfants, les adultes, tout ce qu'il approchait. Il s'identifiait totalement à Hitler et était couvert, de la tête aux pieds, de croix gammées.

Quand il arriva chez moi, les autorités étaient sur le point de le retirer de l'école pour le faire entrer à l'hôpital.

Anthony ne savait pas lire. Il bredouillait; ses propos étaient incohérents. Pour communiquer, il se servait de son corps, surtout de ses poings. Parfois, il semblait beau; à d'autres moments, il était apathique, comme hébété. Tantôt ses mouvements étaient saccadés et désordonnés; tantôt il faisait preuve d'une parfaite coordination motrice. Il se comportait en délinquant et avait sans cesse maille à partir avec la police. Chez lui, il recevait de son père de sérieuses corrections; à l'école, des punitions sévères; et dans la rue, c'était la guerre permanente.

Il avait fait plusieurs tentatives de suicide. Il vivait dans une jungle pleine de choses terrifiantes qu'il essayait désespérément de fuir. Mais lorsque cette épouvante prenait des proportions démesurées, il se jetait lui-même dedans à plein corps.

— Je n'ai rien à vous dire et je ne vous écouterai pas non plus, me dit-il quand il vint me voir pour la première fois.

— Qu'est-ce que tu dirais d'une partie de dames? Tu veux tenter ta chance?

Je vis qu'il lorgnait le damier du coin de l'œil.

— D'accord, fit-il avec un sourire qui manquait de naturel. Il me toisa du regard.

« Je vais vous battre.

Je le trouvais grand pour dix ans et demi, et beau aussi, élancé, plein de grâce.

Je sortis les pions; il les plaça sur le damier. C'était une partie étrange, car gagner pouvait parfois signifier perdre la bataille, et perdre, la gagner. Tout dépendait de la manière dont cela se passait.

Il gagna.

— Vous voyez, je vous bats, dit-il, l'air content de lui.

— Parce que je n'ai pas voulu me donner du mal pour un adversaire comme toi, répondis-je avec sarcasme.

Il pâlit.

— Je ne suis pas idiot.

— C'est bien là le problème, lui dis-je.

— On joue? demanda Anthony.

— D'accord, fis-je. J'ai une volonté de fer, et toi aussi. Laissons-les se mesurer l'une à l'autre.

Sa bouche commença à trembler, mais dans ses yeux je surpris comme un éclair de fierté. Je comprenais et reconnaissais sa force.

Nous jouâmes. Je gagnai. Furieux, Anthony balaya les pions d'un geste de la main et quitta la pièce.

— On joue? lui demandai-je quand il revint.

— Non.

— Tu as peur.

Il se leva pour partir.

« Tu es un poltron.

Il pivota sur ses talons comme pour me frapper; au lieu de cela, il remit les pions en place. Il joua dans un état de fureur indescriptible. Il passa tout près de la victoire, mais perdit.

Il me regarda avec une haine si impuissante qu'instinctivement je voulus tendre les bras vers lui pour le protéger, mais j'arrêtai mon geste. Il ne voulait ni de ma compassion ni de ma pitié. Ce dont il avait besoin, c'était de dignité – de respect pour la force de sa haine. Il partit.

— Une partie, dit-il, les lèvres serrées.

Il a du cran, pensai-je. Il est revenu.

« Je prends les noirs, déclara-t-il.

Je pris les rouges. Nous plaçâmes les pions sur le damier et nous commençâmes à jouer sans nous faire de cadeau. Il le fallait. J'avais dit que je voulais un adversaire contre lequel cela valait le coup de se battre; il était d'accord et était revenu pour lutter de toutes ses forces.

— Réveillez-vous! J'ai joué, dit-il.

— D'accord.

Je jouai.

— Je souffle, dit-il résolument.

Il me battait.

Il n'y avait en lui aucune allégresse, seulement la satisfaction du travail accompli et du temps bien rempli. Il essuya son front trempé de sueur et partit.

— C'est à vous, dit-il.

Je jouai.

« J'ai une dame, annonça-t-il.

— D'accord.

— Je souffle. Vous aimez Hitler? demanda-t-il.

Les croix gammées qui recouvraient ses bras et sa poitrine semblaient plus grosses que jamais.

Dur travail – la victoire avait entraîné une certaine détente et plus de sincérité.

— Non. A toi.

— Je l'aime bien. Il était fort et il pouvait tuer. C'était quelqu'un.

— Je te bats, Anthony! Tu n'aimes pas beaucoup ton école?

— C'est mon tour. Attendez. Non. Je suis idiot. Ils ne vous l'ont pas dit?

— Je ne leur ai pas parlé.

Je jouai.

— Bon, faites-le et vous verrez. J'ai une dame.

J'entrai en contact avec la maîtresse d'Anthony. Elle me dit : « Il ne suit pas. Vous savez ce que c'est. Certains y arrivent, et d'autres, non. Cela ne sert à rien de vouloir le pousser. C'est un attardé mental. Je crois que le mieux serait de le placer dans une classe spécialisée. C'est un délinquant juvénile et, en plus, il est complètement idiot. Il croit être Hitler. C'est écœurant. » Elle murmura d'une voix charmante : « Et puis, vous savez? Il est sale. »

« Je vois », dis-je, mais en réalité je ne voyais pas du tout où elle voulait en venir.

« Il joue avec son corps », continua-t-elle. « Vous savez, il se touche. C'est un détraqué. Un fou. Il passe son temps à se coiffer et », elle murmura encore plus bas, « il y a une petite fille de couleur, il est tout le temps après elle. Vous perdez votre temps ».

— Bon, dit Anthony d'un air maussade, on fait une partie.

— Tu ferais mieux de bien jouer aujourd'hui, dis-je les dents serrées.

— Vous êtes dingue? fit-il calmement, comme s'il constatait un fait.

— Je leur ai parlé. A l'école.

— Oh, dit-il d'un air gêné.

— Tu as fait du bon travail là-bas. Tu as réussi à « les » convaincre que tu étais idiot.

— Je le suis, n'est-ce pas?

— Tu parles! Tu es sacrément trop malin.

— Mais la maîtresse a dit que j'étais idiot. A l'hôpital aussi, on a dit cela, quand j'ai passé les tests. Ma mère aussi. Et mon père. Je suis sûrement idiot!

— Tu n'as pas parlé de ta grand-mère.

— Bon, à vous de jouer.

Puis il me demanda doucement :

« Vous ne me trouvez pas idiot?

— A toi. Effrayé, oui. Idiot, non.

— Je n'ai peur de personne, cria-t-il en colère.

Il me souffla trois pions et s'en alla, traînant derrière lui sa veste couverte de croix gammées.

Je téléphonai à la mère d'Anthony. Elle me dit : « Peut-être avez-vous raison. Peut-être n'est-il pas idiot, mais il n'est pas très intelligent. Tout ce qu'il sait faire, c'est se battre. Un jour, la police le coffrera pour de bon. D'accord, Mira, je ferai un effort, mais il est comme son père. C'est un incapable. Il ne sait même pas lire.

Elle fit une pause.

« Vraiment, vous ne le croyez pas idiot? » me demanda-t-elle doucement.

Sa question traduisait toute sa douleur et tout son espoir.

— Je prends les rouges. On commence, annonça-t-il.

Nous jouâmes.

« A vous. Mon père, c'est un crétin.

Je jouai.

« C'est un incapable. Je vais vous coincer.

— Tu crois?

— Il nettoie les poissons. Je déteste le poisson. Je vous bats.

— Je te bats aussi.

— Il me frappe avec une courroie.

— Je suis désolée. Je t'ai eu. Je lui demanderai d'arrêter de te battre.

— Attendez. J'ai le rouge. Ne vous mettez pas entre lui et moi.

Puis il ajouta doucement :

« Il ne vous écouterait pas.

— Peut-être que si. J'ai une dame. Tu ne fais pas attention à la partie, tu penses à autre chose.

Le père d'Anthony m'écouta. Il vint me voir; il était grand, fatigué, timide, beau, tout comme son fils. Je vis la cicatrice sur sa main gauche.

— C'est en écaillant le poisson, dit-il.

Il sentait le poisson.

« Je sors tout droit de mon travail.

Il sourit pour s'excuser et s'assit lourdement.

« Je suis fatigué. La journée a été longue. Je commence à quatre heures du matin et je ne m'arrête pas avant sept ou huit heures du soir. Je nettoie le poisson, je le coupe et je l'écaille.

Il continua à parler. Il émanait de lui une grande dignité. Il m'expliqua :

« Je suis arrivé d'Europe quand j'avais sept ans. Je n'avais pas le temps d'aller à l'école. J'ai travaillé dans ce que je connaissais déjà, le poisson. Maintenant, je passe pour un imbécile, à leurs yeux. Je ne sais pas très bien lire. Je ne peux pas aider les enfants à faire leurs devoirs. Je ne sais pas comment leur parler. Peut-être que si j'avais été à l'école... » dit-il avec un air d'impuissance qui n'appelait aucune réponse.

« Mais, eux, ils iront au lycée.

— On fait une partie, dit Anthony.

Nous jouâmes.

« Il a dit qu'il ne me battrait plus. Vous devez être dans les petits papiers du bon Dieu.

— Non, mais j'ai fait la connaissance d'un type intéressant.

— Qui ça?

— Ton père.

— Vous êtes dingue. C'est un incapable. Il nettoie le poisson.

— Et alors! C'était pour lui le meilleur moyen d'être tout près de ces poissons qu'il aime tant.

Je racontai à Anthony tout ce que j'avais compris de cet homme qui était son père. De son amour pour la mer, pour la pêche, pour les poissons.

Il remit les pions sur le jeu.

— On joue encore.

Ses mains tremblaient de joie et de fierté pour son père.

« Il ne sait même pas lire, dit-il d'un air furieux.

— Si, il peut, mais lentement. C'est pour cela que tu ne veux pas apprendre à lire?

J'avais touché là un point sensible. Il tressaillit.

— A vous de jouer, dit-il.

— C'est fait, répondis-je.

Il comprit.

— Je veux dire, avec les pions, ajouta-t-il furieux, me maudissant à mi-voix.

« Il me frappe, ce type que vous trouvez si bien.

— Et alors? C'est ce que tu cherches!

— Que voulez-vous dire?

— Ça suffit, Anthony. Pour une raison quelconque, tu cherches à te faire battre. Tu aimes qu'il te batte. Tu te roules par terre devant lui en criant et en donnant des coups de pied, en n'attendant qu'une chose, c'est qu'il te frappe. Tu n'es content que lorsque tu as reçu ta correction.

Anthony, furieux, donna un coup de pied dans la table.

— Bonsoir, dit-il.

— Attends qu'on ait fini la partie.

— Sûrement pas, répondit-il.

Mais il resta. Il voulait que je lui parle encore de son père.

« Je vous souffle votre pion parce que vous avez oublié de prendre.

— Tu sais, Anthony, ton père te bat parce qu'il voudrait que tu aies un peu d'affection et de respect pour lui.

— Il a une drôle de façon de s'y prendre.

— Et, tu sais, il t'aime énormément.

— Je le hais. Cela m'est bien égal qu'il m'aime ou non.

— C'est pourquoi tu cherches toujours à ce qu'il te frappe, je pense.

Je me décidai à lui poser la question :

« Pourquoi?

Il s'enfuit en courant. Il venait d'entendre ce qu'il avait tant souhaité entendre un jour : son père l'aimait.

— Je prends les rouges. On fait vite une partie, et après je pars, annonça Anthony.

— On a combien de temps pour jouer?

— Cinq minutes.

— Tu mets quatre-vingt-dix minutes pour venir ici, autant pour rentrer, et tout cela pour ne rester que cinq minutes avec moi. Ces cinq minutes doivent être très importantes.

— J'ai joué. Hier, un flic m'a poursuivi à travers tout le quartier. J'ai réussi à le semer.

— Très drôle.

— J'ai crevé des pneus, continua-t-il d'un air provocant.

« J'ai aussi cassé six fenêtres, ajouta-t-il plaintivement, effrayé par mon manque de réaction.

— Pourquoi?

— Je ne sais pas. J'ai des lubies.

— D'accord. Tu as cinquante-cinq minutes pour trouver la raison de ton geste, et ne me raconte pas de salades. J'attends.

— Je m'en vais, je vous l'ai dit.

— Tu restes.

Il resta et, au bout d'une demi-heure de frustration et de dignité blessée, il parla :

— Je veux qu'on me renvoie de chez moi et de l'école. Je ne compte pas là-bas. Personne ne m'aime.

Je lui racontai comment cela se passait dans les centres de rééducation, en ne lui faisant grâce d'aucun détail.

— Ça ne ressemble pas à ce qu'on voit dans les films ou à la télé, dit-il.

— Tu ne sais pas ce que c'est, Anthony. J'ai travaillé dans un de ces centres.

La discussion s'arrêta là.

— Bon, dit prudemment Anthony, on joue.

Nous commençâmes une partie.

« Vous êtes juive?

— Oui.

— Je suis italien.

— Je sais.

— Je ne sais pas lire.

— Je suis désolée.

— Moi pas. J'ai une autre dame. Je serai comme Hitler.

— Il savait lire.

— Sûr qu'il savait.

Soudain, Anthony renversa les pions, furieux, et se leva.

« Je ne joue plus aujourd'hui.

Il venait de perdre.

— Tu es comme Hitler. Tu ne sais pas perdre.

Je le trouvai très beau à cet instant. Un Sicilien. Plein d'arrogance pour masquer sa peur et sa défaite.

— Qu'est-ce que vous avez dit?

Son arrogance devenait de la suspicion.

« Là, à l'instant.

— J'ai dit que tu étais comme Hitler. Tant qu'il était vainqueur, tout allait bien. Dès qu'il a vu qu'il était battu, il s'est tué.

Il me regardait attentivement.

« Il ne savait pas perdre. C'est facile d'être fort et fidèle à ses convictions quand tout le monde est de votre côté. Mais cela demande vraiment du cran que de faire face à ce que l'on est et de garder ses convictions quand tout le monde vous abandonne.

— Cela ne change rien, je n'ai pas envie de jouer.

— Sûr. Tu veux partir parce que je gagne.

— Cela n'a aucune importance.

— Pour toi, cela en a, Anthony, mais tu n'as pas le cran de te servir de ta tête et de lutter jusqu'au bout. Tu ne sais ni perdre ni gagner.

— Aujourd'hui, on fait une petite partie, me dit-il.

— Tu vas la gagner à toute vitesse?

— C'est ça. Je prends les rouges. Mira, qui d'autre ressemble à Hitler?

— Tu veux dire, quelqu'un qui a tué aussi des millions de gens?

— Non, dit-il, écœuré. Qui d'autre a été comme lui un grand chef, un grand général?

— Il y en a eu beaucoup. Washington, Lincoln, Napoléon, Roosevelt.

Je continuai à énumérer tous les noms qui me venaient à l'esprit.

« Ah! c'était des hommes extraordinaires.

Je devenais enthousiaste.

« Si seulement tu savais lire, je te prêterais des livres qui racontent leur histoire.

— A vous de jouer. Vous feriez cela?

— Je te prends un pion. Bien sûr, je le ferais. Tu es en train de perdre. Tu as oublié de me prendre.

— Ce n'est pas juste!

Ses yeux étaient pleins de larmes, mais pas seulement à cause du pion qu'il venait de perdre.

49

« Vos livres à vous, vous me les prêteriez?

— Les miens, bien sûr.

— Je prends deux pions maintenant. Mais je suis idiot! cria-t-il, désespéré.

— Cette excuse n'est pas valable, dis-je d'un air détaché.

— Pourquoi?

— Parce que tu es très intelligent, Anthony. Je le sais, et toi aussi tu le sais.

— Je vais gagner cette partie et je vais apprendre à lire, je crois.

— Comme tu veux, dis-je avec calme.

— Une partie?

— D'accord.

— Mon père ne me bat plus jamais.

— Je ne pense pas que ce soit définitif.

— Pourquoi?

— Parce que si mon enfant s'enfermait dans la salle de bains pendant des heures, et restait la tête sous l'eau jusqu'à en perdre sa respiration, je crois que je lui donnerais aussi une bonne correction.

— Vous feriez cela?

Une étrange excitation animait le visage d'Anthony.

« Vraiment, vous feriez cela?

— Si mon fils faisait cela, comme toi, à intervalles réguliers, c'est sûr que je le corrigerais. Pourquoi fais-tu cela, Anthony? Tu pourrais vraiment te blesser. Avoir un malaise et te noyer.

L'expression d'une solitude profonde envahit son visage et il chuchota tout bas :

— Il serait malheureux et alors il m'aimerait.

— On joue.

— Tu es en retard.

— Je sais. Le train n'avançait pas.

— Ne t'en fais pas, Anthony. Je sais ce qui s'est passé. Tu as frappé des enfants et la maîtresse t'a gardé en retenue. Elle m'a dit aussi que maintenant tu savais lire.

— Quelle grande gueule.

Il entra en fureur.

« Cela ne la regardait pas, elle n'avait pas besoin de vous le dire, que je savais lire!

— Regarde, Anthony. Les livres sont là, sur la table. Tu les prendras quand tu voudras.

— A vous de jouer, siffla-t-il.

— Autre chose, Anthony. A partir de maintenant, ta maîtresse remplira tous les jours ton carnet, comme cela, toi et moi, nous saurons où tu en es.

— Qui a dit cela?

— Moi. A toi de jouer.

— Je ne suis pas un bébé!

Il joua.

— D'accord. Pourtant, parfois, tu te comportes comme si tu en étais un, comme aujourd'hui, par exemple. Tu dis que tu veux faire des progrès.

— C'est vous qui commencez, aujourd'hui. Allez-y!

— Anthony, as-tu envie de te faire renvoyer de l'école?

— C'est votre tour. Laissez tomber. Vous savez bien qu'ils ne me retireront pas de l'école. La maîtresse ne les laissera pas faire.

— Je ne savais pas que tu lui étais si sympathique.

— Elle gagnerait moins d'argent. Vous savez bien. Ils sont payés d'après le nombre de leurs élèves. Si elle me renvoie, elle y perdra!

Anthony souriait d'un air triomphant. Il croyait tenir tous les atouts en main.

Quand je lui eus expliqué le fonctionnement des écoles publiques, il perdit ses illusions et se montra moins suffisant.

— Tenez-vous bien, cria Anthony, très excité, je vous apporte quelque chose!

— Du poisson!, dis-je, ravie.

— Non. Quelque chose qui vient de moi, pas de mon père!

Il brandit son carnet de notes. Il avait la moyenne dans toutes les matières.

— C'est beaucoup mieux que d'être en dessous de la moyenne, dis-je calmement. Je suis très heureuse pour toi, Anthony.

Je ne savais pas comment il réagirait aux compliments.

Alors, d'un geste solennel, il ouvrit son carnet et je lus ce que la maîtresse avait écrit : « Félicitations! Nous avons réussi. Non seulement la conduite et le travail scolaire d'Anthony sont nettement meilleurs, mais il manifeste une intelligence très vive. Il connaît les grandes figures de l'Histoire et les événements contemporains beaucoup mieux que n'importe qui! Je voulais que vous le sachiez. »

Anthony me regardait attentivement. Son visage était tout rouge. La partie de dames fut lamentable. Il ne pouvait ni gagner, ni perdre. Il était incapable de jouer.

Anthony vint me voir dans son bel uniforme tout neuf de cadet de la Marine; il tournait sa casquette entre ses doigts d'un air timide. Il avait fière allure.

— Ils me l'ont acheté. Mon père et ma mère.

Il ajouta d'une voix presque inaudible :

« Vous l'aimez? »

J'étais ravie. Nous avions eu beaucoup de mal à le décider à entrer dans les cadets de la Marine, et encore plus à le convaincre d'y rester.

Anthony joua très bien aux dames. Il utilisa toutes les astuces et tous les tours qu'il connaissait.

— J'aime bien Napoléon, annonça-t-il. J'aime mieux lui ressembler, maintenant, plutôt qu'à Hitler. Il faisait front quand il perdait.

— D'accord, Napoléon. Quelle couleur prends-tu?

— Les rouges.

Nous nous demandâmes pourquoi Napoléon avait eu une telle soif de puissance.

— Il devait se sentir très petit, quelque part, dis-je, tout au fond de lui-même.

— C'est une raison idiote, dit Anthony. Il n'était petit que de taille. Je veux dire qu'il n'avait pas grandi, c'est tout.

Je devais lui poser la question maintenant :

— Anthony, pourquoi souilles-tu ton pantalon? Te sens-tu petit, toi aussi, quelque part, tout au fond de toi?

J'avais frappé au-dessous de la ceinture, mais je devais le

faire. J'éprouvai une impression bizarre à faire tomber Anthony, après avoir passé tant de temps à l'aider à forger sa propre force.

Il me regarda, l'air hébété, comme s'il se sentait trahi, écrasé. Et soudain il s'écroula et commença à pleurer amèrement — c'était la première fois que je le voyais pleurer depuis que je le connaissais. Mon chien s'approcha de lui et lui lécha le visage. Anthony accepta avec reconnaissance cette marque d'affection.

Anthony était un enfant qui avait perdu son paradis trop tôt, mais qui n'y avait jamais renoncé. C'est pourquoi il restait à mi-chemin entre le ciel et l'enfer. Il avait très peur de tomber sur la terre et de devenir mortel — d'être à la fois fort et faible, de prendre et de donner, pour finalement mourir.

Il restait donc sur le seuil de sa petite enfance, essayant d'entrevoir le paradis qu'il avait quitté depuis si longtemps. Mais tout ce qu'il en avait gardé, c'était l'incapacité de contrôler ses intestins et l'illusion que son enfance ne s'était pas envolée, qu'elle était encore là, tout près, à portée de sa main. Ce rêve contenait tout son amour, sa honte et sa défaite.

L'enfant était devenu un véritable zombi. Cela dura une semaine, un mois, je ne sais plus. Son affreux secret était découvert, ce secret qu'il avait caché, haï et précieusement conservé si longtemps.

Il continuait à venir chez moi, comme il serait allé voir son bourreau. Nos parties de dames étaient mornes. Il se moquait de gagner ou de perdre. Il jouait beaucoup plus lentement qu'avant; on aurait cru qu'il était en catalepsie. Et quand il marchait, il traînait les pieds comme s'il était enfoncé jusqu'aux genoux dans ses propres excréments et qu'il était happé par eux. Son enfance, telle une pieuvre, l'encerclait de bras innombrables : les liens de dépendance, les peurs, les besoins et les blessures qu'il avait connus, tout cela l'entraînait vers les sables mouvants de ses excréments. Sous cette apparente passivité, le combat d'Anthony continuait.

Puis, un jour, il arriva chez moi, furieux.

— On joue, grogna-t-il.

— On joue, dis-je, soulagée.

— Les noirs, marmonna-t-il.

Et il aligna les pions.

« Comment avez-vous su? demanda-t-il.

Puis il ajouta :

« Ils vous l'ont dit.

— Anthony, tu ne viens pas ici uniquement pour jouer aux dames. Ils me l'ont dit et, toi aussi, tu me l'as dit.

— Moi? fit-il, l'air ahuri.

— Oui. Par la manière dont tu marches quelquefois. La manière dont tu sens. Par bien d'autres choses encore.

Il me lança un regard furieux.

« Combien de temps restes-tu sans aller à la selle? lui demandai-je.

— Quelques jours, parfois une semaine, quelquefois plus longtemps, dit-il à contrecœur.

— Tu n'as pas mal au ventre?

— Hmm, Hmm, non, répondit-il, tout rouge.

— Et après, tu fais dans ton pantalon?

— Ouais, dit-il l'air gêné.

— Souvent?

— Je ne m'en rends pas compte, quand ça vient.

Maintenant, ses lèvres tremblaient.

— Anthony, je m'en veux de te priver de l'originalité de ton grand secret, mais je dois te dire que beaucoup d'enfants sont comme toi. Ils font la même chose. Et certains viennent me voir.

— Ils ont quel âge? murmura-t-il, retenant son souffle.

— Il y en a un qui a onze ans. Un autre a treize ans, et un autre encore, plus de quatorze ans.

Il sauta sur ses pieds.

— Excusez-moi, puis-je aller... et il ajouta en chuchotant : dans la salle de bains?

C'était la première fois qu'il me le demandait.

— Je joue.

Nous commencions la partie.

— Qui lave tes slips? lui demandai-je.

— A vous de jouer.

Anthony ignora ma question.

« Il fait noir dehors, dit-il.

— Tu ne joues pas bien, Anthony. Qu'est-ce qu'il y a?

— Il fait noir, et c'est le matin, poursuivit-il, sans se soucier de mes questions.

— Il pleut, fis-je. Cela te fait peur?

— Pas à moi. A ma grand-mère. Ça va éclater?

— Que veux-tu dire?

— Le tonnerre. Je déteste ça. Ça peut tuer.

— Parfois, c'est vrai.

Je lui expliquai alors ce qu'étaient le tonnerre et les éclairs.

— Tout peut tuer, dit-il.

Puis il ajouta :

« Quelquefois, quand ça éclate comme ça à l'intérieur » (il hésitait, comme s'il essayait de rassembler les pièces d'un puzzle) « on part en mille morceaux. Et puis, quelquefois, on n'arrive plus à retrouver ses morceaux et on n'est plus rien du tout.

— A vous de jouer. Je dois partir bientôt, dit-il.

— Qu'est-ce qui presse tant?

— Il va y avoir un orage. Et puis, on m'a suivi.

— Anthony?

Je le regardais, incrédule.

— Un homme. Je l'ai semé. Vous avez vu ce qui était arrivé à cette fille, à Manhattan? Il l'a enlevée, et après il l'a tuée.

Il me raconta toute l'histoire, dans ses moindres détails.

— Anthony, elle n'avait que quatre ans. Toi, tu as onze ans. Tu saurais mieux te débrouiller, j'espère. Tu ne suivrais pas un inconnu parce qu'il t'a promis des bonbons.

— Mais il y a aussi l'histoire de ce garçon qui a été enlevé dans le Bronx. Il avait sept ans, et maintenant il est mort, lui aussi.

Que pouvais-je lui répondre?

Mon téléphone se mit à sonner tous les jours. Quand je décrochais le combiné, personne ne répondait à l'autre bout du fil.

Puis un jour, j'eus comme une illumination et dis :
— Anthony, je suis là. Tu peux me parler.
L'enfant répondit timidement :
— D'accord. Au revoir.

— Je prends les rouges. Vous, les noirs.
Puis il ajouta avec hargne :
« Je déteste les communistes. Ce sont de sales types.
— Les quoi? lui demandai-je, étonnée.
— Les rouges, vous savez bien. J'ai entendu un journaliste, à la radio, qui disait qu'ils étaient partout. Même dans nos propres familles.
— Qui as-tu repéré dans la tienne? Ta grand-mère?
L'enfant se mit à rire, mais il semblait perplexe.
— John Kennedy est un communiste, et cette nuit ils vont peut-être le choisir comme président, et nous serons tous tués. Vous savez bien.
Je n'en croyais pas mes oreilles. Son visage avait cette expression crispée qu'il prenait toujours quand il était en proie à la panique.
— Eh bien, oui, il n'est pas comme Ike, donc c'est sûrement un communiste, ajouta-t-il, en remarquant mon air stupéfait.
Nous avons parlé du système bipartite des États-Unis. Nous avons parlé de démocratie et de liberté, et des élections. Anthony avait l'air ravi, absorbé et passionné par notre discussion.
Ses craintes semblaient s'apaiser. Nous avons allumé le poste de télévision pour écouter une partie des débats politiques de dernière minute. L'enfant était fasciné et semblait participer cette fois, débarrassé enfin du besoin de tuer ou de se faire tuer.

— C'est mon tour, dit-il.
Il joua.
— Les communistes... commença-t-il.
« Le monde est divisé en deux. Il y a les communistes, et nous. C'est bien ça?
— Non, c'est faux.
Je lui expliquai qu'il existait à travers le monde bien d'autres manières de penser. Il eut du mal à l'admettre. Maintenant,

il n'avait plus à redouter son père, qui ne le battait plus, ni le tonnerre, qui ne le tuait pas, ni l'homme dans la rue qui n'allait pas le massacrer ni l'enlever, alors, devait-il rester au moins les communistes.

— Mais Castro, à Cuba. Il a renversé le bon gouvernement pour mettre, à la place, ses propres hommes, et ce sont tous des communistes.

Je lui expliquai la révolution cubaine et la comparai à notre propre révolution.

« Mais en Afrique, insista Anthony, eux, au moins, ce sont de vrais communistes.

Je lui expliquai ce qui se passait en Afrique, en me servant encore de l'exemple de notre propre guerre d'Indépendance contre l'Angleterre. Anthony était exténué.

— Vous voulez dire qu'ils ne sont pas communistes? dit-il d'un air incrédule, mais soulagé.

Je lui ai alors parlé du communisme, de la Russie, de la Pologne, de la Hongrie, de la Chine et des autres pays communistes. Nous avons entamé une nouvelle partie de dames tout en continuant à discuter du communisme et de la démocratie, et des conséquences que tous deux avaient entraînées dans l'histoire contemporaine.

— C'est mon tour.
— Non, le mien.
Nous réexaminâmes le jeu. Anthony avait raison.
— D'où vient votre ami africain? me demanda-t-il.
— Du Kenya.
— Alors, c'est un communiste, décida-t-il.
— Non, il lutte simplement pour la liberté de son pays.

Mon ami du Kenya entra. Aussi noir que la nuit, et tout aussi impressionnant. L'enfant se leva et ils se serrèrent la main. Avec une crainte mêlée d'admiration, Anthony essayait de lire l'histoire de l'Afrique sur le visage de cet homme. Puis il se détendit. Soudain, ils se comprirent mutuellement. Le combat que l'homme menait pour la dignité et l'indépendance de son pays ressemblait à celui que menait l'enfant pour conquérir sa propre dignité et son indépendance.

— Ce n'est pas tellement différent, dit Anthony.

Le croquemitaine, le communiste, mourait d'une mort très lente. Anthony commençait à acquérir le sens de l'histoire et à comprendre ce qu'était la fierté des hommes pour leur propre pays; il comprenait aussi la fierté qu'il éprouvait pour son pays et pour lui-même.

— Aujourd'hui, j'ai lu dans le journal », commença Anthony tout en bougeant son pion, « qu'ils vont discuter de l'Afrique aux Nations-unies. Vous m'y emmènerez? Je vous en prie.

Son univers s'élargissait. Le monde commençait à pénétrer dans la petite île étriquée de ses idées fausses et de ses préjugés. Anthony commençait à émerger.

— On devrait changer la couleur des pions », dit Anthony en me prenant mes deux dames. « Le noir et le rouge ne vont plus. Nous devrions en avoir beaucoup d'autres.

Chaque fois que je recevais quelque chose de l'étranger, Anthony avait, lui aussi, sa part.

« J'ai l'impression de voyager, grâce à cela », dit-il un jour en me montrant la bande d'un paquet de cigarettes espagnoles.

— Jouons aux dames, suggéra-t-il, comme s'il s'agissait d'une nouveauté.

Il y avait autre chose :

« Vous croyez que je pourrais aller au lycée?

— Cela ne tient qu'à toi. Je ne vois pas pourquoi tu n'irais pas.

— Et puis après, j'aimerais aller à l'Université, ajouta-t-il très tranquillement.

« Ensuite, je travaillerai et je verrai un tas d'endroits et un tas de choses.

Je me sentais fière. Anthony jouait avec calme et dignité. Je savais qu'il y arriverait.

Je n'avais pas vu Anthony depuis deux mois, car j'avais été hospitalisée après une rechute d'une blessure dans le dos.

— Ne jouons pas maintenant, dit-il tranquillement, d'un ton ferme.

Il me regardait attentivement.

« Vous êtes pâle et maigre. Demain, je vous apporterai quelque chose que ma mère aura cuisiné pour vous. Elle cuisine bien. Cela vous remplumera.

Je souris, heureuse de le voir en si bonne forme. Il se faisait tant de soucis pour moi.

— Je vous ai envoyé des cartes. Vous les avez reçues?

— Oui. Merci, Anthony. Elles étaient très jolies.

— Je suis désolé de vous avoir ennuyée à l'hôpital. Il fallait que je téléphone. Il fallait que je sache que vous étiez là.

— Tu veux dire, vivante?

— Oui, dit-il en rougissant.

Et, avec l'enthousiasme de l'enfance, il insista :

« Vous savez pourquoi vous avez eu mal au dos? C'est parce que vous vous asseyez par terre.

Je lui expliquai mon accident de voiture. Puis il me dit d'un air décidé, mais avec malgré tout un accent de supplication dans la voix :

— On ne jouera plus aux dames. S'il vous plaît, ne jouons plus. Maintenant, on se parlera, simplement. D'accord?

Il poursuivit :

« C'était bien, et vous savez tant de choses, vous m'en avez tant expliquées, et tout s'arrangeait. Quand vous êtes tombée malade, c'était comme si tout s'assombrissait tout à coup et que le monde s'arrêtait, que tout s'arrêtait. Et maintenant, continua-t-il naïvement, tout va bien à nouveau, la lumière est revenue, et la terre s'est remise à tourner...

Il ajouta après un instant de réflexion :

« ...pour moi. Aussi, ne vous asseyez plus jamais par terre, et ne tombez plus jamais malade.

La première étape était franchie. La confiance d'Anthony était gagnée. A partir de cet instant, nous avons parlé, marché, fait beaucoup de choses ensemble, mais nous n'avons plus jamais eu envie de jouer aux dames.

Je le voyais chez moi trois fois par semaine. Je gardais

constamment le contact avec sa famille. L'équilibre délicat de sa santé mentale et de notre relation était trop précaire pour courir le risque qu'une tierce personne le rompît. On prononçait souvent mon nom chez Anthony : « Je le dirai à Mira », « Je demanderai à Mira », « J'en parlerai à Mira ». Toute la maisonnée invoquait mon nom pour féliciter, punir, établir des règles et donner des ordres. Les frères et sœurs d'Anthony commencèrent à me téléphoner, après que leur frère me les eut amenés, un par un, chaque fois qu'ils avaient un problème. Mais tout cela eut lieu plus tard. J'étais devenue pour toute la famille un personnage familier.

L'enfant faisait des progrès, à l'école, dans la rue, à la maison, s'améliorant un petit peu chaque jour. Il continuait à battre les enfants, à crever les pneus, à s'attirer des ennuis avec la police, à faire des fugues, à se tenir la tête sous l'eau jusqu'à l'évanouissement, à rester constipé pendant des jours, à avoir des difficultés à l'école dans certaines matières, à provoquer son père — mais tout cela, beaucoup plus rarement qu'avant.

Ses terreurs faisaient surface et maintenant il pouvait les dominer, grâce à ses expériences, et m'en parler. Il me raconta comment on l'avait opéré de l'appendicite, à six ans, et combien il avait eu peur pendant son long séjour à l'hôpital. Il me raconta aussi la circoncision qu'il avait subie en même temps, et la terreur qu'il en éprouva. Il me dit que, depuis qu'il était tout petit, son père exigeait de voir chaque matin le pénis de son fils afin de s'assurer qu'il n'était pas trop petit. Il me dit comment sa mère le frappait, surtout au visage. Il me dit combien il voudrait devenir quelqu'un, non pas n'importe qui, mais quelqu'un qui « compterait », un « homme », un prêtre, un policier, un soldat. Il souhaitait par-dessus tout être vu, remarqué, reconnu, connu, et il me dit sa peur de n'être jamais personne, comme son père. Il me dit sa crainte et sa fascination du feu, sa terreur d'être pris au piège dans les flammes et de « brûler tout vif comme un cochon rôti ». Il me dit son excitation chaque fois qu'il voyait quelque chose brûler. Il éprouvait une sensation indescriptible. Il avait envie à la fois de fuir les flammes et de se jeter dedans. Il disait que c'était une « force hypnotique ». Le feu avait le pouvoir de le « clouer » sur place : il ne pouvait ni le fuir ni l'approcher. Anthony me dit sa peur des lieux clos, d'être pris au piège et enterré vivant. Puis il m'expliqua que s'il battait les enfants, c'était parce qu'il avait l'impression qu'ils le cernaient et, pour se libérer de ce piège, il devait les battre.

Il essaya de m'expliquer sa peur du tonnerre et des éclairs — de l'orage. Il avait l'impression que ces explosions se produisaient en lui-même, le faisant éclater en mille morceaux que personne ne pourrait plus jamais rassembler s'il n'arrivait à maintenir leur cohésion. (Peut-être que, moi, je pourrais, maintenant.)

Il m'expliqua qu'il ne voulait pas aller à la selle parce qu'il avait peur d'exploser s'il laissait partir ses excréments et de perdre à jamais cette partie de lui-même. Lorsque finalement ses intestins se vidaient, il n'allait pas aux toilettes afin de tout garder dans son pantalon. Il m'expliqua combien cela l'effrayait et lui faisait honte.

Il me raconta la terreur qu'il avait des corrections que lui infligeait son père; il était persuadé qu'un jour son père le frapperait si fort qu'il le tuerait. Anthony avait surtout peur de disparaître, de se désintégrer sous les coups.

Il désirait de toutes ses forces que son père l'aime, le touche, lui sourie; s'il le provoquait si souvent, c'était parce qu'en dépit de la peur qu'il avait de ses coups, ils lui donnaient l'impression d'être aimé. Parfois, les corrections qu'il recevait lui procuraient la même excitation, le même plaisir, que la vue des flammes; mais, à d'autres moments, elles le rendaient si malheureux, quand il voyait la déception et la colère paternelles, qu'il se mettait à son tour en fureur et commençait à se battre avec la première personne qu'il rencontrait, quels que soient l'âge ou la force de son adversaire. Dans sa rage désespérée, il donnait des coups de poing dans les murs, sur le plancher, exactement comme son père cognait sur lui. Il aurait voulu pouvoir frapper comme lui, être aussi fort que lui. Puis il m'avoua que parfois les corrections lui donnaient l'impression de se sentir « meilleur », parce qu'elles lui permettaient d'expier tous les péchés qu'il commettait en pensées et en actions; après avoir été battu, il se sentait purifié.

Il me répéta inlassablement combien il aurait voulu être aimé de son père et de sa mère, de ses frères et sœurs, de tout le monde; il était fatigué d'être le « sale voyou »; mais il ne pouvait s'empêcher d'agir mal, et il me dit comme il se sentait impuissant lorsqu'il ne se conduisait pas en « sale voyou ».

Il me raconta encore bien d'autres choses. Nous avons parlé, parlé, et essayé de trouver ensemble une sortie qui permettrait à Anthony de quitter son labyrinthe infernal.

Il continuait à faire des progrès.

Un été, Anthony alla dans un camp de vacances : un camp pour enfants intelligents, créatifs et parfaitement bien adaptés. J'avais pu lui faire obtenir une bourse. Pour la première fois de sa vie, Anthony était reconnu comme quelqu'un de bien, qui avait de la valeur. Pour la première fois de sa vie, il faisait un voyage plus long que le trajet entre sa maison et mon bureau de Brooklyn.

Aller dans un camp représentait pour Anthony un saut formidable. C'était très difficile pour lui de quitter un monde où chacun le considérait comme un débile mental, incorrigible et méchant, pour entrer dans un univers où il se sentait respecté et aimé.

Pour ses parents aussi, ce fut difficile. La veille de son départ, sa mère lui dit qu'elle ne lui écrirait pas une fois, pour le punir de je ne sais quelle faute; comme son père ne savait pas écrire, Anthony n'eut aucune nouvelle de ses parents pendant toute cette période.

Il tint le coup tout l'été et réussit même à se faire quelques amis. L'ambiance du camp l'y aidait, et cela me permit de lui apprendre à communiquer avec les gens autrement qu'avec ses poings. Mais quand il revint chez lui, il reprit ses anciennes habitudes, d'une part, parce qu'il n'avait pas eu suffisamment de temps pour assimiler sa nouvelle manière d'agir, et, d'autre part, parce que c'était la seule façon de se comporter chez lui, dans son quartier.

La « bande » d'Anthony avait eu de plus en plus d'ennuis avec la police et les voisins; il y avait aussi des histoires entre les membres du groupe. L'école d'Anthony n'arrivait plus à contrôler ces enfants; lui-même passait son temps à faire l'école buissonnière, n'assistant qu'aux cours qui l'intéressaient, c'est-à-dire l'histoire et les sciences.

Son père, furieux de ce laisser-aller, commença à le battre très durement. Je craignais qu'il n'en arrive un jour à le tuer. Ou bien le garçon provoquerait son père pour qu'il le tue, ou bien, poussé par le sentiment de sa propre impuissance, celui-ci tuerait l'enfant qui représentait à ses yeux le double de ce qu'il était lui-même. Il avait déjà frappé son fils si souvent et avec une telle force qu'il lui avait brisé des côtes. Il l'avait cogné contre le plancher, jeté contre les murs, lancé en bas des escaliers. Dans sa rage, il avait essayé de frapper le plâtre qui protégeait le bras cassé de l'enfant.

Puis la mère d'Anthony dût entrer à l'hôpital pour se faire opérer. Nous n'avions pas le choix : Anthony vint vivre avec mon mari et moi. Il arriva chez nous avec son ballot de vêtements. Il venait pour quelques semaines. Il resta presque un an.

Aussi terrible que soit son foyer, aucun enfant ne souhaite vraiment le quitter. Même si l'amour auquel il aspire tant n'existe pas, il caresse toujours l'espoir, le rêve, le désir que les choses changeront un jour : un jour, il trouvera cet amour, s'il arrive à se modifier, à trouver le bouton magique sur lequel il faut appuyer. Anthony était très attaché à sa mère, à son père, à ses frères et sœurs. Quitter son foyer représentait pour lui un bienfait mitigé. Autant il avait voulu en partir, autant maintenant il souhaitait y rester. Le combat permanent qui l'opposait à son père était la seule relation qu'il savait nouer avec un homme. Chez nous, cela allait lui manquer.

Mon mari pouvait entrer dans des colères aussi violentes que celles du père d'Anthony; mais, à part cela, tout les opposait. Mon mari était un intellectuel, quelqu'un qui savait très bien s'exprimer. Dès que l'enfant fut chez nous, mon mari lui fixa les limites qu'il ne devait pas dépasser. Moi aussi, j'étais très différente de la mère d'Anthony, cette femme frustrée et frustrante qui rejetait son fils. De plus, nous étions juifs, alors que le garçon était profondément, farouchement catholique. Il avait accepté que je l'aide à découvrir sa force personnelle — mais vivre avec nous, c'était autre chose : à ses yeux nous étions des meurtriers, les meurtriers du Christ.

L'école d'Anthony était proche de sa maison. Depuis qu'il habitait chez nous, il avait au moins trois heures de trajet par jour pour aller et revenir de l'école. Il devait faire ses devoirs et apprendre ses leçons, car mon mari et moi surveillions cela de près. Il devait lire non seulement ce qui l'intéressait, mais tout ce que la maîtresse avait dit de lire.

Bien que le changement fût difficile pour lui, c'était la meilleure chose qui pouvait lui arriver. Il était assez fort pour accepter l'intensité de cette nouvelle relation entre nous, et il était assez bien pour ne pas craquer sous les nouvelles normes qu'on lui imposait. Il s'appuyait sur tout l'amour qu'il trouvait en moi, en mon mari, dans le bébé que je portais, et dans Dobie, le chien, qui partageait son lit. En retour, Anthony nous aimait.

Je ne le voyais plus simplement trois fois par semaine. Quand il n'était pas à l'école, il était tout le temps avec mon mari et moi. Il appréciait la chaleur de mon amour, et je l'aimais beaucoup. Mais aimer Anthony en ne le recevant que trois fois par semaine et l'aimer en le voyant de manière permanente, ce n'était pas la même chose. Il nous provoquait tout le temps, pour nous mettre à l'épreuve, surtout mon mari. C'était toujours : Anthony et son travail, Anthony et son église, Anthony et sa lecture, Anthony et son Hitler. Anthony et son air maussade, Anthony qui ne répond pas, n'entend pas, ne parle pas. Anthony qui disparaît, fait l'école buissonnière, ne rentre pas à la maison. Anthony et ses intestins... Cela sans arrêt.

Il avait renoncé à ses tentatives de suicide. Il était trop occupé à prendre soin de mon futur bébé, « mon cousin », comme il l'appelait. Il me surveillait constamment.

« Ne faites aucune imprudence, Mira, pour ne pas faire de mal au bébé. »

Il voulait que je mange tout le temps du steak pour que « M. Amérique » (c'était l'autre nom qu'il avait donné à notre futur enfant) devienne fort. J'avais deviné son désir de renaître avec « M. Amérique », car il souhaitait que le bébé naisse le jour de son anniversaire. Son souhait fut presque exaucé. Mon fils naquit trois jours après l'anniversaire du garçon.

Nous avions établi ensemble un programme. Anthony quittait la maison le matin à sept heures. S'il se comportait mal ou ne travaillait pas bien à l'école, sa maîtresse m'avertissait immédiatement. Il devait rentrer à la maison à cinq heures de l'après-midi et faire ses devoirs. C'était toujours un moment difficile, car Anthony ne pouvait lire que ce qui l'intéressait. Mon mari parfois, moi le plus souvent, nous nous asseyions près de lui et nous le regardions contempler son livre, l'œil fixe, sans expression : il avait l'air incapable de lire un seul mot. Dans ces moments-là, je comprenais comment les autres avaient pu voir en lui un débile mental. Il mettait un temps fou à concentrer son attention sur les mots et à les déchiffrer. Chez nous, il n'y avait pas d'amis pour le distraire, lui fournir un prétexte pour ne pas faire son travail. Lorsqu'il avait enfin terminé et aidé à mettre le couvert pour le dîner, le moment était venu d'aller dormir.

A part nous, il n'avait aucun ami, plus de bande à rejoindre, d'enfants avec qui se battre. Les week-ends, il faisait une courte visite à sa famille et, le dimanche, il assistait à la messe dans une église proche de chez nous, puis il venait se promener avec nous et nos amis.

Un Anthony très différent commença à apparaître. C'était un enfant très gentil, toujours prêt à rendre service à ceux qu'il aimait, sensible à vos besoins et à votre humeur. Il savait contrôler sa colère. S'il avait envie de frapper quelqu'un, il ne le faisait pas, et il était aussitôt désolé et plein de compassion envers celui ou celle qui avait failli devenir sa victime.

Maintenant, il parlait plus volontiers de sa délinquance qu'il ne la traduisait par des actes; c'était encore quelque chose qui faisait de lui « quelqu'un », mais d'une manière beaucoup plus atténuée. C'était plutôt devenu chez lui une attitude. Pendant toute la période où il a vécu avec nous, il n'a attaqué personne.

Anthony était profondément catholique. Il avait très peur de l'Église et sentait qu'il avait beaucoup de comptes à lui rendre. Il était convaincu que ses crimes le condamneraient au feu éternel de l'enfer. La confession avait pour lui beaucoup d'importance.

Je me rappelle l'avoir souvent regardé par la fenêtre, le dimanche matin, quand il partait se confesser, impatient de recevoir le châtiment de ses fautes. Il courbait déjà la tête pour prier et fléchissait les genoux sous le lourd fardeau de ses péchés.

Son catholicisme était dogmatique et superstitieux. Je me souviens d'une Pâque juive que nous avions fêtée quand Anthony vivait avec nous. La préparation des plats l'avait beaucoup occupé et amusé. Son père était venu apporter ses cadeaux habituels : des tonnes de poissons délicieux. Sa mère était venue, elle aussi, avec toutes sortes de cadeaux et de pâtisseries qu'elle avait faites elle-même. Anthony avait couru les magasins pour acheter des pains azymes et les autres plats traditionnels du repas pascal. Il voulait connaître la signification de chacune de ces nourritures. Mon mari et moi lui avions tout expliqué en détail. Cependant, lorsque le repas et le récit de la Pâque commencèrent, tout changea brusquement.

L'enfant était convaincu que les pains azymes étaient faits du corps des enfants chrétiens et que le vin était le sang du Christ. Il ne voulut pas y toucher. Assis à une table juive chargée de nourriture juive, entouré de juifs, il déclara que puisque les juifs avaient tué le Christ, il ne pouvait s'asseoir à la même table que nous, les meurtriers de Dieu.

Je me souviens de la conversation que nous eûmes alors. Anthony affirmait que le Christ n'avait pas pu être juif, que c'était les juifs qui l'avaient tué. Heureusement, la soirée fut sauvée par un coup de téléphone de la mère de Jonny [1], une catholique très fervente, qui, aux yeux d'Anthony, faisait autorité en matière de catholicisme. Elle lui affirma par téléphone que le Christ était bien juif, et que c'étaient les Romains qui l'avaient crucifié, et non les juifs. Et elle finit par lui dire que les Romains étaient des Italiens. Ce fut un choc terrible pour l'enfant.

Rassuré de savoir que le vin n'était pas fait du sang du Christ, mais avec du raisin, et que les pains azymes n'étaient pas le corps des enfants chrétiens, mais un mélange de farine et d'eau, découvrant enfin que la Cène elle-même était une célébration du festin pascal, il sembla accepter l'idée de se joindre à nous pour le repas.

_____

1. Voir le chapitre « Jonny ».

Bien qu'il eût compris, intellectuellement, les explications qu'on lui avait données, le choc émotionnel ne s'était pas effacé pour autant et, après avoir mangé le pain azyme et bu le vin, Anthony eut un malaise. Malgré tout ce que la mère de Jonny lui avait dit, sa peur et sa conviction étaient restées les plus fortes. Nous avons sauvé la situation en disant que son malaise était dû à un état de légère ébriété. Il avait trop bu du sang du Christ.

Anthony renonçait peu à peu à son désir de s'identifier à Hitler, mais non sans mal. Il ne se prenait plus pour le Führer, comme lorsque nous avions commencé à travailler ensemble, mais il gardait toujours pour cet homme la même admiration et la même jalousie. Hitler avait su se donner un pouvoir immense et traduire dans les faits toute sa haine.

Les juifs n'étaient que des objets sur lesquels Hitler avait déchargé sa colère, exercé son pouvoir et assouvi sa soif de destruction. Ils n'étaient qu'une abstraction pour Anthony. Il faisait une distinction entre « les juifs » et nous, qui étions juifs. Lui aussi, avait envie d'exprimer sa haine, de décharger sa colère sur tous ceux qui ne lui accordaient pas ce qu'il voulait.

Mais Anthony devenait plus grand et plus fort et, au fur et à mesure que le « sale voyou » se transformait en « type bien », l'ombre de Hitler commença à s'estomper.

Entre-temps, les relations qui s'étaient nouées entre le garçon et mon chien Dobie avaient évolué. Au début, Anthony considérait Dobie comme un protecteur tout-puissant, fort et féroce, doté de pouvoirs magiques, capable de dépister tous ceux qui voudraient lui faire du mal. Le fait de vivre avec Dobie, de le nourrir, de jouer avec lui, de partager son lit avec lui, aida l'enfant à acquérir une image plus réaliste de l'animal et, peu à peu, il se mit à le considérer moins comme un redoutable protecteur que comme un copain.

Je pense souvent à l'incendie qui éclata un jour dans notre cour. Anthony faisait cuire un steak pour lui, pour nous et pour Dobie. Soudain, la graisse de la viande prit feu. L'enfant ne bougea pas, comme hypnotisé; il ne fit aucun geste pour essayer d'éteindre les flammes qui commençaient à lécher un coin de la maison. Quand nous avons senti la fumée, nous nous sommes précipités dehors pour éteindre le feu. L'enfant se comportait comme s'il ne se rendait pas compte de ce qui se passait. Quand je repense à cet événement, je me rends compte qu'il annonçait déjà ce qui allait arriver plus tard.

L'été suivant, la mère d'Anthony était remise de son opération et mon bébé était né. Le garçon semblait prêt à retourner dans sa famille. Nous continuâmes à travailler ensemble, mais notre relation n'était plus ce qu'elle avait été avant son séjour chez nous. Il était devenu un membre de la famille et nous le traitions comme tel. Mon bébé, Kivie, était le frère ou le cousin d'Anthony, selon l'humeur de celui-ci. Il promenait partout avec lui une photo de Kivie qu'il avait glissée dans son portefeuille; il était prêt à protéger le bébé à n'importe quel prix. Il considérait Dobie comme son chien, et notre maison comme la sienne.

Cette année-là, Anthony continua à faire des progrès et à se développer. Son père tâtonnait, à la recherche d'une nouvelle manière de vivre avec un fils qui ne le provoquait plus. A l'école, le garçon semblait respecter une trêve; et la « bande » du quartier n'avait plus pour lui les mêmes attraits.

L'été suivant, il vint avec nous au camp Blueberry; il était à la fois colon et employé. Il travaillait comme serveur et gagnait un peu d'argent. Avec les enfants, il était merveilleux. Il savait nouer le contact avec eux. Il se montrait très à l'aise, tolérant, patient et protecteur. Mais il était méfiant à l'égard de presque tous les adultes.

Il mûrit pendant ce camp. La plupart des enfants étaient complètement repliés sur eux-mêmes, muets et autodestructeurs. Anthony était très gentil avec eux et les protégeait. Il faisait preuve de fermeté et d'une compréhension profonde à leur égard. Il avait toujours eu peur de ces enfants autistiques, autodestructeurs, comme s'ils lui tendaient un miroir. Il avait peur de l'image qu'ils lui renvoyaient. Il « craignait », comme il le disait souvent, de « devenir comme eux, comme Jonny, Gary ou Billy ».

Le fait de partager vraiment la vie de ces enfants chassa la peur qu'ils lui inspiraient et, en même temps, l'aida à comprendre et à accepter certains de ses propres traits autistiques.

Anthony grandissait vite. Il avait seize ans, était très grand, très beau, brillant, bon lecteur, mais il avait encore bien des problèmes à résoudre : le contrôle de ses intestins, le travail scolaire. Chez lui, ses relations avec son père se détériorèrent et il eut, plus que jamais, le sentiment de n'être personne. Il décida d'abandonner ses études et de trouver un travail. Il pensait que cela ferait de lui « quelqu'un ». Mais, pour chercher un emploi, il devait « sécher » la classe et, quand il rentrait chez lui, son père le frappait pour le punir.

J'avais décidé que les excellentes relations qu'Anthony entretenait avec moi ne lui suffisaient plus; il lui fallait aussi établir un contact étroit avec un autre homme que son père. Je demandai à mon mari de travailler avec lui, car il s'était déjà noué entre eux une bonne relation lorsque le garçon était venu habiter chez nous. Il admirait beaucoup mon mari.

Pendant un an, nous avons tous deux travaillé avec l'enfant, séparément ou ensemble. Mon mari devint un père pour lui et cela facilita un peu son développement.

Bien sûr, Anthony mettait constamment mon mari à l'épreuve, le provoquant sans cesse, essayant inlassablement de passer les limites qu'on lui avait fixées; il voulait s'assurer que mon mari ne lui répondrait pas de la même façon que son père. Dans l'espoir de diviser pour régner, il essayait aussi de créer des problèmes entre mon mari et moi.

L'année suivante, Anthony décida de s'engager dans les *Marines*, sur les traces de son père, pour trouver son identité (son père était un ancien *Marine*). N'ayant pas l'âge requis, il lui fallait l'autorisation de sa mère. Elle la lui refusa — elle voulait qu'il termine d'abord ses études, ajoutant qu'« elle ne voulait pas qu'il finisse comme son père ». Anthony prit cela comme un rejet épouvantable, non seulement de lui-même, mais de tous ses espoirs et de tous ses rêves. En lui interdisant de s'engager dans les *Marines*, il était convaincu que sa mère lui avait refusé la possibilité de devenir un jour quelqu'un.

Ses résultats scolaires furent plus mauvais que jamais et il se mit en quête de ses anciens amis de la « bande ». Il recommença à disparaître de chez lui et à s'attirer des ennuis avec la police. Puis, au bout de quelques mois, il retrouva un peu le contrôle de lui-même; il décida d'attendre d'avoir l'âge voulu pour s'engager sans avoir besoin de l'autorisation maternelle.

Dès qu'il eut dix-huit ans, Anthony chercha à entrer dans l'armée. C'était très important pour lui. S'il était accepté, cela voudrait dire que sa virilité était enfin reconnue — par son pays, la société, ses pairs et sa famille —; cette reconnaissance signifierait qu'il était normal, qu'il était quelqu'un.

Il essaya, de toutes ses forces. Il passa à deux reprises les tests de l'armée. Il échoua à chaque fois. L'armée ne voulait pas de lui.

Anthony avait échoué, de quelques points seulement, mais c'était encore un échec. Je ne suis pas tout à fait sûre d'en avoir compris les raisons. Peut-être sa peur d'arriver au but était-elle trop intense. Peut-être aussi avait-il senti ma désapprobation silencieuse. Sa mère et moi étions hostiles à son départ pour la guerre du Vietnam. Nous n'avions pas envie qu'il devienne de la chair à canon. J'étais convaincue qu'il pouvait s'affirmer autrement qu'en se faisant tuer. Par contre, son père et mon mari, soucieux de la virilité d'Anthony, étaient tous deux favorables à son engagement dans l'armée.

Après ce rejet, Anthony s'effondra. Il se replia sur lui-même et devint apathique. Il ne s'intéressait à rien. Il avait honte de revoir les amis qui avaient organisé en son honneur une soirée d'adieu pour célébrer son départ à l'armée.

Il refusa de retourner à l'école. Il commença à boire et à se cacher de tout le monde, excepté de mon mari et de moi. Tous nos efforts pour le tirer de ce repliement sur lui-même furent inutiles. J'échouai quand j'essayai de le convaincre de s'occuper avec moi d'enfants perturbés, à Blueberry; je ne réussis pas davantage à l'intéresser à Kivie, mon bébé. Toutes mes tentatives se soldèrent par un échec. Il ne manifestait jamais aucun enthousiasme pour quoi que ce soit. Quand il venait, il restait là, l'air désespéré, apathique, ne sachant plus s'il était ou non encore en vie.

Un jour, j'étais dans ma cuisine en train de boire un café en écoutant la radio lorsque j'entendis soudain la nouvelle :

PLUS D'UNE CENTAINE DE VIEUX AUTOBUS
SONT EN FLAMMES DANS LE « CIMETIÈRE »
D'AUTOBUS DU BRONX

Le journaliste ajouta que le public serait tenu informé de la suite des événements au cours de bulletins d'information spéciaux. Le feu s'étendait rapidement, beaucoup d'autobus ayant encore de l'essence dans leur réservoir. C'était un incendie très grave.

Le « cimetière » d'autobus du Bronx longe les principales voies ferroviaires et les principales artères qui traversent le Bronx; il fallut donc interrompre la circulation des trains et des voitures. Une centaine de trains qui s'apprêtaient à quitter New York furent retardés; vingt-cinq mille voyageurs furent bloqués; on interrompit complètement entre dix-sept heures et dix-neuf heures la circulation des trains partant de la Grande Gare Centrale. Les voitures s'arrêtèrent également. La police soupçonnait que l'incendie fût d'origine criminelle et recherchait le coupable.

A une heure du matin, j'entendis un nouveau bulletin d'information :

« Un adolescent est entré dans un commissariat pour se livrer lui-même à la police. Il dit s'appeler Anthony Davico. Il a déclaré à la police qu'il donnerait le nom de la personne qui l'avait aidé à mettre le feu. Il est inquiet à l'idée qu'un clochard ait pu se trouver dans l'un des autobus ou que des enfants aient joué à proximité des véhicules. Il veut s'assurer que personne n'a été blessé. »

Ainsi, Anthony avait enfin réussi — il avait immobilisé New York! J'étais seule avec Kivie, qui était malade. Je n'avais personne à qui le confier, et donc aucune possibilité de voler au secours de mon autre « bébé » et de le défendre devant la police.

Les parents d'Anthony me téléphonèrent. Son père pleurait. Sa mère ne cessait de répéter : « Qu'est-ce qu'on fait maintenant? » Mon mari me téléphona à son tour. Il avait entendu la nouvelle à la radio et allait au commissariat pour voir ce qu'il pouvait faire.

Le lendemain matin, tous les journaux commentaient l'événement.

« C'est assez rare d'avoir la première page du *New York Times*, la couverture de *News* et de *Post*, et de faire parler de soi à la radio et à la télévision », me confia plus tard Anthony.

Dans sa fureur, il avait essayé de réduire le monde en cendres. Cependant, à la fin, sa tentative d'être « méchant » avait échoué parce qu'il s'était apitoyé, en pensant aux enfants ou aux clochards qui avaient pu être blessés. Les frères et sœurs d'Anthony se précipitèrent pour acheter tous les journaux où l'on parlait de lui; Anthony bourra son portefeuille de ces coupures de presse. Il avait réussi à devenir célèbre, mais il ne pouvait guère savourer la douceur du succès. Ses parents durent hypothéquer leur maison pour payer un avocat qui pût obtenir la libération d'Anthony sans inscription sur son casier judiciaire. Son père le considérait avec respect, ce qui était nouveau, et sa mère éprouvait le plus grand chagrin de toute son existence.

Personne n'avait jamais accordé la moindre attention à Anthony. Ses parents l'avaient toujours rejeté; il n'avait pas pu entrer dans les *Marines;* l'armée l'avait rejeté. Personne ne l'écoutait — il n'avait aucune importance.

Maintenant, enfin, il comptait. Pendant six heures, il était intervenu dans l'existence de centaines de milliers de personnes. Il avait arrêté les trains. Il avait fermé les routes. Il avait eu droit à la « une » des journaux. A cause de lui, les pompiers avaient été sur les dents; les policiers s'étaient mis à sa recherche. La colère d'Anthony avait eu de l'importance; sa douleur et sa compassion aussi. Son amour. Enfin, il comptait!

Quelques mois plus tard, chez moi, Anthony sortit les coupures de presse de son portefeuille et les abandonna pour toujours sur ma table.

Puis il vint habiter avec nous. Il avait changé. C'était maintenant un jeune homme, le grand frère de mon petit garçon. Il était devenu un grand fils pour moi et mon mari et pour ses parents. Il avait enfin grandi.

Plus tard, il se trouva lui-même un travail. Puis il prit un appartement. Il s'inscrivit à un syndicat et obtint une meilleure place.

Un jour, Anthony me présenta une jeune fille. Elle était polonaise, juive et musicienne. Ils se marièrent dans une église polonaise. Les nouveaux mariés descendirent la nef, très fiers. Quand il passa près de moi, Anthony s'arrêta. Il me prit la main, me regarda, puis continua son chemin.

Aujourd'hui, Anthony a un bon emploi, une femme charmante et un bel enfant. C'est un excellent mari et un père très chaleureux, très compréhensif. Il est sensible, intègre et posé. Anthony est quelqu'un.

Le hamster

Katy Kill Falls est un centre de soins destiné aux enfants atteints de troubles émotionnels. C'est un vaste établissement, d'aspect lugubre. On y accueille, soigne et éduque cent cinquante enfants issus de tous les milieux sociaux, ayant un seul dénominateur commun : la maladie mentale. Certains enfants viennent là sur ordre du tribunal, parce qu'ils ont commis une agression contre un tiers ou contre eux-mêmes. D'autres sont envoyés par des psychiatres, des parents et/ou des institutions, parce qu'ils ont imaginé des agressions, sans passer vraiment à l'acte. Tous sont dirigés sur Katy Kill Falls pour qu'on les guérisse et qu'on les empêche de commettre un acte irréparable contre leur entourage ou contre eux-mêmes. Ils ont entre huit et dix-huit ans. Leurs symptômes sont très divers, allant de la délinquance à la schizophrénie infantile.

Imaginez une petite ville. La reproduction, en petit, d'une ville, avec toutes ses misères, ses malheurs, sa solitude, sa peur, ses haines, ses colères, ses fureurs et ses amours. Exagérez tout cela. Grossissez-le, comme si vous le regardiez au microscope. Vous saurez alors à quoi ressemble Katy Kill. Je fus engagée en juin 1952 — j'étais la première jeune femme à travailler là comme professeur, au milieu de tous ces enfants. Je devais m'occuper des plus jeunes, de ceux qui avaient entre huit et onze ans. Je signai le contrat, puis j'attendis anxieusement le moment de prendre mon poste. Je devais commencer un mois plus tard. Beaucoup de professeurs venaient, comme moi, de New York. Je me rappelle encore cette première matinée où, à la Grande Gare Centrale, je rencontrai quelques enseignants de Katy Kill avec lesquels je devais faire le trajet. J'étais très énervée, débordante d'excitation et de curiosité, essayant d'imaginer ce qui m'attendait. Mes collègues décidèrent de me jouer un tour. Dès que le train démarra, ils prétendirent que j'aurais à m'occuper des garçons les plus âgés — ceux de seize, dix-sept et dix-huit ans. Je fus prise de panique et voulus descendre au prochain arrêt pour rentrer à New York. Mais ils m'avouèrent que ce n'était là qu'une plaisanterie. « Ce serait une folie de vous confier les grands », me dirent-ils, en riant de ma crédulité. « Ils vous violeraient dès la première semaine. »

Quand nous arrivâmes à Katy Kill, le directeur, M. Rastinow, me fit appeler dans son bureau. Il m'exposa ce que serait mon travail : le matin, je serais avec les petits garçons, ceux de huit à onze ans, et l'après-midi je m'occuperais des plus grands, ceux de seize à dix-huit ans. Je le regardai avec des yeux effarés, n'en croyant pas mes oreilles. Mes collègues étaient aussi abasourdis que moi et regrettaient amèrement leur plaisanterie, devenue triste réalité.

— Mais, d'après mon contrat, je devais m'occuper des petits..., commençai-je.

M. Rastinow ne me laissa même pas finir :

— Un homme doit faire face à ceci, ceci et ceci, dit-il. C'est la même chose pour une femme.

Je me pris à le haïr, mais j'étais là, et il me fallait bien en prendre mon parti.

Je me revois encore contemplant mon reflet dans la porte vitrée du bureau du directeur, tandis que je quittai la pièce. Je me faisais l'impression de ne pas même mesurer mon pauvre petit mètre cinquante-huit. Je me rappelle avoir machinalement tâté mes biceps pour voir si j'étais en mesure de me défendre. Ce rapide examen ne fit qu'accroître ma terreur. Et un refrain se mit à tourner dans ma tête : « Une femme est une femme... » — ce qui ne voulait absolument rien dire.

Katy Kill

A Katy Kill, les enfants portaient une étiquette. On les cataloguait.

Viol, agression, meurtre — pour certains, c'était la seule façon d'entrer en contact avec le monde.

Le repliement, l'inaction, la régression : d'autres se retiraient dans leur coquille, et attendaient — ils attendaient que l'on vînt jusqu'à eux. C'était leur manière d'établir le contact.

Puis il y avait tous ceux qui se tenaient à mi-chemin entre ces deux attitudes : ils étaient à la fois violents et repliés sur eux-mêmes.

Katy Kill. Perpétuellement en éruption, ou sur le point de faire éruption. Bouillonnant d'avidité, de haine et de fureur pour avoir connu trop de privations, trop peu d'amour, et la frustration. Un amour enfoui au plus profond des êtres, mais toujours prêt à faire surface. Un bouillonnement de terreur, de chagrin et de douleur si intense que lorsque l'éruption se produit, on entend davantage les cris de souffrance qui l'accompagnent que les cris de rage.

A Katy Kill, j'ai découvert que la colère, la terreur, la douleur et la solitude silencieuse avaient une couleur, une odeur, un son. Du fond de leur souffrance, les enfants lançaient un appel désespéré : « Aime-moi, viens à moi, ne m'abandonne pas. »

J'ai assisté à leur quête, une quête dont ils ne savaient pas nommer l'objet, mais dans laquelle ils se jetaient à corps perdu.

J'ai vu, touché, senti et entendu tous ces enfants. Ils ont les mains froides et moites. Leurs yeux sont brûlants, ou bien ils pleurent, rougis par le manque de sommeil et le désespoir. Ils regardent dans le vague. Et le corps de ces garçons n'exprime qu'une seule chose, qu'ils soients grands ou petits, gros ou maigres; avec une toute petite voix qui fait oublier leurs bravades, il demande : « Protège-moi. »

Des enfants abandonnés qui doivent affronter le monde. C'est un combat entre le monde et l'enfant.

Leur solitude parfois nous interpelle et ordonne : « Tu vas leur donner ce qu'ils demandent. » Et, parce que nous n'avons pas obéi à cet ordre, la mort intervient. L'enfant tue; ou bien il se replie sur lui-même en attendant qu'on vienne à lui — et si son attente est déçue, il meurt.

Parfois, c'est la sexualité qui comble ce vide. Elle devient alors une chose étrange. Il n'est plus question d'échange. L'équilibre est rompu. Car il faut prendre, et non donner, pour apaiser ce cri terrible de la solitude et satisfaire cette faim dévorante née de la privation. Pour une fois, pendant un bref instant, le besoin, l'exigence, le désir seront comblés.

On ne pleure pas.

On ne se plaint pas.

On ne demande pas.

On attend, on regarde. On se tient prêt. On résiste. On repousse. Sauf dans les rêves. On ne parle pas de ses rêves. C'est ainsi qu'il faut se conduire dans un monde qui a tout d'une jungle. On blesse, on se bat, on tue, pour ne pas être blessé ni tué. Pour ne pas essuyer un refus, on ne demande rien.

Pour pouvoir vivre, il faut payer très cher. On paye. Mais il faut que tout le monde paye.

J'entendais certaines rumeurs mais, dans mon ignorance, je ne leur accordais que peu de crédit. Ce fut ma grande chance. Je ne savais pas qu'ils aiguisaient leurs boucles de ceinture comme des lames de rasoir. Je ne savais pas qu'ils cachaient des couteaux. Je ne savais pas qu'ils faisaient des fugues. Je ne savais pas qu'ils se battaient. Et j'ignorais tout de leurs lois, de leurs règles et de leur justice.

M. Rastinow avait raison. « Un homme doit faire face à ceci, et ceci... C'est la même chose pour une femme. » Je ne connaissais les enfants que par ce que j'en voyais. Ce n'était pas très difficile de dépasser l'étiquette dont on les avait affublés et je les traitais en fonction de ce que je sentais vivre en eux. Je leur donnais tout ce que je pouvais et me gardais bien de toucher à ce que je sentais n'avoir pas le droit de toucher. Ils étaient des êtres humains. Égaux aux autres hommes, mais aussi dotés de plus de besoins. Et il n'y avait aucune honte à être humain, blessé, et à vouloir satisfaire ses exigences. Je leur rendis la dignité de leurs sentiments. Je les respectais et attendais en retour d'être respectée. Je ne souffrais aucune extravagance. J'étais une femme — plus faible qu'eux — et je comptais sur eux pour respecter cela. Et, en tant que femme, je comptais aussi sur leur protection. Je voulais qu'ils soient polis avec moi comme j'étais polie avec eux. Je faisais appel à ce qu'il y avait de meilleur en eux et ils me le donnaient. Je reconnaissais leurs forces, qu'elles fussent positives ou négatives. Ils n'avaient donc pas besoin de m'en faire constamment la démonstration.

Et c'est ainsi que ces garçons commencèrent à m'aimer, à me respecter, à me faire confiance et à me protéger contre eux-mêmes et contre les autres. Ils devinrent alors plus forts, plus aimables et moins haineux à leur égard comme à l'égard du monde dans lequel ils vivaient.

J'avais deux groupes. Celui des petits, le matin, et celui des grands, l'après-midi. Les deux fonctionnaient très bien. A ma grande surprise, les grands se montraient parfois plus puérils que les petits; à certains moments, ils agissaient vraiment en adultes, à d'autres, ils se comportaient comme des enfants de huit ans. Comme je tolérais et respectais leur comportement d'adolescents et que j'admettais également leur côté enfantin, tout allait bien et nous nous aimions beaucoup. Je lisais l'histoire du *Petit Chaperon rouge* aux plus jeunes, dans la classe; mais les grands n'acceptaient d'écouter ce conte que lorsque nous étions à mille lieues de leur salle de classe, à l'occasion d'un pique-nique, par exemple. Là, ils se détendaient et m'écoutaient avec plaisir.

Mais tout devint encore plus facile après qu'ils eurent « adopté » Justin, un garçon de huit ans qui ne pouvait s'adapter à aucun groupe; c'était un enfant très malade, que les grands m'aidèrent à protéger, à soigner et à aimer. Dès lors, je dus raconter très souvent, non seulement *Le Petit Chaperon rouge*, mais tous les contes de fées que je connaissais, pour « faire plaisir à Justin ».

Au début, j'assistai à une compétition effrayante entre les deux groupes. Mais au bout de quelque temps, elle s'apaisa. Au point que les enfants arrivèrent presque à se partager un hamster. Presque.

Je me souviens encore du magnifique tableau formé par mes petits garçons et mes grands adolescents venus m'attendre tous à l'arrêt d'autobus, un matin où je venais travailler à Katy Kill. Ils dansaient d'un pied sur l'autre, me guettant avec une pointe d'anxiété, en proie à une excitation fiévreuse mais pleine d'espoir. Ils m'avaient chargée de leur ramener de New York deux hamsters. Je revois encore leur bousculade et leur ruée vers l'arrêt d'autobus tandis que je descendais les marches avec la boîte. Je revois leurs yeux écarquillés devant l'objet de leurs rêves. Et, une fois de plus, je compris leur drame : personne ne leur donnait jamais ce qu'ils désiraient vraiment. Ils ne pensaient pas que j'allais réellement leur apporter ces hamsters. Et puis, une transformation s'opéra en eux. Ils jetèrent un regard blasé, indifférent, vers la boîte, en disant : « Oh, vous avez apporté... » La chaleur, l'excitation dont ils débordaient quelques instants plus tôt, avaient disparu. Ils n'allaient pas se laisser surprendre, devenir vulnérables, en manifestant leur intérêt pour les hamsters.

Puis je lus de la stupeur et de l'horreur dans leurs yeux. Sur la boîte que je portais, on pouvait lire ces mots, écrits en grosses lettres noires : « SERPENTS DANGEREUX. » Je leur expliquai que le magasin où j'avais acheté les hamsters n'avait pu me donner que cette boîte pour les transporter. Ils éclatèrent de rire quand je leur racontai que j'avais voyagé dans un wagon de métro absolument désert, malgré la foule qui se pressait sur les quais à cette heure-là, car les passagers avaient eu la même réaction qu'eux devant la « nature » de mon colis.

Ils se prirent d'affection pour les deux hamsters. Ils leur construisirent une cage, les nourrirent, leur donnèrent de l'eau et en prirent soin. Ils jouaient avec eux et leur confiaient des choses qu'ils n'auraient jamais osé dire à personne d'autre.

Mais, quatre jours après, l'un des hamsters mourut. L'autre bénéficia de tout l'amour que les enfants reportèrent alors sur lui. Mais un jour, il mourut, lui aussi.

Un mardi matin, après le long week-end du Yom Kippour, j'entrai dans la classe avec les petits et nous trouvâmes le hamster mort dans sa cage. Il régnait dans la pièce une odeur insoutenable... Les fenêtres étaient fermées, il y avait le hamster mort, de la gelée de pomme que nous avions laissée au fond d'un pot, des douzaines de mouches, des feuilles pourries. Et l'air était humide. Nous ouvrîmes toutes grandes les fenêtres.

— Eh, les gars, le hamster est mort, cria Timmy d'une voix cassée.

Tous les enfants entourèrent la cage, touchant et caressant le petit cadavre. Donny, qui avait la terreur des microbes, était affolé :

— Pourquoi est-il mort? Il est mort de mort naturelle, n'est-ce pas, Maîtresse? C'est sûr.

Pris de panique, il sautait d'un pied sur l'autre et cherchait à se faire rassurer.

— Bien sûr que sa mort est naturelle, lui dis-je.

— Est-ce que je vais être malade, moi aussi? Est-ce que je vais avoir la polio? cria-t-il.

Je dis aux enfants d'aller tous s'asseoir à leurs places. J'essayai de prendre l'air désinvolte :

— Vous savez que tout ce qui est vivant doit mourir un jour. Il y a le printemps, l'été, l'automne et l'hiver. Et puis cela recommence. Chaque étape est belle. Avez-vous déjà vu un brin d'herbe sortir de terre? C'est magnifique. Il pousse, devient plus fort, plus vert, puis il jaunit, il meurt, et alors un autre brin d'herbe le remplace. C'est la même chose pour les tomates que vous avez cueillies hier. Ce qui les fait mourir, je l'ignore. C'est une loi de la nature, quelque chose de merveilleux qui fait que les choses vivent et bougent, s'immobilisent et meurent, et que d'autres les remplacent, naissent et vivent à leur tour. C'est comme cela. Personne n'arrive vraiment à le comprendre. C'est un mystère, un de ces secrets extraordinaires de la nature.

Les enfants ne disaient rien, hypnotisés par le ronron de mes paroles.

« Que voulez-vous qu'on fasse avec le hamster maintenant? leur dis-je pour les sortir de leur transe.

— L'enterrer.

— D'accord!

— Faisons-lui des obsèques!

Ils commençaient à s'exciter et à crier.

— Comment ferons-nous?

— Hein, Mira, comment on fera?

Tous les enfants criaient plus fort les uns que les autres.

Je leur expliquai :

— Il existe bien des manières de célébrer des obsèques. Certaines personnes dansent, chantent, font une fête pour marquer le départ de leur ami. D'autres se rassemblent, gémissent, s'abandonnent, crient et pleurent pendant des jours et des jours, jusqu'à ce que leurs yeux ne puissent plus verser une larme. D'autres rassemblent leur famille et font des prières collectives. C'est comme cela que l'on fait chez moi, vous savez. Il y en a encore qui organisent des processions fantastiques, ils brûlent leur mort et jettent ses cendres dans les eaux d'un fleuve, ou bien les éparpillent aux quatre vents. C'est à vous de décider ce que vous allez faire.

Ils décidèrent. Et je les vois encore...

Lenny, tout excité, propose :

— Eh, les gars, on va lui faire des funérailles.

— Et une procession, ajoute Jimmy.

— Et un cercueil, dit Roy.

— Je prononcerai un sermon et nous jetterons de la terre sur son corps, annonce Jeffry.

Jimmy ordonne :

— Eh, Timmy, mets-le dans cette boîte et enveloppe-le avec ce linge. C'est bien.

— Eh, Timmy, ça va, si j'entoure la boîte avec de l'argile pour empêcher les vers d'y entrer?, demande Roy.

Ils recouvrent la boîte avec de l'argile humide.

« Jimmy et moi on va porter le cercueil!, annonce Roy.

Et il place une ficelle aux deux extrémités de la boîte. La boîte glisse et tombe par terre.

Lenny se met à jurer :

— Ça va pas, non! Ne lui faites pas de mal! C'est comme s'il était mort deux fois, maintenant, espèces de salauds!

Mat donne un conseil :

— Eh, les mecs, voilà un morceau de bois. Mettez la boîte dessus. Ça fera plus digne.

Les enfants s'exécutent.

Jimmy et Phil ordonnent :

— Ça va, les mecs. Mettez-vous en rang derrière nous.

Timmy précise :

— Je marche le premier, parce que je porte la « pierre tombale ».

Jeffry prend son harmonica et commence à jouer un air triste et monotone. La file s'est formée.

82

En tête, Timmy et sa « pierre tombale ».

Puis Jimmy et Roy qui, très dignes, portent le cercueil sur une planche.

Puis Jeffry et son harmonica.

Mat.

Richy.

Et Lenny qui, avec un bâton, tape sur un seau vide.

Et Donny, qui me dit :

— Bon, Mira, allons-y. On va enterrer le hamster.

— Vous avez une pelle?

— Ne vous en faites pas, Maîtresse, on trouvera bien quelque chose pour lui creuser un trou.

La procession s'ébranle. Nous descendons les escaliers. Nous nous retrouvons sur la pelouse.

Lenny propose :

— Maintenant, on va chanter quelque chose de triste. Vous savez, quelque chose qui aille pour un enterrement.

Et ils commencent à fredonner en sourdine la *Marche nuptiale* de Mendelssohn, accompagnés par l'harmonica et le seau-tambour.

Je leur demande :

— Où voulez-vous l'enterrer?

— Là où l'herbe est haute.

— D'accord. Venez, les gars, j'ai trouvé un endroit, dit Timmy.

— Non, mettons-le près de l'autre hamster, comme cela il ne se sentira pas si seul, propose Phil.

Ils cherchent tous l'endroit. Personne ne le retrouve.

— Oh, pauvres abrutis, hurle Lenny, c'est de votre faute, vous n'avez pas marqué le coin où on l'a mis! Comment voulez-vous qu'on le retrouve maintenant, mes salauds?

Je m'assieds et regarde. Une bagarre éclate à propos d'une pierre qu'on doit mettre sur la tombe.

Jeffry sauve la situation en disant :

— Eh, les gars, ici il y a un coin, et une pierre.

La procession s'arrête.

L'endroit plaît aux enfants.

Ils creusent un trou avec leurs mains et placent la boîte au fond.

Jimmy ordonne :

— Bon, maintenant chacun va jeter sept poignées de terre sur la tombe. Allez, on commence. Au suivant. Un, deux, trois, quatre, cinq, six, sept. Au suivant. Un, deux, trois, quatre, cinq, six, sept. Au suivant...

Jeffry accourt avec un seau à demi rempli de sable :

— Eh, vous ne l'avez pas encore enterré. J'ai trouvé quelque chose de très beau. Un sable magnifique. Spécial.

Jeffry verse le sable sur la tombe, que les garçons entourent avec des pierres. Donny apporte quelques fleurs qu'il vient juste de cueillir et il les enfonce dans le sable au sommet de la sépulture. Timmy pose doucement la pierre tombale.

Lenny voit l'Étoile de David que quelqu'un a dessinée dessus.

— Eh, qu'est-ce que c'est que ça? Un hamster juif! crie-t-il, d'un air agressif.

— Et alors, tu trouves à y redire? grommelle Jimmy, le visage tout rouge, les poings serrés.

— Pour moi, ça va, admet Lenny en haussant les épaules.

— Silence, je vais prononcer un sermon, dit Jimmy.

Il se tient debout, immobile. Personne ne parle. Personne ne dit mot, pas plus Jimmy que les autres. Le silence dure quelques minutes. Un enfant apporte une boîte en bois :

— C'est pour ceux qui voudront venir sur la tombe, comme ça ils pourront se reposer un moment.

Mat me demande :

— Maîtresse, comment trouvez-vous la tombe?

Je me penche pour lire l'inscription : « Ici repose Tiny, le hamster des enfants de Katy Kill. Décédé le 30 octobre 1952. »

— C'est vraiment un enterrement magnifique, dis-je.

« Bon, les enfants, il faut maintenant qu'on aille cueillir des tomates. Vous avez des paniers, ou quelque chose, pour les transporter?

— Bien sûr, s'exclame Jeffry. On a le seau! Oh, merde, on a enterré le hamster dans la boîte. On aurait pu y mettre les tomates.

— Mais quand viendrons-nous rendre visite au hamster? insiste Jimmy.

— Ouais. On viendra tous les jours, pleurnichent les enfants.

J'acquiesce :

— D'accord, tous les jours.

Et nous partons cueillir des tomates pour notre fête champêtre.

Mais ils n'ont pas voulu d'autre hamster.

Ce fut différent avec les grands. Je n'avais ni prévu ni compris ce qui allait se passer. Ce fut un choc pour moi.

A midi et demi, j'allai les chercher, comme d'habitude. Ils étaient onze, m'attendant, comme toujours, le long du mur de brique rouge du gymnase. Ils se tenaient là, debout, exagérant leur attitude provocante. Ils étaient ensemble, mais isolés cependant les uns des autres.

Immenses, inquiétants, menaçants, les garçons étaient là, devant moi. Chacun avait pris le masque de son crime, de son étiquette, qui se dressait entre eux et moi.

Je fis semblant de ne m'apercevoir de rien et dis, comme d'habitude :

— Bien, écrasez vos cigarettes, et allons-y (en classe, voulais-je dire).

Ils ne bougent pas — ce qui est inhabituel.

Puis Joe prend la parole :

— Vos élèves du matin ont tué notre hamster.

Il dit cela lentement, posément, en articulant nettement chacun de ces mots, aussi froids, aussi tranchants que des coups de hache.

Je fais la grimace. La plaisanterie n'est pas drôle. Elle est même de très mauvais goût. Je me dirige vers la classe. Personne ne bouge.

— C'est votre classe du matin qui a fait ça, Mira, commence Art, très calme.

« C'est Jeffry. Votre si gentil petit Jeffry.

Sa voix devient plus aiguë :

« Il tue toujours les animaux, c'est pour ça qu'il les câline tant.

Quelque chose de nouveau transparaît maintenant dans la voix d'Art. Quelque chose de nouveau, et de très ancien :

« Je le tuerai. Quel que soit celui qui a fait le coup, je vais le tuer.

Sa voix est devenue rauque. J'ai la gorge serrée.

Est-ce que je ne rêve pas? Tout cela est impossible. Mais personne ne bouge.

— Qui? Qui a fait le coup? Allez, les gars, attrapons-le!

Buddy s'agite, impatient d'agir, comme une marionnette prête à s'animer dès qu'on tire ses ficelles.

C'est pourtant vrai. Mes amis sont devenus des ennemis. Ils ont l'air hystériques, et pourtant bien décidés. Je suis abasourdie. J'essaie de franchir l'abîme qui nous sépare :

— Personne n'a tué le hamster. Il est mort, c'est tout.

Je tends la main vers eux, comme eux, comme pour essayer de jeter un pont entre nous.

— Ah ouais? Si c'est pas eux, alors c'est elle qui a tué notre hamster.

— Elle l'a tué, ouais, c'est vrai!

— Ouais!

— Vous l'avez tué.

Je n'en crois pas mes oreilles. Le visage boutonneux de Billy est tout près du mien quand il pointe son index vers moi. L'accusation tombe comme une pierre au fond d'un puits. J'entends son écho en moi, autour de moi. J'ai peur. J'entre dans leur cauchemar. Ils sont en train de me happer dans leur cauchemar, et ma peur leur facilite la besogne.

Je dois les faire rentrer en classe. D'une certaine manière, cette pensée et ma détermination me rassurent. Entre les quatre murs de la classe, je me sens invincible. Je dois y parvenir à tout prix. Je commence à marcher. Maintenant ils me suivent. J'entends au milieu de leurs grommellements : « — Si c'est pas eux, c'est elle qui a fait le coup. »

Je grimpe un escalier.

Encore un autre à monter. C'est long, un escalier.

Il faut que je chasse cette image de mon esprit. Elle revient. Elle m'obsède. Ce ne sont plus mes garçons; je ne pense plus qu'aux crimes qu'ils ont commis.

Art vient de Chicago. Il est ici pour avoir battu des femmes. Combien? Je ne m'en suis jamais inquiétée.

Buddy et sa grand-mère. L'a-t-il tuée, ou bien simplement blessée, ou a-t-il seulement souhaité sa mort? Tout à coup, cela me semble bien différent.

Billy a mis le feu à sa maison. Son père et sa mère ont péri dans l'incendie.

Le Grand Bob. Il aime écrire et totaliser de longues colonnes de chiffres. Il a tué son frère.

Adam. Adam ne peut faire de mal à personne. Il est trop incohérent, trop « retardé » pour faire quoi que ce soit. Jusqu'au jour où il deviendra « cohérent ». Un jour, cela arrivera. Quand? Quand il sera sûr qu'on ne lui fera pas de mal? Ou bien quand il pourra, lui, faire mal?

Et Joe. Je suis incapable de me rappeler son crime. Mon Joe. Ça suffit.

Nous sommes dans la classe. Entre mes quatre murs. J'ai repris de l'assurance. Le cauchemar est fini. Je suis sûre de moi. Tous le sentent. Ils vont s'asseoir à leurs places sans broncher.

Le petit Justin nous rejoint. Dans son état d'excitation permanente, se tortillant et sautant dans tous les sens, il saisit la discussion au vol :

— Qui? Où est-il? Qui l'a tué? Il faut le chercher. Peut-être qu'il n'est pas mort. Peut-être qu'il se cache seulement.

Et, protégé par l'immunité dont il jouit depuis qu'il est devenu la mascotte des grands, il commence à chercher partout, en rampant sous les bureaux.

— Il est mort, lui dis-je. Nous l'avons enterré ce matin.

— Comment savez-vous si un hamster est mort? Peut-être est-il simplement en train de dormir, pour passer l'hiver.

Art avait posé sa question d'un ton angoissé qui ressemblait à du dédain.

Justin ranime un espoir caché.

— Vous voulez dire qu'il hiberne, dis-je en espérant calmer l'excitation qui commence à les envahir.

— D'accord, d'accord, vocifère Artie.

« Peu importe comment vous appelez ça, mais qu'est-ce que vous savez exactement sur les hamsters?

— Et où avez-vous eu votre diplôme d'enseignement? hurle Joe.

« Dans une pochette-surprise?

— C'est une sorcière, affirme Billy.

« Les sorcières font de la magie, pour tuer, pour faire revenir à la vie.

J'essaie de leur expliquer :

— Écoutez-moi. Je sais de quoi vous parlez, et je sais que ça fait mal. Mais cet animal n'hiberne pas. Quand un animal hiberne, il a l'air d'être mort, mais il ne l'est pas. Il dort pendant l'hiver. Mais ce n'est pas le cas du hamster. Il était froid. Il sentait. Son cœur ne battait plus. Il était tout raide.

Art pousse un cri déchirant, venu du fin fond de ses entrailles. Puis il masque sa douleur :

— Allez au diable! Vous n'y connaissez rien, et c'est vous qui l'avez tué, sans doute.

Puis il ajoute :

« Je tuerai votre classe du matin. Vos charmants petits mioches.

Il demande encore :

« De toute manière, comment savez-vous qu'il est mort?

— Si vous en doutez, allons-y, et vous verrez, lui dis-je.

Joe, surpris, accepte :

— D'accord, on va le déterrer.

C'est l'enthousiasme général :

— Ouais.

— D'accord.

— Allons-y.

— Oui.

— Bonne idée.

Ils quittent leurs chaises, et nous descendons tous. En un instant, nous nous retrouvons sur les lieux de la sépulture. Les garçons démolissent la tombe que les petits avaient édifiée avec tant de soins.

— Regardez. Ces enfants de putains, ils lui ont même fait une tombe, les salauds.

— Et, sans doute, il n'est même pas mort, déclare Art, obstiné.

— Regardez ça. Ils commencent par le tuer, et après ils l'enterrent, hurle Joe.

— Quels salauds! Qui leur a dit de faire cette tombe? zézaye Buddy.

Puis ils sortent doucement le hamster de sa boîte. Art et Joe examinent soigneusement l'animal. On n'entend pas un bruit. Soudain Artie regarde tout autour de lui. Il a sur le visage une expression décidée, féroce. Il lève bien haut le hamster mort pour que chacun puisse le voir, puis il le laisse tomber dans la première paume tendue. Les garçons sont étrangement silencieux — leur crise d'hystérie est finie. Le hamster passe de main en main jusqu'à ce qu'il ait fait le tour de tous les enfants. Chacun l'a tenu une fois.

J'éprouve une sensation curieuse.

Joe vient vers moi et me dit :

— Excusez-nous, Maîtresse, nous avons été grossiers. Nous regrettons. Merci d'avoir permis qu'on déterre le hamster.

Je me sens soulagée. Mais pas pour longtemps. Il y a toujours ce silence étrange.

Puis Artie annonce :

— Le hamster a été tué. Il a le cou brisé.

Il écarte les lèvres de l'animal et je remarque que les dents du hamster sont brisées. Je regarde de plus près et je constate que ses yeux lui sortent des orbites. J'ai du mal à respirer, et les genoux en coton.

« Bon, maintenant, Maîtresse, vous allez fumer une cigarette et boire un verre d'eau. Autrement dit, disparaissez pendant dix minutes. Quand vous reviendrez, nous saurons qui a fait le coup, dit Artie, d'un ton très professionnel.

Joe consent à me donner des explications :

— Nous allons rendre la justice du kangourou.

— Qu'est-ce que c'est?

Joe me répond d'un ton railleur :

— Eh bien, on frappe le type sur la tête jusqu'à ce qu'il avoue ce qu'il a fait.

— Enterrez d'abord le hamster et remettez la tombe en état, dis-je.

Artie se sépare du hamster, à contrecœur. On enterre l'animal, et nous remontons en classe.

Joe cherche à me rassurer :

— On trouvera qui l'a tué, ne vous en faites pas, Maîtresse.

Et Billy ajoute en riant :

— Et vous ne pourrez plus reconnaître cet enfant de salaud, plus jamais.

— Oh non, vous ne ferez pas cela, pas tant que je serai là, leur dis-je.

— Si vous nous en empêchez, eh bien on attendra, on fera ça plus tard, répond Artie avec beaucoup de sens pratique.

Je sais qu'il a raison. Et je sais que je dois éviter cela à tout prix. C'est alors que je leur fais cette proposition :

— D'accord, tenez votre tribunal. Et nous chercherons tous ensemble ce qui s'est passé. Mais il faut que ce soit un vrai tribunal, avec un juge, des jurés, un procureur et un avocat de la défense.

Il ne me reste plus qu'à espérer et prier.

A ma grande stupéfaction, Joe accepte :

— D'accord, mais vous n'en ferez pas partie.

J'avais excité leur imagination. Soudain, leur désir de vengeance ressent le besoin d'un semblant de justice ou, tout au moins, d'une imitation pitoyable de la justice.

Joe continue :

« Et nous aurons aussi une Bible. Et des témoins.

— Comme dans un vrai tribunal.

— Et nous interrogerons Jeffry, aussi. Vous entendez?

Je proteste :

— D'accord, mais pourquoi Jeffry seulement? Après tout, vous devez interroger tous les garçons de la classe du matin.

— Hein? s'exclame Billy, gagné par l'excitation générale.

Espérant les détourner de l'idée de lyncher Jeffry pour les entraîner vers une recherche plus rationnelle de la justice, où tous seraient mis sur la sellette, je continue :

— Et je les ferai sortir un à un, pour que vous les interrogiez hors de la classe. Et vous les ferez comparaître à la barre des témoins, un par un.

— D'accord. Vous le ferez vraiment? Ou bien vous nous faites marcher?

Art me regarde, incrédule.

— Vaudrait mieux pour elle, ricane Billy.

Joe décide :

— Je suis le juge. Art, tu seras le machin-chouette, tu sais, celui qui dit ce qu'on a fait de mal.

Je précise :

— Le procureur.

— Billy et moi, on sera les témoins, dit Adam.

— Moi aussi, je serai témoin. Non, je serai l'avocat, annonce Paul.

— Et moi? demande Buddy.

Je lui propose :

— Tu prendras des notes, tu seras le greffier.

— D'accord, opine Buddy.

— Je veux être le juge, réclame Adam.

— D'accord. Ton tour viendra, lui dis-je.

Ronnie intervient :

— Je veux faire quelque chose, moi aussi.

C'est Joe qui lui répond :

— Tu feras le public, et tu comparaîtras à la barre des témoins. Tu as peut-être fait le coup. Et toi aussi, Simon.

— Je ne suis pas allé dans la classe, proteste Simon.

— C'est toi qui le dis. Tu y es peut-être allé, et tu l'as tué, lui rétorque Art.

Justin se met à pleurnicher :

— Je veux témoigner.

— D'accord, d'accord. Tu témoigneras, crapule, lui dit gentiment Artie en lui ébouriffant les cheveux.

De tous les garçons, celui qui aime le plus Justin, celui qui le protège avec le plus d'ardeur, c'est Artie. Le leader du groupe. Art et Justin sont devenus inséparables. Justin respecte le « grand », l'admire, l'adore et l'écoute. Justin tient dans le cœur d'Art une aussi grande place que le hamster.

Je proteste :

— Tout le monde a quelque chose à faire. Est-ce que je ne pourrais pas défendre l'accusé, et maintenir l'ordre, au cas où le juge aurait besoin d'un coup de main? Autrement, je vais vraiment m'ennuyer.

Simon accepte :

— D'accord. C'est sûr qu'il aura besoin d'un avocat.

91

— Quand on l'aura trouvé, on le tuera, ajoute Billy.

Art approuve :

— Sûr qu'on le tuera. Ce sale petit mec, cet enfant de salaud. Seigneur, je vais réduire en bouillie cette ordure!

Une fois de plus, l'atmosphère devient tendue. Les garçons se regardent mutuellement d'un air soupçonneux. Je déplace les bureaux. Il vaut mieux s'affairer à quelque chose.

Joe est le juge. Il s'installe devant. Le jury s'assied sur le côté. Le procureur se tient légèrement à l'écart. Et nous avons une barre des témoins. Le silence règne dans la classe.

Joe prend le dictionnaire :

— Ce sera la Bible, et vous prêterez serment sur elle, comme dans un vrai tribunal; et si quelqu'un ment, Dieu le punira.

Il a l'air menaçant, et croit dur comme fer à ce qu'il dit.

— Bon. La cour va siéger, dit Joe en donnant un coup de poing sur le bureau.

Je lui donne un maillet.

Joe annonce :

— Paul comparaît le premier.

Paul va à la barre.

« Lève la main. Et jure de dire la vérité.

Joe se tourne vers moi en chuchotant :

« Quelle main lève-t-il?

Je lui réponds :

— La droite.

Joe se met à hurler :

— Alors, qu'est-ce qui se passe, espèce d'enfant de salaud? Tu ne sais pas que tu dois lever la main droite?

— C'est ce que je fais, répond Paul.

Joe s'incline :

— Bon, d'accord. Tu as tué le hamster, on le sait.

— Je n'étais pas à l'école vendredi, je suis rentré de New York aujourd'hui, proteste Paul.

Artie bondit et saisit Paul à la gorge :

— J'arriverai bien à te faire avouer, si tu ne veux pas parler spontanément.

Il essaie de l'étrangler.

Je hurle, folle de rage :

— Arrêtez, ça suffit! Pas de brutalité! C'est un tribunal! Joe, quel genre de juge es-tu? Tu dois simplement poser des questions et maintenir l'ordre! Ce n'est pas à toi d'accuser. Tu ne dois pas lui dire que c'est lui le coupable. Tu dois l'écouter. Et Art! Veux-tu ou non un jugement loyal? Je croyais que nous avions organisé un vrai tribunal.

Les enfants sont déconcertés par mon explosion de colère. Ils laissent Paul tranquille.

« Alors, vous voulez un jugement loyal, ou non?

Joe me répond, furieux :

— On fait ça très bien. C'est comme ça que le juge s'est comporté avec moi quand j'ai comparu devant le tribunal.

— C'est dommage. Cela t'a plu?

— Allez au diable, me répond Joe.

Joe donne un coup de maillet sur le bureau :

— La cour ordonne. Je te décrète... eh, Mira, comment dit-on?

— Déclare.

— Je te déclare non coupable. Il n'y a pas de preuve contre toi. A Simon maintenant.

Simon vient à la barre des témoins, lève la main droite et jure sur la Bible.

Joe, le visage congestionné, secoue Simon :

— C'est toi le coupable, Simon. Allez, salaud. Oh, excusez-moi. Qu'est-ce que tu as fait à ce foutu hamster? Tu l'as tué ou non?

— Non, répond Simon.

Art bondit :

— Quand l'as-tu vu pour la dernière fois?

— Vendredi, vers trois heures, avant qu'on aille tous en récréation.

— Tu l'as touché? demande Art.

— Non.

— Tu as vu quelqu'un le toucher?

— Non.

— Où était-il quand tu l'as vu pour la dernière fois? demande Joe.

— Sur le bureau d'Art, répond Simon.

Tout le monde regarde Artie.

93

— Eh, bande d'emmerdeurs, vous savez bien qu'il se mettait là quand je faisais mon arithmétique. C'était son habitude, dit Artie.

Il a l'air excédé par cette perte de temps inutile.

Joe intervient :

— D'accord. A toi, Art.

Art va à la barre.

« Jure sur la Bible, lui dit Joe.

Artie s'exécute.

« Où l'as-tu vu pour la dernière fois? lui demande Joe.

— Quand je l'ai remis dans sa cage.

— A quel moment?

— Vers trois heures.

— Tu l'as touché?

— Évidemment. Il était sur mon bureau, comme d'habitude, et il a commencé à se glisser sous ma chemise.

— Et alors?

— Il a grimpé le long de ma jambe, sous mon pantalon.

— Où est-il allé après?

— Il est revenu sur le bureau, et Mira m'a dit de le remettre dans sa cage, parce que je lisais à haute voix. Cette sorcière. Le hamster marchait sur le livre.

— Tu n'as vu personne d'autre le toucher, après? demande Joe.

Art répond :

— Non. Peut-être· Sonny. Mais c'est Jeffry qui l'a tué!

J'interviens :

— Tu l'as pris vers trois heures, Art, et à quatre heures, vous avez tous vu le hamster dans sa cage, d'accord?

— D'accord, me répond-on.

— C'était vendredi. Il n'y a eu que vous dans la classe tout l'après-midi. D'accord?

— D'accord.

— Après, ce fut le week-end. C'est moi qui ai pris la clef de la classe. Pas vous. Jeffry est dans la classe du matin; il n'a donc pas pu voir le hamster après onze heures quarante-cinq, le vendredi. D'accord?

— D'accord.

— Après, Jeffry n'est revenu dans la classe que ce matin et le

94

hamster était déjà mort. Les fenêtres étaient fermées de l'intérieur. Appelez Jeffry.

Jeffry entre.

Il entre en dansant, ce joli petit garçon de huit ans qui ressemble moins à un enfant qu'à un petit chiot affectueux. Le chapeau de travers, les mains dans les poches, il siffle une chanson. Il prend des airs de bravade. Il me sourit. Jeffry est très à l'aise avec les animaux. Il les adore. Mais il finit toujours par les tuer, prétendent les autres enfants.

Le procès continue.

La tension monte. On serre les poings.

Joe attaque :

— Jeffry, tu ferais mieux de dire la vérité.

— Et si je ne le fais pas?

— Il t'arrivera malheur, répond Joe.

Billy précise :

— Tu prêtes serment sur la Bible.

— Oh, d'accord, dit Jeffry.

— Quand as-tu vu le hamster pour la dernière fois? lui demande Joe.

— Ce matin, quand je l'ai enterré.

— Je veux dire, vivant.

— Pourquoi tu l'as pas dit plus tôt? Vendredi, vers onze heures.

Art se met à hurler.

— Qu'est-ce que tu lui as fait? Parle. On sait que c'est toi.

Jeffry, très froid, répond :

— Je l'ai poursuivi.

— Et après tu l'as tué! crie Art.

— Non. Je l'ai attrapé et remis dans sa cage, et toi, l'aprèsmidi, tu l'as tué.

Art bondit, saisit Jeffry à la gorge.

— Écoute, Art, lui dis-je. Si tu as joué avec le hamster à trois heures, comment Jeffry aurait-il pu le tuer le même jour, à onze heures du matin?

Art se sent un peu gêné :

— D'accord, d'accord, je vérifiais, simplement.

Il s'assied.

Joe, le juge, chez qui le besoin de justice a fini par l'emporter, jette à Art : « T'es vraiment con! », tout en posant une main rassurante sur l'épaule de son ami. Joe s'est identifié au rôle qu'il joue. Il ajoute :

« Ça va, Jeffry, retourne en classe. Je te déclare non coupable.

Un grognement de colère parcourt la salle. Ils ne sont pas contents. Ils désapprouvent le juge.

Joe répète :

— Je te déclare non coupable, mais nous te ferons revenir, Jeffry. Buddy, à toi.

Buddy prête serment.

— Écoute, Joe, je te promets, je ne l'ai pas touché, dit-il, apeuré.

Son visage prend une expression sournoise.

« Mais je sais qui a fait le coup.

Il murmure quelque chose à l'oreille de Joe.

Joe :

— Bon, à toi, Ronnie.

Je suis complètement prise par ce simulacre de procès. Quel sale mouchard, me dis-je : son meilleur ami, Ronnie.

Ronnie prend la parole :

— Je n'ai pas vu le hamster. Je ne l'ai pas touché et je m'en fous, dit-il lentement, posément.

— Tu veux que je te fasse avouer? hurle Art.

— On m'a dit que tu as tué le hamster, Ronnie, dit Joe.

Ronnie répond très lentement :

— Va te faire voir. C'est absurde. Je ne m'intéresse pas aux hamsters.

Joe perd patience devant le ton posé adopté par Ronnie :

— C'est toi ou ce n'est pas toi qui l'as tué?

— Ce n'est pas moi, bien sûr.

Art intervient :

— Tu ne vois pas qu'il est trop occupé à écrire tous ses sacrés chiffres? Il est bien trop idiot pour s'en être pris au hamster.

— D'accord. Non coupable, déclare Joe.

Justin intervient une nouvelle fois :

— Et moi? Je veux témoigner, moi aussi.

— Fiche-nous la paix, c'est à Adam maintenant, répond Art.

— Je jure que je l'ai tué, je l'ai brûlé, et de toute façon, c'est à moi d'être juge maintenant, déclare Adam.

— C'est au tour d'Adam d'être le juge, dis-je.

— D'accord, Adam, voyons un peu. Qu'est-ce que tu vas faire? demande Joe.

Adam rit nerveusement :

— Qu'est-ce que je vais dire? Qui veut être le juge?

Joe triomphe :

— Qu'est-ce que je t'avais dit? Tu vois, tu n'as rien fait. Ça, c'est Adam!

Justin réclame :

— Je veux témoigner. Je veux témoigner.

Art lui sourit et le fait taire. Art sourit rarement — seulement quand il aime.

On s'agite beaucoup au fond de la classe. Les garçons sont à quatre pattes sur le plancher. Ils ramassent des papiers, des petits bouts minuscules. Ce sont des notes. Billy en lit une à voix haute : « J'ai tué le hamster, mais j'ai peur de l'avouer. » Tous les enfants sont décontenancés et la colère renaît. Le pouls de la salle d'audience bat plus vite. Une discussion animée s'engage pour savoir qui a écrit cette note. Soudain, Buddy traverse la pièce, très pâle, agité de tremblements, il gagne la barre des témoins et, faisant appel à tout son courage, il zézaye :

— Ze vous assure, les mecs, c'est moi. Z'étais si désespéré.

— Attrapez-le, les gars. C'est lui, lance Art.

— Ouais, dit Buddy soulagé. Ze zure que ze lui ai tordu le cou.

J'interviens :

— Buddy, on ne plaisante pas.

— Ze ne plaisante pas, proteste Buddy. Ze l'ai fait. Allez, les gars, flanquez-moi une rossée. C'est moi le coupable.

Personne ne bouge.

— De toute façon, ze veux qu'on me cogne dessus. Allez, vous vous décidez, ou quoi?

Tout le monde se précipite vers lui.

Joe, le juge, conseille :

— Oh, laissez-le, il est cinglé.

— Non, proteste Art. Il a avoué. Venez, les gars, on va l'attraper.

— Art, réfléchis un peu, dis-je. D'abord Buddy prétend que c'est Ronnie le coupable. Après, il éparpille ses notes dans toute la pièce. Et ensuite, il vous dit que c'est lui. Enfin, il déclare : « De toute façon, je veux qu'on me cogne dessus. » Réfléchissez une seconde.

Joe est de mon avis :

— Mais c'est sûr, il cherche seulement à ce qu'on le batte. Vous êtes en train de tomber dans le piège, les mecs.

Art est complètement découragé, mais pas calmé :

— Ouais, ça doit être encore un de ses trucs de cinglé. Buddy geint tristement :

— Ze l'ai fait, les mecs, ze vous assure, c'est moi.

— Ta gueule, abruti. On t'a assez vu.

On entend à nouveau la rengaine de Justin :

— Je veux témoigner, je veux témoigner.

Il s'élance d'un bout de la pièce à l'autre. Avec son visage d'ange et ses yeux bleus, il se déplace avec une grâce infinie. On dirait qu'il danse. Les paumes tournées vers le ciel, les jambes légèrement fléchies, il traverse la pièce, touchant à peine le sol, rapide, léger, et pourtant si anguleux. Toutefois, ce ne sont pas ses mouvements qui frappent le plus, mais la bizarrerie, la folie qui émanent de cet enfant.

« Je veux témoigner, je veux témoigner, répète Justin. Je me dirige vers lui.

Artie, accompagné de Joe, bondit vers moi en sautant par-dessus les bureaux et me dit à l'oreille :

— Il ne faut pas, Mira. Il est vraiment malade. Il est du KK ou de Bellevue[1]. Il ne faut pas l'ennuyer. C'est un petit gosse.

Maintenant, Justin pleure :

— Je veux témoigner, je veux témoigner. Vous l'avez tous fait. C'est mon tour, maintenant. Qu'est-ce qui se passe? C'est parce que je suis pas assez important?

Je prends une décision.

— D'accord, Justin.

Et je murmure à Art :

1. KK désigne, à Katy Kill Falls, le bâtiment réservé aux enfants les plus malades. Bellevue est un hôpital psychiatrique.

— Laissez-le témoigner, lui aussi, mais allez-y doucement avec lui.

— D'accord, Justin, c'est à toi. Jure, dit Joe.

Justin est ravi. Il lève la main droite et jure d'un air solennel.

— Maintenant, interrogez-moi, suggère-t-il.

Joe pose machinalement une question :

— Quand as-tu vu le hamster pour la dernière fois?

— Oh, vers trois heures et demie, après la récréation.

— Tu as joué avec lui?

— Oui, il était sur mon bureau.

— Après, tu l'as remis dans sa cage, n'est-ce pas? intervient Art.

Il essaie d'en finir le plus rapidement possible.

— Non. Je l'ai fait plus tard, dit Justin.

— Qu'est-ce que tu veux dire? demande Art.

— D'abord il est tombé par terre, répond Justin.

Joe, nerveux, interroge :

— Jus, à quel jeu as-tu joué avec lui?

— Je le serrais.

— Comment? Comment? demande Art, très excité.

— Avec mes doigts.

— Où le serrais-tu? continue Art.

— Autour du cou.

— Et quand tu le serrais, quelle tête avait-il? Est-ce que ses yeux ressortaient, par exemple?

— Ouais. Et après, il est tombé par terre. Et alors je l'ai ramassé, doucement, parce qu'il dormait, et je l'ai mis dans sa cage.

Tout est silencieux dans la pièce. Artie a les veines du cou si gonflées qu'on a l'impression qu'elles vont éclater.

« Qu'est-ce que vous avez tous? demande Justin.

Artie me chuchote :

— Maîtresse. Faites-le sortir. Vite.

— Justin, cours jusqu'au secrétariat et ramène-moi du papier.

Justin sort et, aussitôt, tous se déchaînent.

— Vous savez ce que cela veut dire? s'écrie Artie. Justin a tué le hamster. Mais il ne le sait pas.

Je suis complètement abasourdie, et je me tourne vers eux :

— Rappelez-vous ce que vous m'avez dit. Il est très malade, il ne sait pas ce qu'il fait.

Joe insiste :

— C'est vrai, les mecs. Il est vraiment malade. Nous ne pouvons pas le punir. Il va devenir fou.

Billy est perplexe :

— Et on ne peut pas lui dire ce qu'il a fait, parce que ça le rendrait dingue, sûrement.

— C'est vrai, dis-je.

— Oh, Seigneur. Qu'est-ce que je vais faire? dit Artie, les yeux dans le vide.

J'attends, immobile. Je les regarde tous, surtout Artie. Le temps passe. Justin va revenir d'un instant à l'autre.

Enfin, cela vient. Artie dit d'un air désespéré :

— On ne peut pas le punir. Et on ne peut rien lui dire non plus. Qu'est-ce qu'on va faire?

Chacun comprend soudain le drame que vit Artie.

Joe propose :

— Si on le regardait tous fixement pendant une minute? Qu'en dis-tu, Art?

J'ai si peur de devoir choisir entre l'équilibre mental de Justin et celui d'Artie que je me tourne encore une fois vers les garçons :

— Mais rappelez-vous ce que vous m'avez dit. Vous ne pouvez pas lui faire comprendre ce qu'il a fait. Vous ne pouvez pas le punir.

Artie, pâle et tendu, les dents serrées, me dit :

— Laissez-nous faire, Mira.

— D'accord. Je vous fais confiance.

Ma voix a comme un accent de vérité. Mais je commence à prier.

Justin revient. Il tient à la main une boîte de gâteaux qu'il a volée au passage dans la salle à manger. Tous se précipitent vers lui et se battent pour avoir des gâteaux. Justin les distribue calmement et en donne un à chaque enfant. Quand chacun a fini le sien, Joe dit :

— Justin, assieds-toi.

L'enfant s'assied. Chacun regagne sa place. On n'entend pas

un bruit. Tout en s'asseyant, les enfants tiennent leurs chaises à deux mains et s'approchent de Justin. Ils forment un cercle tout autour de l'enfant. Tous ensemble, dans un silence total, ils bougent leurs chaises et se rapprochent de Justin. A l'unisson. En silence. Comme s'ils formaient un seul corps, avec Justin au milieu. Le silence devient plus pesant. Le cercle se resserre. Tous regardent Justin. Justin les regarde aussi. Ils s'approchent, toujours plus près, silencieux, sans le quitter des yeux. L'enfant regarde ses chaussures, attentif. Le silence s'épaissit. La peur rend un son particulier. Ici, c'est le bruit du battement de mon cœur et de celui de Justin. Les chaises sont tout près de l'enfant. Bientôt il ne reste presque plus de place entre lui et ceux qui l'entourent. Je regarde, pétrifiée, comme si j'étais hypnotisée, gagnée par le rythme de leur progression.

Justin hurle :

— Qu'est-ce que vous faites?

Personne ne répond. Ils se rapprochent toujours. Soudain, Justin bondit dans le minuscule espace qu'ils lui ont laissé, pousse un cri à glacer le sang et se rue hors de la classe.

Je crie à Artie :

— Rappelle-toi ce que tu m'as dit!

Artie me regarde. Ou plutôt non, son regard me traverse, il ne me voit pas. Du plus profond de moi sort un cri :

« Art, je te fais confiance.

Après avoir agi, il fallait réfléchir : à Art de choisir. La vie ou la mort. La maladie ou la santé. L'équilibre ou la folie. Pour lui-même, pour Justin.

Art se précipite hors de la pièce. Une minute se passe, peut-être deux. Pour nous tous, cela semble une éternité. Personne ne bouge. Chacun comprend l'enjeu. Mais c'est Art qui doit choisir. Les autres n'interviendront pas. Et nous souffrons tous mille morts, pour Art, pour Justin, pour nous-mêmes.

Art revient, serrant Justin contre lui. Le petit garçon est en larmes :

— Je sais que ce n'était rien. Je sais que vous me taquiniez simplement. Mais c'était tellement horrible, dit-il au milieu de ses sanglots.

— Bien sûr, Justin. On voulait seulement te faire une blague,

101

mais tu prends tout tellement au sérieux! Tu es un bon petit môme, Justin.

Art ébouriffe les boucles dorées de l'enfant et Justin, à travers ses larmes, lève les yeux vers lui, plein de confiance. Mais on dirait que les veines du cou d'Art sont prêtes à éclater.

Je tends la main vers Artie, mais il ne la saisit pas. Je sais qu'il doit finir de résoudre tout cela lui-même.

Ce soir-là Arthur Schurtz s'enfuit de Katy Kill Falls. Le lendemain après-midi, la police le ramena à l'école.

— Que s'est-il passé? lui demandai-je.

— Je me suis perdu, tout simplement, me dit Artie.

Nous nous sourîmes.

Il avait erré toute la nuit.

Il était pâle, les traits tirés, mais il avait l'air apaisé.

Je constatai :

— Tu dois avoir faim. Tu n'as rien mangé de toute la soirée d'hier, de toute la nuit et de toute la matinée. Pour un garçon comme toi, ce doit être terrible.

Artie sourit :

— Ouais.

Je lui fis un mot pour la cuisine. J'avais écrit : « Gavez-le. » Et le chef cuisinier, Joe, me raconta qu'Art avait mangé dix œufs, six portions de fromage blanc, un demi-litre de lait et un pain entier.

Art se reconstituait, après avoir tant donné de lui-même et renoncé à tant de choses. C'est épuisant de grandir.

Ils n'ont pas voulu d'autre hamster.

Trois mois plus tard, Justin s'est pendu.

Les filles

Chut, petit bébé, ne dis rien.
Maman va aller t'acheter un moqueur [1].

Les filles de Katy Kill sont très belles. Abstraction faite de leur maquillage, de leurs simagrées et de leurs attitudes défensives.

Carla : meurtrière de seize ans, petite amie d'un truand; dans des voitures lancées à fond de train, elle jetait par la portière le corps des gens qu'elle aidait à assassiner. Carla, la juive espagnole, aux yeux pleins de larmes, d'amour et de solitude, débordants de douceur et de tendresse. Petite amie d'un truand, dont la bouche opposait un démenti obstiné au tracé cruel du rouge à lèvres : c'était la bouche sensuelle mais délicate d'une femme-enfant, partagée entre la terreur et l'étonnement que lui inspirait le monde. Carla la cruelle.

Annie : à dix-sept ans, elle était le chef d'une bande de prostituées. Elle a dû abandonner son bébé. Annie, qui me fait toujours penser à un coquelicot sauvage se balançant dans un champ de blé; Annie, qui mène les gens comme du bétail. Avec des yeux alourdis par le crayon et le mascara, des yeux habilement maquillés, aussi fascinants que le regard d'un crotale. Mais si un enfant vient à passer, Annie se métamorphose complètement : son corps devient celui d'une femme magnifique, généreuse, exprimant une compassion sans fond. Elle n'est plus qu'une mère qui souffre encore de la perte de son enfant.

1. Oiseau d'Amérique ressemblant au merle *(NdT)*.

103

Mary, la muette. Grise, massive, impénétrable : un vrai bloc de pierre.

Un bloc de pierre à l'équilibre fragile. Prêt à tout écraser sur son passage.

Elle ne peut pas parler. Elle ne veut pas parler.

On dit qu'elle a vu tuer sous ses yeux son père, sa mère et son frère. Certains disent que c'est elle qui les a tués. On ne saura jamais la vérité, sauf si Mary se décide à parler un jour.

Et puis, il y a Patty, et Sally, Bonny, Cybelle, Molly.

Un été, on m'a demandé de « prendre en charge » quelques filles. L'établissement procédait alors à un changement d'orientation dans le traitement des adolescents perturbés. Et j'étais le symbole de ce changement. J'étais la première jeune femme enseignante engagée à Katy Kill par le directeur (contre l'avis des « huiles » de l'établissement et d'une bonne partie du personnel); j'avais introduit certaines innovations et adopté une attitude non punitive à l'égard des enfants. Tout cela m'opposait aux autres rares femmes du personnel — les gardes-chiourme d'entre deux âges qui, jusqu'à présent, avaient occupé les lieux. En plus de ce changement, on réorganisait le programme des filles, et Katy Kill, après avoir été un établissement pour garçons, se muait rapidement en une école mixte. Je devais travailler avec les plus âgées, celles de seize à dix-huit ans. Je savais qu'elles pourraient être très dures. Je connaissais quelques-unes de leurs histoires — elles étaient effrayantes. Je me souviens de ma réaction le jour où le directeur me demanda si j'acceptais de travailler avec ce groupe. J'eus un mouvement de recul presque instinctif. Je me rappelle encore la réponse que je lui fis, froide, hautaine, pleine d'autosatisfaction : « Mais je ne travaille qu'avec des garçons. Je n'ai pas envie de m'occuper de filles. » Et, comme il insistait pour connaître la raison de mon refus, j'ajoutai : « Je n'ai pas envie de scruter le fond de l'âme d'une autre femme. » Il me fit alors cette réponse : « Vous ne serez jamais vraiment une femme vous-même tant que vous n'aurez pas regardé ce qui se cache au plus profond d'une autre femme. »

Toute ma morgue s'envola. C'était vrai, je n'avais pas envie de me pencher sur mes semblables. Je savais pourquoi. Comme elles, j'avais été blessée dans ma féminité. Comme elles, je portais en moi ma blessure, ma fureur et ma fierté. Mais je refusais de le reconnaître, tandis qu'elles le vivaient et le savaient. J'étais obligée de reconnaître chez elles ce que je refusais d'admettre chez moi.

Au début, les filles et moi faisions « très bon ménage ». Nous nous montrions froides, détachées et, ce qui est pire encore, courtoises. De toute évidence, nous nous tenions sur nos gardes, moi attendant mon heure, et elles, la leur. J'avais l'impression que tout se liguait contre moi. J'avais très peur. Et puis, je n'étais pas assez âgée pour être leur mère. Nous devions établir des relations de sœurs, et elles allaient me montrer à quel point, en effet, nous étions terriblement sœurs. Je le savais, et j'attendais cette révélation avec terreur.

J'étais aussi pour elles une concurrente vis-à-vis des garçons, puisque je travaillais avec les aînés, qui étaient leurs petits amis et avaient le même âge qu'elles. Or, j'avais plutôt du succès auprès d'eux. Je démontrais ainsi aux filles qu'il n'y avait pas besoin d'être grossière, brutale et facile pour plaire à ces garçons; et cela, elles ne pouvaient pas le supporter, car elles ne savaient pas encore se comporter de cette manière. Elles étaient enfermées; j'étais libre. Elles avaient la plus mauvaise part des choses; et moi, la meilleure.

L'attente prit bientôt fin.

Une bagarre éclata entre deux filles dans une salle de bains isolée. J'arrivai au beau milieu du combat. L'une des filles frappait brutalement son adversaire, tandis que les autres faisaient cercle autour d'elles et les excitaient. Elles se seraient déchirées avec leurs ongles et arraché les yeux si la lutte avait continué quelques minutes de plus. J'exigeai que le combat prît fin immédiatement. Ce qui devait arriver arriva. Les ennemies se réconcilièrent et toutes se précipitèrent sur moi. J'ai une peur panique de la violence physique. La vue de toutes ces mains qui me cherchaient me fit reculer contre le mur et j'éprouvai une terreur telle que j'oubliai qui j'étais. Soudain, j'entendis ces mots prononcés d'une voix tranquille : « Je connais très bien ce genre de trucs. J'ai vu des femmes se battre avec beaucoup plus de violence que vous. Vous n'avez aucune idée de ce dont les femmes sont capables quand elles luttent pour leur vie. Vos

105

batailles à coups d'ongles, c'est une plaisanterie à côté. » C'était bien ma voix que j'entendais, mais j'avais du mal à reconnaître les mots que je prononçais. Les filles reculèrent. Nous avions toutes remporté une victoire. En un certain sens, nous étions devenues plus égales. Malgré ma politesse, j'avais combattu. Et je savais aussi ce que c'était que de voir la chance tourner.

Le premier obstacle franchi, nous nous sommes rapprochées les unes des autres; elles commencèrent même à me parler. Certains faits s'éclaircirent. Dix-huit filles vivaient là, au milieu de cent soixante garçons. Rien n'était prévu pour elles, pour répondre à leurs besoins. Elles étaient utilisées, maltraitées et brutalisées, tant par les garçons que par les membres du personnel.

Elles n'avaient aucune identité, parfois même aucun nom. On les appelait les « putes ». Et on les traitait comme telles. Elles étaient battues, injuriées, méprisées, corrompues, dominées, on leur crachait dessus, et parfois on les frappait. Elles vivaient dans un établissement conçu pour et par des hommes — dans un monde d'hommes. On les traitait comme des accessoires. Comme un tas d'ordures.

Elles étaient entourées de professeurs et de fonctionnaires masculins. Quant au personnel féminin, c'étaient de vieilles femmes laides, dures, amères, aigries et sadiques, devenues de véritables caricatures du mâle brutal travaillant dans une maison de correction.

Je voulais à tout prix prouver à ces filles qu'elles étaient des êtres humains, elles aussi. Des êtres qui devaient exiger d'être respectés, et se respecter eux-mêmes. Capables de travailler, tout autant que les garçons. Mais il leur fallait aussi se reconnaître différentes d'eux, puisqu'elles étaient femmes, et se faire reconnaître et respecter en tant que telles.

Nos activités prirent une orientation différente. Nous faisions surtout des travaux physiques. Mais je suivais toujours la même idée : leur faire reconnaître et accepter leur féminité. J'allais leur montrer que je respectais en elles la femme, l'être humain; ainsi elles apprendraient à en faire autant. Elles allaient avoir une identité, leur *propre* identité.

J'étais professeur, c'est vrai. Je devais leur apprendre à

lire, à écrire, etc. Mais c'était absurde. J'avais affaire à des adolescentes robustes, coléreuses, vives, violentes, pleines d'énergie, prises au piège dans une maison de correction « pire qu'une prison ».

Elles avaient besoin de bouger, de faire quelque chose. Quelque chose pour elles, pas pour les autres. Quelque chose qui prendrait en compte et satisferait leurs propres besoins, et non pas ceux de l'établissement ou des garçons. Elles-mêmes avaient de l'importance; leurs besoins étaient importants.

C'est avec cet objectif en tête que les filles et moi élaborâmes ensemble un programme. L'activité physique y tenait une grande place. Les filles ne disposaient d'aucun endroit pour rencontrer les garçons. Nous avons donc construit des foyers avec des briques et du ciment, scié des arbres et fabriqué des tables et des bancs pour installer un lieu d'accueil en plein air où les filles pourraient organiser des petites fêtes et rencontrer ouvertement les garçons, au lieu de les voir en cachette derrière les buissons.

Nous avons aussi aidé à construire un petit salon de beauté, que nous avons peint dans des « teintes douces, agréables ». Là, les filles pouvaient, comme n'importe quelle adolescente, goûter le plaisir de se faire une beauté avant leurs rendez-vous sur le « campus », sans s'attirer pour cela la désapprobation générale ni se faire traiter de putains.

Je leur trouvai une esthéticienne qui leur apprit comment se coiffer et se maquiller, ce qui leur permit, non seulement de devenir plus attrayantes (au lieu de se rendre grotesques), mais également d'utiliser plus tard ces connaissances à titre professionnel.

Nous avons aussi fait des bijoux ensemble, tricoté des écharpes, cuisiné, et parlé, parlé, parlé, nous rapprochant chaque jour davantage les unes des autres. La confiance commençait à naître entre nous. Timidement.

J'étais pour elles une énigme. Nous construisions ensemble, nous peignions ensemble, nous parlions ensemble des choses les plus personnelles et les plus intimes. Elles me voyaient abattre un arbre, gâcher du béton, me servir de marteaux et de scies, et rester malgré tout une femme. Elles étaient désorientées par ce bizarre mélange, par le fait que l'on puisse utiliser sa force sans se montrer brutal, être vulnérable, ou même se sentir impuissant, sans nécessairement avoir besoin d'attaquer pour se défendre.

Mais la confiance naissait timidement. J'eus l'impression que le moment était venu de miser sur cette confiance en fêtant la « fin de la confection des écharpes ».

Je proposai aux filles d'aller voir un spectacle à la ville voisine.

Il était inconcevable par elles de « sortir », de quitter l'établissement, sauf quand elles « s'envolaient », autrement dit quand elles faisaient une fugue. Et c'est ainsi qu'après avoir écouté mes collègues et le personnel administratif — excepté la minorité qui me faisait confiance — me répéter inlassablement que je m'exposais aux pires catastrophes (« Dès que vous aurez franchi les limites du parc, elles s'enfuiront », ou bien : « Elles vous tueront si vous vous mettez en travers de leur route, ou elles s'entre-tueront si *elles* s'opposent les unes aux autres »), nous quittâmes Katy Kill, rivalisant toutes d'élégance et parées des écharpes blanches que nous avions tricotées, pour aller assister au spectacle.

Évidemment, nous marchions sur une corde raide. Je le savais, et les filles aussi. Ni elles ni moi n'étions sûres qu'elles reviendraient à l'établissement. Je croyais qu'elles le feraient, je souhaitais éperdument leur faire confiance et qu'elles me fassent confiance — cela, elles le savaient très bien. Cependant, je comprenais aussi qu'elles avaient besoin de « gratter mon écorce » pour voir ce qui se cachait en moi sous les apparences, et qu'en même temps elles avaient peur de ce qu'elles pourraient découvrir qui démentirait mon attitude extérieure. C'était chez elles un besoin impérieux. Je savais qu'elles tenteraient le coup et qu'elles réussiraient; mais j'espérais que cela n'aurait pas lieu cette fois-ci. Elles savaient toutes que je risquais ma réputation, mon poste et la confiance qu'on m'accordait; elles savaient aussi que si elles s'enfuyaient, il n'y aurait plus aucun espoir de changer quoi que ce soit à Katy Kill.

Nous partîmes assister au spectacle.

C'était un bon spectacle. Pendant qu'il se déroulait, au théâtre, les filles n'arrêtèrent pas de sortir et de rentrer dans la salle, pour acheter des friandises ou aller aux toilettes. Mais surtout pour jouir de leur liberté et la mettre à l'épreuve, et moi avec. J'essayais de ne pas montrer ma frayeur. Vers la fin du spectacle, je sentis qu'une certaine tension régnait entre elles et je remarquai qu'elles se passaient un petit bout de papier. Instinctivement, j'eus envie de les compter. Mais je refrénai ce désir.

Quand la lumière revint dans la salle, Annie annonça : « Il manque deux filles. » Elle chercha mon visage du regard, vit à mon air navré que je partageais sa propre déception, et elle murmura, les dents serrées : « Ne vous en faites pas. Je vais les retrouver. »

Avec les autres, je regagnai la voiture, et nous attendîmes. Au bout de quelques minutes qui nous parurent longues, Annie réapparut avec les deux fugueuses. Je me sentais trop épuisée pour être heureuse, et surveillée de trop près pour réagir. Pendant un moment, nous roulâmes sans dire un mot, attendant en fumant que la tension baisse.

Soudain, il y eut un cri. Je regardai autour de moi et vis qu'Annie avait appliqué brutalement l'allume-cigarette incandescent de la voiture sur les mains d'une des fugueuses.

— Ça lui apprendra à manquer de parole, dit-elle.

— Une brûlure n'a jamais rien appris à personne, répondis-je.

On sentait l'odeur de la chair brûlée.

Nous avions « tenu nos engagements ». Et nous fûmes récompensées. On considéra l'expédition comme un succès et les rares personnes qui avaient cru en nous triomphaient. Mais je me demandai : « Que valent tous ces honneurs? » Les filles avaient prouvé qu'on pouvait leur faire confiance, qu'elles étaient capables de changer l'image qu'elles avaient d'elles-mêmes et du monde, pour peu qu'on noue avec elles une relation loyale. Mais le plus important, à mes yeux, c'était que ces filles qui avaient à la fois un désir effréné et une peur panique de se fier à quelqu'un, commençaient à avoir foi en moi.

Je savais que ce n'était qu'un commencement — un peu bancal. Je savais qu'on était resté à la surface des choses. Et je me demandais jusqu'où nous devions tous aller pour devenir humains.

Après ce premier voyage, il y en eut beaucoup d'autres. Mais un seul fournit une réponse à ma question. Un jour où il faisait très chaud, les filles décidèrent de me « sortir ». Nous irions manger dans un restaurant en plein air, de « style français », le *Hot Dog Joe*. C'était leur point de chute favori quand elles s'échappaient de Katy Kill.

C'était une journée magnifique. Nous nous sentions l'esprit léger. Nous décidâmes en chœur de faire à pied les trois ou quatre kilomètres qui nous séparaient du restaurant. Nous étions toutes habillées en salopette, certaines avaient leurs bottes de travail et toutes nous portions des chemises de couleurs vives. En marchant à travers champs, nous cueillions des fleurs et nous les piquions dans nos cheveux. Le soleil nous caressait, sans distinction, et nous nous sentions bien ensemble. On chantait, on riait. Nous avions jeté entre nous les bases de la confiance. La chaleur l'aiderait à grandir.

Au bout d'un moment, nous arrivâmes à la grand-route, où nous marchâmes en file le long de la chaussée. Nous vîmes arriver un motard de la police. Les filles lui firent des signes de la main, et nous continuâmes à avancer. Quelques minutes plus tard, nous vîmes deux autres motards. Les filles agitèrent encore la main dans leur direction. Pour elles, c'étaient assez fantastique et enivrant de marcher librement hors des murs de Katy Kill et de n'être pas obligées de fuir la police de peur d'être ramenées à la maison de correction ou mises en prison. Cette fois-ci, les flics répondirent à leurs signaux et s'arrêtèrent. Les filles étaient fières et émues.

— Où allez-vous? demanda l'un des agents.

— En ville, lui répondit gaiement Carla.

— Qu'est-ce que vous allez y faire? continua-t-il, souriant.

— On va manger des *hot dogs* et des glaces, lui dis-je.

Ravies, les filles l'invitèrent à les accompagner. Elles n'avaient pas l'habitude d'échanger des propos amicaux avec des policiers.

— Et comment se fait-il que vous soyez toutes seules? demanda l'autre flic.

— Oh, nous ne sommes pas seules. Nous sommes avec notre professeur, précisa avec beaucoup de dignité Annie, étonnée.

— Et laquelle, parmi vous, est professeur? demanda-t-il.

— C'est elle, répondit Bonny en me désignant du doigt.

La plaisanterie du policier l'amusait.

Celui-ci fit : « Ah! ah! », se tourna vers moi, me regarda d'un air incrédule, puis me demanda :

— Bon, où allez-vous, Professeur?

— Au restaurant *Hot Dog Joe.*

Les deux flics nous saluèrent et repartirent sur leurs motos. Nous continuâmes notre promenade, très gaies.

Notre déjeuner chez *Hot Dog Joe* répondit tout à fait à ce que nous en attendions. Ce fut un moment délicieux. Nous étions bien, détendues, joyeuses. Nous sommes restées assises là pendant des heures, respirant l'air frais, nous gavant de *hot dogs,* de Coca-Cola, de glaces et de gâteaux, étonnées du nombre de sirènes de police que l'on entendait dans le voisinage.

Puis ce fut le moment de partir.

Heureuses, satisfaites, nous quittâmes le « café » pour tomber tout droit dans les bras de la police.

— Voulez-vous profiter de la voiture, les filles? demanda un flic.

— Non merci, nous préférons marcher. »

J'ajoutai :

« C'est une si belle journée.

La voiture de police nous suivit pendant quelque temps; c'était désagréable. Nous décidâmes de l'ignorer, soupçonnant les flics de poursuivre « un but intéressé ». Soudain, un « panier à salade » apparut, surgi d'on ne sait où. La porte s'ouvrit juste devant nous et un flic se mit à crier brutalement :

— Ça va, les filles, montez. Nous allons vous faire faire une promenade. Où diable croyez-vous aller comme ça?

— A Katy Kill Falls, si toutefois cela vous regarde; et nous n'avons aucune envie de nous promener avec vous, répondis-je furieuse.

En un éclair, huit flics nous encerclèrent, la matraque à la main, le visage rouge de colère. Ils avaient l'air menaçants.

Les filles n'en croyaient pas leurs yeux.

— Les flics croient que Mira est des nôtres. Vous vous rendez compte? chuchota l'une d'elles.

Ma fureur ne connaissait plus aucune limite. Je me mettais à la place des filles, me rappelant ce que cela signifiait que d'être marqué au fer rouge, d'être perpétuellement coupable à moins de pouvoir apporter la preuve de son innocence, d'être traqué, chassé comme un animal. Pourquoi?

Je me rappelais une fois de plus l'horreur que l'on éprouve à être différent, la haine que suscite la différence, et l'injure que cela peut représenter.

— Bien sûr que je suis des vôtres, répondis-je aux filles. Et j'étais prête à me battre jusqu'au bout à leurs côtés.

Les filles, elles, n'avaient pas le temps de se battre. Elles étaient trop préoccupées par ma réaction. Il leur fallait protéger la profane. Il ne s'agissait plus d'une insulte faite à leur dignité, à leur innocence. Elles étaient au-dessus de cela maintenant. Tout se passait comme si soudain je devenais le symbole, l'incarnation de leur innocence oubliée, de leur dignité, de leur blessure et de leur faiblesse. J'étais tout ce que l'on avait souillé, piétiné en elles; elles n'allaient pas laisser cela se reproduire une fois de plus, contre moi, contre elles. Et, sans le savoir, en me protégeant, elles protégeaient et retrouvaient un peu de leur innocence perdue.

Pour elles, les choses étaient plus simples. Elles devaient me protéger, victime de ma stupidité, contre la stupidité des policiers. Elles connaissaient bien cela.

Carla me prit par le coude et me dit, très calme :

— Maintenant, montez, Mira. Nous ne voulons pas nous attirer d'ennuis ni vous voir matraquée. Cela n'en vaut pas la peine.

Toutes les filles s'engouffrèrent dans le car de police, m'entraînant au passage. J'étais trop furieuse pour me soumettre. Je bondis hors du car, refusant de laisser les flics nous humilier ainsi.

Un agent m'empoigna et me jeta brutalement dans le fourgon tandis que je criais et donnais des coups de pied. Il me cracha :

— Monte, sale putain de merde!

Puis il commença à injurier les filles dans les termes habituels :

— Ces sales putes! Vous les trouvez bien, vous? Un professeur! Ah, ça, c'est la meilleure!

Ils continuèrent à nous insulter, essayant de nous intimider par la menace des punitions et des mauvais traitements divers qu'ils nous infligeraient dès qu'ils nous auraient jetées en prison.

Pendant quelques instants, nous restâmes assises dans le car, silencieuses, épuisées par toute cette histoire. Certaines filles avaient l'air abasourdies, d'autres, étonnées. Mais toutes semblaient comme soulagées d'un lourd fardeau.

Au bout d'un moment, nous commençâmes à plaisanter, et nous nous mîmes à chanter.

C'est alors qu'un flic se tourna vers moi et me demanda, sarcastique :

— Si vous alliez vraiment à Katy Kill, quelle route devrions-nous prendre?

Innocemment, je lui montrai le raccourci à travers champs. Celui dont les filles m'avaient parlé. Il rit et dit à son collègue :

« Tu vois, maintenant je suis sûr qu'elle n'est pas professeur. Il n'y a que les filles qui s'échappent de la maison de correction qui utilisent le raccourci.

Puis il ajouta méchamment :

« Seulement, cette fois, ça n'a pas marché. Ah!

Il me demanda ensuite :

« Depuis quand prennent-ils des jeunes femmes comme professeurs à Katy Kill Falls? Vous auriez dû inventer autre chose.

Il y eut un éclat de rire général.

« Tous les hommes naissent égaux entre eux » : je croyais entendre sans cesse cette phrase tinter à mon oreille. Liberté, Égalité. Les filles avaient un aperçu des deux, dans cette expédition. Oui, nous étions bien toutes sœurs. Nous étions égales. On pouvait me prendre pour elles, et les prendre pour moi.

Les flics nous emmenèrent au poste de police, prirent notre identité et nous jetèrent en cellule. Puis ils appelèrent Katy Kill Falls pour dire qu'ils avaient attrapé huit fugueuses qui passeraient la nuit en prison si l'on ne venait pas les chercher. On leur répondit qu'ils avaient capturé sept filles qui avaient eu l'autorisation de sortir avec leur professeur. Et, ajouta-t-on, la police ferait mieux de ramener tout le monde le plus vite possible à l'établissement.

Notre arrivée à Katy Kill fut spectaculaire : nous étions dans notre « panier à salade », escortées de motards. Une voiture de police nous précédait, une autre nous suivait, toutes sirènes hurlantes. Katy Kill au grand complet nous attendait. Les membres de l'administration avaient quelque mal à ne pas éclater de rire. Je n'ai jamais vu autant de policiers le visage cramoisi. Et j'avais rarement vu auparavant l'expression qui se dessinait à ce moment-là sur le visage de mes filles. Elles avaient découvert la fidélité, l'amour et un moment de bonheur. Le voyage était un succès.

Le lendemain, un gros bouquet de fleurs arriva à Katy Kill, avec une carte signée du chef de la police et de ses huit policiers. Elle était adressée à moi et aux sept filles, mentionnant bien le nom de chacune. Les filles et moi eûmes un sentiment de victoire. Elles avaient osé « gratter l'écorce » pour voir, au-delà des apparences, ce qu'il y avait en moi et en elles, et ce qu'elles avaient découvert, c'était l'égalité.

Chaim

« Et Dieu créa l'homme à Son image. »
Il était une fois un petit garçon appelé Chaim...

Ils venaient des camps — Treblinka, Dachau, Auschwitz ou Buchenwald, peu importe... Une foule d'hommes et de femmes aux âmes meurtries, desséchées et, pour certains, éteintes à jamais.

Ils se marièrent dans un camp de réfugiés, eurent un enfant, puis vinrent aux États-Unis. La terre promise — pas de camps, pas de persécutions, la paix.

Mais pour la paix, c'était trop tard. La marque de Caïn était gravée sur leurs fronts. Le fer rouge du vainqueur avait brûlé leur chair.

Il demeurait à jamais inscrit dans leurs corps.

Aux États-Unis, ils eurent un autre bébé : un beau bébé qu'ils appelèrent Chaim — « Vie » — en souvenir de leurs morts. Un bébé libre, dans un pays libre.

Chaim grandit et se développa normalement. C'était un enfant affectueux, aimable. Mais quand il eut quatre ans et demi, son évolution s'arrêta brusquement : il « oublia » presque tout ce qu'il avait appris depuis sa naissance et s'installa dans un monde différent, un monde à lui. Il cessa de parler, d'entendre, de contrôler sa vessie et son sphincter, de manger proprement, de s'habiller tout seul et de comprendre ce qu'on lui disait. Il devint un animal sauvage dont le seul but dans la vie était d'attaquer pour se défendre.

Pour cela, il utilisait différentes méthodes. Quand on lui parlait, il relevait la tête d'un côté, fermait un œil et, de l'autre,

115

regardait son interlocuteur en coin, avec une expression de ruse, de peur, de méfiance et de haine meurtrière; puis, il s'en allait, comme s'il vous avait foudroyé du regard et réduit en cendres, de sorte qu'il n'avait plus rien à craindre de vous.

A d'autres moments, dès qu'on s'approchait de lui, il lançait un cri atroce et se mettait à vous attaquer avec une violence et une brutalité extraordinaires.

En 1963, je vis l'enfant et le fis entrer à Blueberry.

Le père de Chaim, Stefan, était petit et trapu, d'une force phénoménale, avec des bras capables de soulever des blocs de pierre, et des mains qui auraient pu déchirer le monde. Il fabriquait des petits pains salés — il était fier de son travail, fier de son mariage, fier de sa force. Il portait une chemise à manches courtes et l'on voyait très nettement le numéro inscrit sur son bras — le numéro qu'il portait au camp de concentration.

C'était un Juif polonais. Quand il disait « Mira », il roulait le « r » comme seuls les Polonais savent le faire, avec un mélange de fureur, de vengeance et de fierté farouche. Je me demandais d'où venait sa fierté. Peut-être de cette époque où il vivait avec les partisans dans les forêts de Pologne. Il avait un visage terne et des yeux pleins de feu, mais qu'on aurait dit éteints : ils exprimaient une force brutale, une absence d'âme, de pitié, d'amour et de tendresse, sauf lorsque parfois, pendant une fraction de seconde, il baissait la garde et que nos regards se croisaient. Je pouvais alors voir son âme à nu. Il disait seulement : « Vous savez », et il ajoutait : « là-bas. » « Là-bas », c'était la Pologne, le pays d'où nous venions tous les deux. Mais c'était aussi l'endroit où se concentrait tout ce qui accompagne la douleur humaine, l'humiliation, les représailles, les trahisons, les haines, la vengeance, l'amour et le courage; l'endroit où l'on étouffait aussi tout cela, lentement, délibérément, sous la torture. Pour lui, c'était un camp en Pologne; pour moi, c'était « ailleurs »; pour vous, c'est encore autre part. Mais « là-bas », c'est aussi ce lieu caché tout au fond de soi, où personne ne s'aventure de son plein gré.

Il ne parlait pas beaucoup, et quand on l'interrogeait au sujet de son fils, il baissait les yeux vers le numéro inscrit sur son bras et, comme si ses lèvres étaient scellées par un terrible serment, il se taisait.

La mère de Chaim était petite et rondelette. Elle avait les yeux bleus et les cheveux blonds. Elle avait l'air d'une Polonaise, mais avec l'expérience d'une Juive. Elle s'appelait Channa. Trop vaillante, avec des yeux trop calmes, elle voulait « bien faire », « avoir l'air en forme ». Mais il y avait en Channa quelque chose qui s'imposait à elle et l'obligeait à « ne pas avoir l'air en forme ».

« Avoir l'air en forme » et « bien faire » voulaient dire oublier les horreurs et la souffrance qu'elle avait connues et qui l'avaient rendue telle qu'elle était maintenant.

Elle avait beau essayer d'oublier, tout cela ressurgissait, et elle se rappelait. Alors, tout à coup, elle perdait le fil de son discours et commençait à parler de ses besoins, de sa terreur et de ses cauchemars. Son regard abandonnait son expression placide et, devenu fou, sautait d'un objet à l'autre. On sentait à quel point elle aurait voulu s'enfuir, quel immense effort elle devait fournir pour rester là, quel pouvoir surhumain il lui fallait pour ne pas se sauver.

Et, tout aussi soudainement, elle oubliait de nouveau, et parlait des électrochocs qu'elle réclamait et recevait au moins une fois par an, et qui lui faisaient « tant de bien », disait-elle, comme les « pilules », qu'elle appréciait tant.

Chaque fois que j'essayais, au cours de la conversation, d'évoquer le problème de Chaim et que je lui demandais ce qui était arrivé, ce qui avait bien pu l'ensorceler au point de le faire renoncer à la vie, Channa réagissait comme son mari : elle contemplait le numéro inscrit sur son bras et se taisait.

Channa avait passé quatre ans et demi dans un camp d'extermination, dont une bonne partie dans les bâtiments de la mort. Elle ne parlait jamais de ce qu'elle avait fait le reste du temps.

Quand elle fut capturée par les nazis, c'était une jeune et jolie adolescente. Elle se souvenait d'avoir été libérée en mai 1945, mais elle ne pouvait se rappeler quand elle avait été incarcérée. Tous les membres de sa famille avaient péri dans ce camp.

Stefan se battit quelque temps aux côtés des partisans avant d'être pris et envoyé dans un camp, où il passa presque cinq années. Toute sa famille aussi fut exterminée.

Stefan et Channa se rencontrèrent dans un camp de réfugiés, après leur libération, et s'y marièrent.

Je me souviens avoir entendu dire que Stefan était chargé d'examiner les restes des juifs à la sortie des chambres à gaz, afin de récupérer les dents en or — ou les chaussures? Mais peut-être était-ce en fait le travail de Channa.

Stefan et Channa eurent trois enfants. Joseph naquit pendant leur rapatriement. Chaim vint au monde neuf ans plus tard, aux États-Unis; enfin, ce fut la naissance de Bernie.

Quand je vis Joseph pour la première fois, c'était un adolescent coléreux, sensible, hanté par un sentiment de culpabilité. Bernie avait cinq ans; c'était un petit garçon joufflu qui aimait bien se faire dorloter.

Chaim était différent. Il était comme un animal en cage, effrayé et effrayant. Chaim était le bébé de Channa, l'âme de Channa; tout à la fois sa haine et son apitoiement sur elle-même; sa dégradation et sa terreur. Il était sa faiblesse et sa souffrance; son amour (qui se manifestait sous les formes les plus étranges) et sa destruction. Chaim était la vie et la mort de Channa. Il était l'incarnation de tout ce qu'on avait fait à sa mère et de tout ce qu'elle voulait faire à son tour. Il était son héritage. Toute autonomie était impossible pour lui : il était un prolongement de Channa.

Les derniers mots prononcés par Chaim avant qu'il ne cesse de parler furent : « Ils frappent sur les murs. Ils viennent me tuer. »

Quand il se conduisait mal, sa mère lui posait la main sur le brûleur de la cuisinière. Elle lui avait brisé le poignet en le tirant par le bras. Pour lui donner une leçon, elle lui plongeait la main dans l'eau bouillante. Quand elle était contrariée, elle le mordait; quand elle était en colère, elle le frappait avec une ceinture à boucle. Quand il touchait son pénis, elle le menaçait de le lui arracher d'un coup de dents. Quand il se masturbait, elle lui disait qu'elle allait lui couper le sexe. Il dormit dans sa chambre jusqu'à l'âge de neuf ans, et dans son lit jusqu'à huit ans.

Elle se plaignait souvent : « Il touche mes seins, se comporte avec moi comme un homme, mais, après, il se salit comme un bébé. » Quand Chaim avait huit ans, sa mère me disait : « Je ne vis que pour Chaim. » Puis elle ajoutait qu'il était son « malheur », son « chagrin » et sa « souffrance ».

Chaque année, au mois de mai, Channa suivait un traitement d'électrochocs, et parfois même en septembre.

On la retrouvait au beau milieu de la nuit, en chemise, marchant dans les jardins publics. A d'autres moments, elle lacérait ses vêtements en hurlant, saisie d'une angoisse incompréhensible.

La nuit, elle revivait ce qu'elle avait connu au camp d'extermination. Elle criait, repoussait ses agresseurs, proférait des gros mots abominables, murmurait : « S'il vous plaît », jusqu'à ce que, finalement, elle s'écroule, vaincue. Dans son lit, Chaim à ses côtés, elle luttait pour défendre sa vie.

Le jour, elle vaquait à son ménage comme un automate, perdant et reprenant conscience tour à tour, toujours flanquée de Chaim. Elle ne lui permit pas de sortir jouer avec d'autres enfants avant l'âge de trois ans et demi.

Je rencontrai Chaim en 1963. Je me souviens qu'une amie de Channa, rescapée elle aussi du camp d'extermination, avait amené sa petite fille avec elle. Je ne pourrai jamais oublier ce qu'elle m'a dit : elle ligotait sa fille et la mettait dans le coffre de sa voiture, comme un porc que l'on mène à l'abattoir, car, disait-elle, elle était « trop sauvage ».

Chaim était encore plus sauvage. Quand il entra dans la pièce, il me sauta au visage en me griffant, avant même que je puisse comprendre ce qui se passait. Puis il sourit. C'était une grimace, le sourire le plus horrible que j'aie jamais vu : un sourire si vide, si froid, inhumain. Puis Chaim s'éloigna. Il changea totalement d'expression. Il ferma un œil, renversa la tête en arrière et me guetta de son œil ouvert, comme si j'étais un monstre qu'il fallait vaincre par la peur, la ruse et la curiosité — il cherchait une nouvelle manière de « me tuer ». Après m'avoir jaugée, il tendit un bras, le poing bien serré, à l'exception du petit doigt et de l'index qu'il pointa vers moi : c'était la méthode « magique ».

Il bondit comme un éclair et me planta ces deux doigts dans les yeux, en poussant des cris horribles destinés à me faire fuir.

Mais comme je ne m'enfuyais pas et qu'il n'avait pas réussi à me tuer, il courut à l'autre bout de la pièce, puis revint vers moi, et commença à courir en rond. Il tournait, tournait sans arrêt, en hurlant.

Tout à coup, son humeur changea de nouveau et, en un éclair, il se déshabilla et se tint devant moi, nu, la tête rasée, nette et blanche, le corps modelé comme celui d'une femme. Il déféqua et urina par terre, furieux et désarmé.

Tout cela se passa sans un mot, car Chaim ne parlait pas, n'entendait pas et, apparemment, était incapable de comprendre quoi que ce soit.

Chaim avait sept ans. J'acceptai de lui faire suivre un traitement à Blueberry. Je choisis pour travailler avec lui un thérapeute nommé Ron dont je pouvais constamment contrôler l'activité. Ron fut très patient, très compréhensif, très dévoué; il se donna à fond à sa tâche, tirant un encouragement de la moindre satisfaction que lui procurait l'enfant.

Pendant quatre ans, Chaim et Ron travaillèrent ensemble, d'un bout de l'année à l'autre — à l'école, au camp, chez Ron, chez Chaim ou chez nous, bien souvent de jour comme de nuit.

Ron s'occupait de Chaim tout au long des nuits sans sommeil; il s'occupait de lui quand l'enfant refusait de manger, quand il explosait dans des crises de rage violentes, quand il était submergé par sa douleur et son désespoir sans fond. Mais en vain. La blessure était trop profonde.

Au cours de la première année, travailler avec Chaim présenta des difficultés incroyables, car les provocations de l'enfant étaient incessantes. Il ne faisait confiance à personne, et à Ron moins qu'à tout autre. Il gémissait, criait, hurlait sans cesse. On ne pouvait pas le toucher, à moins que ce ne soit lui qui en prit l'initiative et, dans ce cas, c'était pour griffer Ron, l'éborgner ou lui donner des coups de poing. Il avait peur quand on voulait le tenir, il avait peur de s'allonger, d'être pris, ou bloqué dans ses mouvements : il ne semblait en sécurité que lorsqu'il bougeait, comme si l'immobilité signifiait pour lui la destruction complète et immédiate. Il se précipitait tout le temps d'un bout de la pièce à l'autre, comme un animal en captivité qui éprouverait les barreaux de sa cage, incapable de fuir malgré toutes ses tentatives. Il était très sélectif dans le choix de sa nourriture, car il « craignait d'être empoisonné ». Sa mère disait qu'on ne pouvait pas lui faire prendre de bain, car il « avait peur de l'eau qui inondait son nombril ».

Chaim déféquait et urinait dans son pantalon et se vautrait dedans. Il était nu très souvent; il précipitait ses vêtements par la fenêtre, comme s'il s'y jetait lui-même.

Il essayait sans cesse de mettre sa langue dans la bouche de Ron. Il se frottait beaucoup contre les objets et contre Ron, comme s'il essayait de se masturber, mais je pense que c'était plutôt chez lui un moyen de sentir qu'il était vivant.

Chaim ne souriait que lorsqu'un autre enfant se faisait mal.

Chaque fois qu'on l'emmenait dans un magasin, il volait quelque chose — une gomme, des cigarettes, une lotion. Il était obsédé par les cigarettes. Il lui fallait les toucher, les tenir, les faire allumer par Ron.

Il changea sa manière de regarder les gens. Il mettait ses doigts en éventail et regardait au travers pour voir sans être vu.

Les miroirs exerçaient sur lui une véritable fascination. Il contemplait son reflet et se faisait d'horribles grimaces, comme s'il voulait se faire peur ou effrayer cet autre qu'il avait vu dans la glace. Cette année-là, Chaim adressa ses premiers mots au garçon du miroir : « Garçon », puis « Mourir garçon », « Méchant garçon », et enfin « Mourir méchant garçon. »

Souvent, il tournait la tête, comme s'il écoutait attentivement quelqu'un; il ne s'agissait d'aucun de nous, car il nous ignorait, refusant de nous écouter; mais il prêtait l'oreille à d'autres voix qui ne parlaient qu'à lui et n'étaient entendues que de lui.

Chaim ne dormait pas, la nuit. Il restait dans le lit de sa mère, criant pendant des heures, ou bien il courait en tous sens, en gémissant.

Au bout d'un an, Chaim avait progressé. Il s'était attaché à un poupon et essayait de nous faire comprendre ce qu'il voulait. Il berçait doucement sa poupée, puis il lui collait une cigarette dans la bouche. Ensuite, il se prit d'affection pour une cuisinière-jouet, mais il n'arrêtait pas de mettre sa poupée dedans. Pendant un certain temps, la cuisinière devint le centre d'attraction de toutes les activités de l'enfant. Il montait la garde devant. Il mangeait dessus. Il essayait d'entrer dedans.

Le mot qu'il prononça ensuite était lié à la cuisinière. C'était « Naki », qui devint « Nati », puis « Nazi ». Chaim montait-il la garde devant les fours des camps pour être sûr que personne ne l'y jetterait? Ou bien voulait-il s'assurer que personne ne lui brûlerait la main sur le gaz ou dans de l'eau bouillante? Peut-être accomplissait-il là le travail qu'on avait imposé à sa mère au camp d'extermination?

2 mars. Pour la première fois Chaim a bu un peu de lait. Il a appris à se détendre quand il est en voiture. Mais il a également commencé à battre les autres enfants avec une courroie, pour nous montrer comment on le traitait chez lui. Nous avons demandé aux parents de Chaim de renoncer à ce genre de pratique.

6 mars. Chaim a continué à communiquer avec Ron par des égratignures, des morsures, et des coups.

7 avril. Chaim a fait un « E » au cours de son travail scolaire. Après quatre jours passés à écouter les leçons de Ron, Chaim a niché un « E » dans celui de Ron, comme ceci : ⌐E. Cela ressemblait à un début de confiance, ou à une renaissance.

12 avril. Chaim connaît une vingtaine de mots et de phrases, qu'il repète spontanément : tuer, mourir, fusil, méchant garçon, garçon laid, bébé, mourir méchant bébé, mourir bébé, mourir poupée, poupée, mourir garçon, assassins, nazi, non, brûler, miroir, aller, partir, lait, Ron.

Au printemps, nous avons commencé à préparer l'enfant à son départ pour notre camp d'été. C'était la première fois qu'il allait devoir quitter sa mère. Nous n'avons pas compris immédiatement que, pour Chaim, « camp » signifiait « camp de concentration », et le seul fait de mentionner ce terme devant lui le plongeait dans une terreur panique. Il se roulait et se cognait par terre jusqu'à l'évanouissement, préférant mourir avant qu'on ne le tue.

Le camp fut pour lui une expérience difficile, mais bénéfique. Au cours de la première semaine, il refusa de manger et de boire. Il restait éveillé toute la nuit, faisant des bruits et des grimaces effrayantes, comme s'il essayait de surmonter sa propre terreur en terrorisant les autres. Il déféquait constamment, et ne quittait pas Ron une seule minute.

Au cours de ces nuits passées avec Chaim, Ron eut l'impression que l'enfant n'exprimait pas seulement sa frayeur, mais qu'il imitait aussi sa mère, dont les nuits devaient ressembler à celles-ci.

Mais Chaim et Channa partageaient les mêmes terreurs. Quand un enfant et sa mère fusionnent si étroitement que l'on ne sait pas où finit l'un et où l'autre commence, il ne s'agit pas d'imitation. C'est vraiment une identification — et l'horreur de l'un devient l'horreur de l'autre.

Vers la fin de l'été, Chaim entrait dans l'eau; il jouait. Sa peur était moins tenace. Il commençait à dormir. Il permettait à Ron de le prendre dans ses bras, de le porter. Il mangeait mieux, et son vocabulaire comprenait maintenant vingt-cinq mots. « Bon », « bon bébé » et « bon garçon » faisaient partie de ses récentes acquisitions. Il allait mieux; il avait davantage l'air d'un garçon. Son visage prenait une certaine expression. Parfois même il n'avait plus son regard vide. Ses cheveux repoussaient. Nous découvrîmes qu'il avait de magnifiques boucles blondes, qu'il aimait toucher et regarder.

15 septembre. A l'automne, Chaim est retourné chez lui et les progrès qu'il avait faits au camp ont persisté quelque temps. Il dort bien. Il n'attaque pas sa famille. Il crie moins et parle.

17 octobre. Un mois après son retour, Chaim a repris ses anciennes habitudes, mais avec beaucoup plus de violence qu'auparavant. Il ne se contente plus simplement de mordre sa mère, il la frappe. Il cache ses vêtements, jette l'argenterie par la fenêtre, s'agrippe aux gens et arrache leurs vêtements, sort les oreillers de leurs taies et en éparpille toutes les plumes. Il démonte tout ce qui peut être démonté et cache les pièces pour qu'on ne puisse pas réparer les appareils : les lampes, les grille-pain, les serrures, les poignées de porte, les fers à repasser, les radios. Il mord, griffe et hurle dès que quelqu'un entre dans la maison.

A l'école, c'était la même chose. Le mois qui suivit le retour du camp d'été, Chaim fit des progrès. Puis, comme si tous les espoirs de l'enfant s'évanouissaient et que la terreur l'envahissait, son angoisse s'accrut : il semblait chercher désespérément quelque chose. Chaque fois qu'il voyait une voiture, il agrippait la main de Ron et courait derrière le véhicule. C'est alors que nous avons pensé que Chaim était à la recherche de quelque chose qu'il pensait avoir perdu à Blueberry : lui-même, peut-être.

Notre hypothèse s'avéra exacte. Ron conduisit Chaim au camp d'été; l'enfant se rua immédiatement vers son bungalow, inspecta sa chambre et les alentours, s'assit sur son lit et, avec une expression de total soulagement, il monta dans l'auto et revint à New York.

Après avoir récupéré son « moi » perdu, Chaim sembla retrouver la paix. Sa violence s'atténua, il parla davantage et dormit mieux.

Mais cette paix fut de courte durée.

7 janvier. Ron a constaté que : « Les week-ends à la maison sont impossibles. Ses accès de colère ont augmenté, il mord beaucoup, il arrache des morceaux de chair à sa mère et à ses frères avec ses dents ou ses ongles. Il recommence à ne plus dormir et à hurler la nuit. »

Bientôt, la mère de Chaim commença à parler de « se débarrasser » de son fils. Elle ne pouvait plus supporter sa propre souffrance, ni celle de sa famille, ni celle de Chaim. De plus, elle avait peur de lui physiquement, car il était devenu plus grand et plus fort.

20 janvier. Ron s'est installé chez Chaim dans l'espoir d'arriver à maîtriser l'enfant et de lui épargner l'hospitalisation.

A l'école, le petit garçon a recommencé à perdre son contrôle sphinctérien; il a des accès de colère très violents; il s'attaque sans cesse aux autres enfants et à Ron; il crie, jette des choses par la fenêtre et gémit sans arrêt; « je ne peux contrôler sa violence », dit Ron.

25 janvier. « Depuis peu, quand Chaim est en colère, il laisse échapper un cri qui ressemble à un grognement et il essaie de vous griffer, comme un chat », écrit Ron. Et son frère Joseph constate : « Il gronde comme un lion blessé. » Chaque fois qu'il se trouve dans la rue, maintenant, il s'arrête au bout de quelques pas pour appuyer son index contre le sol, ou contre le mur, il fait une grimace effrayante et se met à crier, le corps tendu; on dirait qu'il va s'envoler. Les gens sont terrorisés. Nous avons dû cesser de le faire sortir. Il monte aussi la garde en permanence devant son jouet préféré, la petite cuisinière. Il ne laisse personne la toucher et ne la quitte pour ainsi dire pas.

2 février. Sa peur s'est un peu relâchée. Il fait des progrès dans son contrôle sphinctérien, ne se salissant que lorsqu'il est fâché avec Ron. Il dort mieux. Il a retrouvé sa fascination pour les miroirs et reste planté devant eux encore plus longtemps qu'avant.

Ron continue à vivre chez Chaim.

12 mars. Une fois, Chaim a dit le mot « amour », mais ensuite, toute la journée, il a hurlé : « tuer » et « assassins ».

19 avril. Chaim parle mieux et commence à jouer avec les autres enfants; il les imite, ou bien entre en compétition avec eux. En même temps, sa violence s'intensifie.

29 avril. Chaim commence à « étrangler des tasses » et des objets avec ses mains. Il empoigne la tête de Ron en criant « Casse, casse », et il passe son temps à gronder, l'air féroce. Puis, en proie à une peur panique, il se roule par terre en hurlant, cogne sa tête contre le sol en essayant de s'étrangler lui-même, et il crie : « Tue, tue, tue! ». Rien, absolument rien, ne peut le calmer. Quand enfin il s'apaise, il se déshabille, se tient nu devant nous, droit comme une flèche, au-delà de la peur, au-delà de l'humanité, répétant sans cesse un mot : « Laid, laid, laid ».

La nuit précédente, nous avions trouvé la mère de Chaim dans le parc; elle courait nue à travers les pelouses en criant : « Tue, tue, tue! » Le lendemain matin, elle fut hospitalisée et soumise

125

à des électrochocs. Chaim et sa mère ne faisaient qu'un. Quand elle mourait, il mourait. Il n'avait pas le choix.

Pour lui comme pour sa mère, la nudité représentait un espoir de rester en vie. Peut-être sa mère avait-elle d'une certaine façon échappé à la mort en se dévêtant et en faisant acte de soumission. De même, Chaim, en se mettant nu et en se soumettant au destin, obligeait sa mère à prendre conscience de son corps et à épargner sa vie au lieu de le tuer.

Le printemps suivant, nous commençâmes à préparer Chaim à un nouveau départ pour le camp d'été. Il réagit comme l'année précédente. « Ils vont me tuer! », criait-il. Il arrêta de parler, de dormir, d'être propre, de manger et, une fois de plus, il se comporta en bête féroce.

Au cours de sa première semaine au camp, Chaim essaya par tous les moyens de se supprimer — de mourir avant qu'on ne le tue. Il se mit à se dévorer lui-même, se nourrissant de sa propre chair; il mangeait des morceaux de lèvres, de langue, et l'intérieur de ses joues. Il refusait de manger et de boire. Il s'enfuyait. Ses fugues semblaient répondre aux voix qu'il entendait : on le voyait écouter très attentivement, puis, comme s'il obéissait à un ordre, il se mettait à courir. Sa course avait toujours pour but l'autodestruction. Il se précipitait sous les voitures, vers la mare où il pouvait se noyer, ou vers les bois où il risquait de se perdre.

De nouveau, ses nuits furent terribles; les seuls moments où Chaim pouvait se reposer un peu, c'était quand Ron dormait dans le même lit que lui, ou lorsqu'ils marchaient tous les deux dans la nuit.

En même temps qu'il essayait par tous les moyens de se détruire, l'enfant apprenait à s'habiller tout seul et à prononcer de nouvelles phrases. Il répétait sans arrêt : « Je veux retourner à la maison », « Pas de camp », « Emmenez-moi en voiture », « Ramenez-moi à la maison, les clefs de la voiture », « Faites-moi quitter le camp en voiture, vite » et « Je vous ai trouvé les clefs de la voiture. »

Au bout de deux semaines, Chaim se détendit et commença à croire Ron quand celui-ci lui affirmait qu'il n'était pas dans un camp de concentration; qu'il ne lui arriverait aucun mal;

qu'on ne le tuerait pas; que le fait d'être séparé de sa mère ne signifiait pas qu'il était mort.

Il commença à indiquer à Ron ce qu'il désirait. Il montrait souvent une image représentant un biberon, et des images de bébés. Il s'intéressa beaucoup également à mon petit garçon, Kivie, qui, à l'époque, était âgé de deux ans.

Chaim avait besoin, désirait et était prêt à devenir un bébé. Ron répondit à ce désir et devint une mère pour cet enfant. Il s'occupait de lui, le nourrissait, en prenait soin. L'enfant n'acceptait que du lait, et seulement si c'était Ron qui le lui donnait, et dans un biberon. Il voulait être porté, balancé, levé et bercé par Ron, qui ne pouvait jamais s'éloigner. Il devait rester dans le champ visuel de Chaim; autrement, l'enfant se mettait à gémir.

Le petit garçon était si « affamé », ses exigences à l'égard de Ron étaient si écrasantes que celui-ci, parfois, craignait de se faire dévorer par l'enfant. Chaim vivait, respirait et se nourrissait de Ron. Celui-ci disait : « Quand Chaim se met à devenir un bébé, ses besoins ne connaissent aucune limite. J'ai souvent l'impression d'être si proche de lui qu'il peut me dévorer, et qu'il le fait. »

Ron prit une demi-journée de congé. Chaim jeta son biberon et devint enragé.

La période de maternage dura un mois environ, jusqu'au jour où Chaim abandonna le biberon et, devenu un garçon, réclama de la nourriture. Il jouait avec les autres enfants. Son vocabulaire augmenta. Il appelait ses nouveaux amis par leurs noms; il avait une alimentation variée; il commença à nager, et à dormir normalement la nuit. Il se mit à se prendre d'affection pour Gretchen — un enfant du camp avec lequel il jouait, parlait, auquel il se fiait et demandait protection.

Cela dura un mois; puis arriva la dernière semaine du camp. Les terreurs de Chaim revinrent et l'enfant se replia sur lui-même. Il refusait de manger quoi que ce soit. Il changeait physiquement. Il devenait blême, et l'on aurait dit qu'il se ratatinait. Ses colères étaient terribles. Il commençait à ressembler à sa mère. Il était resté tout près de Ron pendant la période de maternage; maintenant il s'arrachait à lui, psychologiquement et physiquement. Il avait trouvé une ceinture qu'il mettait tout le temps; cela le calmait, comme si, grâce à elle, il était sûr de conserver son intégrité et ne pas laisser derrière lui un morceau de lui-même, comme l'été précédent.

Le 12 septembre 1965, lorsque les parents de Chaim vinrent le chercher, il portait sa ceinture autour des hanches. Il monta calmement dans la voiture, abandonnant tout ce qu'il avait acquis au camp.

14 septembre. A l'école, Chaim se replie complètement sur lui-même. Il reste près de sa cuisinière pour monter la garde. Il passe son temps à essayer d'y enfourner sa poupée.

Quelques jours plus tard, Ron emmena l'enfant vivre chez lui, car la mère de Chaim ne pouvait plus faire face. Elle s'était effondrée de nouveau et devait entrer à l'hôpital. C'est ainsi que Chaim commença à vivre chez Ron.

17 septembre. « Chaim est comme un tonneau de dynamite prêt à exploser. Son agitation est insupportable. Il est incapable de se détendre ou de rester tranquille un instant.

Il est perpétuellement en mouvement. Toujours occupé. Il court et saute, au lieu de marcher, et crie tout le temps. Au début, je pensais qu'il essayait de me rendre fou par un comportement totalement déséquilibré.

Mais ensuite j'ai compris qu'il s'identifiait plus étroitement encore à sa mère, et qu'il allait sombrer dans la folie, comme elle. Il a commencé à faire la vaisselle et le ménage, tout comme elle; il pense qu'en devenant semblable à elle, il la sauvera de la folie et de l'internement », écrit Ron.

En octobre, les parents de Chaim reparlèrent de l'envoyer à l'hôpital. La dernière rechute et l'hospitalisation de sa mère n'avaient fait que l'irriter davantage contre son fils et contre elle-même. Nous commencions nous-mêmes à nous demander ce que nous pouvions faire pour Chaim. La relation à deux que Ron avait eue avec l'enfant — et dont Ron n'avait pu finalement supporter l'intensité — n'avait rien donné. La relation triangulaire que nous avions créée en introduisant dans le groupe un autre enfant, Jimmy, dont la présence devait protéger Ron de la voracité de Chaim, et Chaim de sa trop grande dépendance, n'avait rien donné. Et la présence de Gretchen, dont il aimait tant partager les jeux, n'avait rien donné non plus.

Pendant trois ans, Ron s'était totalement consacré à l'enfant (ce qui l'avait conduit finalement en analyse); il avait veillé sur lui, l'avait nourri, soigné, élevé. En vain.

Il avait vécu nuit et jour auprès de lui, essayant de comprendre et de structurer la vie de l'enfant. En vain. Les médicaments qu'on donnait à Chaim par intermittence — thorazine, Miltown, etc. — avaient été inutiles. Comme les tentatives d'aide psychologique, ils semblaient efficaces un certain temps, puis l'enfant y devenait insensible et retournait à son état antérieur — la schizophrénie.

Nous demandâmes à ses parents de donner à l'enfant et à nous-mêmes une nouvelle chance.

Le Dr Loomis, notre psychiatre, suggéra une narcosynthèse : une injection de différentes substances chimiques qui entraîne une réorganisation des processus chimiques métaboliques du sujet. Cette méthode permettrait peut-être à Chaim de nous dire ce qui s'était passé cette fameuse nuit où, tout à coup, il avait cessé de parler et de vivre, et où son univers avait basculé.

Comme nous étions naïfs!

Les parents de Chaim acceptèrent. Nous nous pliâmes à toutes les formalités et, un mercredi après-midi, le 23 octobre 1965, Ron amena l'enfant au cabinet du Dr Loomis.

Il y avait là : deux médecins, un cardiologue, une infirmière, un travailleur social et moi-même. Les médecins examinèrent le petit garçon. On l'installa confortablement et, doucement, très doucement, on lui fit une piqûre intraveineuse de pentothal et... Seigneur! pour rien au monde je ne voudrais participer de nouveau à ce genre de choses.

On avait l'impression que l'enfant se trouvait face à face avec tout ce qui le terrifiait, et qu'il plongeait au cœur même de sa souffrance. Il devint blême, puis vert, ses yeux s'enfoncèrent dans les orbites comme pour échapper au spectacle horrible qu'ils voyaient. Puis Chaim saisit le miroir qu'on avait placé là et commença à le contempler, le regard fixe. Je lui parlai. En polonais, en yiddish et en allemand. Ce fut inutile. Il regardait ce miroir et ce qu'il y voyait devait être terrifiant. Son visage prit une expression d'horreur profonde. Il chancela, tomba sur le canapé et commença à crier de toutes ses forces : « Assassins, assassins, assassins! Tue, tue, tue! » Puis il sombra dans l'inconscience, à ce qu'il me parut — c'était ce qui pouvait lui arriver de mieux.

On lui fit une autre piqûre. Il se releva, comme un animal blessé à mort, pour livrer son dernier combat. Il chancelait, essayant de garder son équilibre. C'était un spectacle horrible. Il avait sur le visage une expression de total abandon; c'était un enfant perdu, irrémédiablement perdu et vaincu. Puis sa fureur reprit le dessus. Il lutta, chancelant, frappant à l'aveuglette, sans rien viser : il criait et hurlait, sans s'arrêter. Puis il se précipita vers moi, comme vers une amie, et s'agrippa à moi dans l'espoir que je le protège de ce qui le terrorisait. Il me tenait, et cherchait un endroit où fuir. Mais, tel un animal en captivité, incapable de courir, prisonnier des barreaux de sa cage, il me frappa comme si j'étais ces barreaux, comme si en se frayant un passage à travers moi, il pouvait se libérer — de sa peur, de sa souffrance, de son désir —, retrouver l'oubli. Mais Chaim ne pouvait fuir nulle part; pour lui, la liberté n'existait pas. Il s'effondra et s'évanouit.

Nous le portâmes sur le canapé. Il s'éveilla et, dans un demi-sommeil, se mit à parler de meurtriers et d'assassins. Il évoqua une certaine nuit où son frère Joseph l'avait effrayé; puis il prononça mon nom et celui de Ron, et s'évanouit. Sa terreur l'écrasait.

Nous sommes restés près de lui pendant des heures. Ron emmena Chaim chez lui et ils ne se quittèrent pas pendant plusieurs jours. L'enfant parlait sans cesse des assassins et de la manière dont ils allaient le tuer; il répétait qu'il était un vilain bébé, qu'il était laid, qu'on allait le mettre dans un four et le brûler. Il disait que les murs s'écroulaient et qu'« ils » pourraient l'attraper, et il allait mourir, mourir, mourir.

Le plus souvent il s'adressait à Ron, mais parfois il parlait à ses voix. Il leur disait surtout : « Non, pas mourir », et il les appelait « assassins »; il se cachait derrière Ron pour qu'il le protège contre elles. Nous ne savions pas ce qui avait déclenché ce comportement chez lui : était-ce la peur de la narcosynthèse, qu'il avait vécue comme une mise à mort, ou bien avait-il eu un véritable éclair de conscience?

Le Dr Loomis voulut encore recourir à la narcosynthèse. A chaque fois, nous étions pleins d'espoir; à chaque fois, nous fûmes déçus.

Deuxième narcosynthèse : après l'avoir subie, Chaim tomba dans un mutisme total. Il n'eut plus aucune relation ni avec Ron, ni avec moi, ni avec personne d'autre. Il était insaisissable, sans consistance. Il glissait entre nos doigts et disparaissait.

Troisième narcosynthèse : Chaim s'intéressait à sa cuisinière. Il griffait, mordait. Aucune relation avec Ron. Il ne parlait plus.

Quatrième narcosynthèse : Chaim était plus violent. Il ne parlait toujours pas. Il ne dormait pas.

Cinquième narcosynthèse : il se cramponnait à sa poupée. Il la prenait dans sa bouche. Il léchait la bouche de sa poupée, essayait d'y introduire sa langue. Il tenait, protégeait et défendait sa poupée comme si on voulait l'attaquer. Il gardait toujours le silence. Il voulait absolument plier ses vêtements et les jeter par la fenêtre; il montait la garde devant sa cuisinière.

La narcosynthèse avait échoué. On avait infligé à l'enfant une nouvelle torture, une nouvelle agression, un nouveau meurtre.

Nous l'avions vu affronter sa peur et nous avions été incapables de l'en protéger. La terreur de Chaim était plus forte que lui, plus forte que nous.

Nous avions honte — d'avoir été témoins du crime, de nous être montrés impuissants — et nous étions horrifiés. Face à la peur de Chaim, la chimiothérapie était aussi inefficace que la psychothérapie.

Une idée commençait à nous hanter. Peut-être existe-t-il des enfants qui ont assimilé au plus profond d'eux-mêmes le besoin absolu de se détruire; un besoin, un ordre, qu'on dirait dicté par leurs parents, si envahissant, si exigeant, qu'il nous tient toujours en échec, malgré tous nos efforts pour le faire disparaître. Car l'enfant ne connaît rien d'autre.

En tout cas, c'est ce qu'il nous semblait...

Mars 1966. Les parents de Chaim veulent une fois de plus le placer dans un établissement...

Nous étions battus, mais nous ne voulions pas abandonner l'enfant. Et, une fois de plus, nous parvînmes à convaincre ses parents de nous donner encore une chance.

En désespoir de cause, nous imaginâmes un projet auquel on donna le nom de « survie ». Cette idée naquit de notre première expérience de camp à Blueberry. Trois adultes et onze enfants schizophrènes avaient planté leurs tentes sur une île écartée et inhospitalière. Dans ces conditions difficiles, où nous devions souvent tous chercher notre nourriture, où les aînés devaient protéger les plus jeunes, où nous étions exposés à la violence, au danger et à la faim si nous n'unissions pas nos efforts, tous, enfants comme adultes, nous avions progressé. Les enfants s'étaient développés d'une manière stupéfiante. La responsabilité qui leur incombait, le respect dont on faisait preuve à leur égard, la dignité qu'ils découvraient, suscitaient une compréhension et une chance de succès que nous n'avons pu constater nulle part ailleurs.

Nous décidâmes de renouveler la tentative avec Chaim.

Nous disposions du lieu idéal : soixante hectares de bois dans une région montagneuse dévastée par les torrents, assez éloignée de notre camp principal.

Subsistait un problème : le personnel d'encadrement. Il nous fallait deux personnes capables de se relayer auprès de Chaim vingt-quatre heures sur vingt-quatre, sept jours par semaine, pendant soixante-dix jours. Deux personnes assez solides pour supporter l'isolement; assez fortes physiquement pour faire face aux attaques de l'enfant et pour le protéger des dangers extérieurs; assez fortes psychologiquement pour résister à la terreur et à la souffrance de Chaim, à la cruauté de son autodestruction; assez sensibles pour travailler avec un enfant insaisissable, et suffisamment patientes pour pouvoir attendre pendant des jours et des jours, sans être tentées de tout abandonner.

Nous avions trouvé deux hommes. L'un, Sadik, était turc; il avait passé deux thèses de doctorat, l'une de physique, l'autre de technologie. Il était passionné d'histoire et de philosophie.

Il avait chassé et campé en Turquie et dans les îles Caraïbes depuis son adolescence. C'était un homme volontaire, brillant, créatif, sensible, qui ne gaspillait jamais son temps.

L'autre s'appelait Yasser; il était syrien et préparait un diplôme de littérature sur la Renaissance anglaise. Il avait passé la plus grande partie de sa vie dans le désert. Lui aussi, brillant, gentil, mais d'une nature contemplative; il savait attendre.

Tous les trois — le conquérant turc, le poète arabe et l'enfant juif — se retrouvèrent sur le sommet d'une montagne avec pour seule consigne : survivre.

Ils avaient emporté avec eux une tente, une outre à eau, des haches, des outils de première nécessité, des sacs de couchage, des vêtements et de la nourriture. Après avoir essayé trois montagnes différentes, ils découvrirent celle qui leur convenait le mieux : on y trouvait de l'eau, mais peu de moustiques et de ratons laveurs. Ils creusèrent des latrines, installèrent le câble qui leur apporterait la nourriture et les médicaments fournis par le camp, et se préparèrent à passer ainsi un long été chaud.

Yasser et Sadik étaient des Orientaux; ils établirent un programme très différent de celui que nous aurions adopté; il répondait plus à leurs besoins qu'aux lois régissant le travail. Ils s'occupaient de Chaim à tour de rôle. Parfois ils travaillaient vingt heures d'affilée; parfois soixante-deux heures; cela pouvait durer cinq jours et cinq nuits, sans interruption; cela dépendait de leur endurance et des besoins de Chaim.

Mis brusquement en présence de ces deux personnalités différentes, infatigables et très disciplinées, Chaim était complètement désorienté. Ces hommes exigeaient la coopération et étaient prêts à attendre. Ils avaient leur propre conception du temps. Ils savaient ce qu'étaient la souffrance et la terreur, mais ils ne se sentaient pas vaincus par elle ni intimidés; ils ne s'y abandonnaient pas. La loi de la survie était pour eux indiscutable, et celle de la vie et de la mort, élémentaire.

Les tout premiers jours furent très durs. L'enfant observait une grève de la faim. Au lieu de s'alimenter, il se mit à ronger l'intérieur de sa bouche. Il refusait de boire et commençait à se déshydrater dangereusement. Il se souillait. Il attaquait ses moniteurs et hurlait tout le temps, jour et nuit. Les deux hommes répondaient aux coups qu'il leur donnait. Ils le laissaient dans ses vêtements sales et faisaient cuire des steaks épais devant lui qui mourait de faim. Au bout d'une semaine, Chaim ouvrait lui-même les boîtes de conserve. Il apprit à se laver dans le ruisseau. Il apprit à prendre soin de ses vêtements. Il mangeait. Il buvait. Il vivait.

Quinze jours après, Chaim commençait à ramener du bois. Il allumait le feu. Il faisait cuire ses propres steaks. Au bout de trois semaines, il utilisait un couteau et une fourchette pour manger. Il apprit à se servir d'un couteau et d'une hache. Il escaladait les pentes. Il manipulait le câble qui hissait jusqu'au sommet de la montagne la nourriture que fournissait le camp installé en contrebas.

Au milieu de l'été, il apprit à faire de la bicyclette.

Je rencontrai Chaim et Sadik à la ville voisine, distante d'une dizaine de kilomètres environ, où ils étaient venus se promener. Je ne pus en croire mes yeux. Chaim avait l'air propre, cohérent, capable de se contrôler; il avait un sac à dos; une gourde et un couteau étaient accrochés à sa ceinture. Il marchait au même pas que le Turc, répondait aux questions qu'on lui posait; il sourit même à quelque chose que Sadik venait de dire. Sadik était un grand orateur. Un peu plus tard, je vis Chaim, au soleil couchant, assis sous la tente, les jambes croisées : il écoutait l'Arabe lui lire les contes des *Mille et Une Nuits*.

3 juillet 1966 (Sadik). « Le garçon se mange l'intérieur de la bouche. Je lui ai offert de la nourriture. Il s'est enfui. Je ne l'ai pas poursuivi. On ne poursuit pas un animal effrayé, on attend qu'il se rassure et s'approche de vous. »

5 juillet (Yasser). « L'enfant était couché dans ses excréments. Je lui ai montré où se laver. Il a refusé. » Sadik : « L'enfant a pris un steak et du bois, pour me montrer qu'il voulait manger. Je lui ai fait cuire sa viande. Il l'a déchiquetée avec ses dents comme une hyène vorace. C'était la première nourriture qu'il prenait. »

9 juillet (Yasser). « J'ai lavé la bouche et la langue de Chaim avec une solution. C'est encore douloureux là où il s'est mordu. J'espère que cela ne s'est pas infecté. »

15 juillet (Sadik). « Chaim s'est servi d'un ouvre-boîte, car j'avais refusé d'ouvrir sa boîte de conserve. »

19 juillet (Sadik). « Chaim et moi avons fait une excursion de trois kilomètres. Nous avons observé la flore et la faune de la région. Cela lui a plu autant qu'à moi. Nous avions pris des haches avec nous et nous avons abattu quelques arbustes morts. Il est encore resté éveillé toute la nuit. »

21 juillet (Sadik). « Chaim et moi avons construit un radeau avec les jeunes arbres que nous avons abattus. Il continue à courir en rond quand il n'a rien à faire. »

23 juillet (Yasser). « Chaim et moi avons fait un feu. Je lui ai beaucoup parlé, surtout du désert, chez moi. Il semblait très intéressé, mais je ne sais pas si c'était ce que je lui racontais, ou bien le mouvement de mes lèvres, qui lui plaisait. Nous avons mangé le dîner que nous avions préparé. Puis nous avons lavé ses vêtements, et regardé les ratons laveurs qui nous observaient. Chaim était fasciné par les animaux. »

27 juillet (Sadik). « Les ratons laveurs ont volé notre nourriture. Je suis allé à leur poursuite en disant : " Je vais les tuer. " Chaim a eu l'air excité. Il s'est joint à moi et semblait prêt à tuer. »

29 juillet (Yasser). « Chaim manipule très bien le câble. Aujourd'hui, c'est lui qui a fait les signaux pour réclamer de la nourriture. Il aime se coucher près de moi la nuit, à m'écouter parler et lui raconter les contes des *Mille et Une Nuits*. Il fait le feu avec moi et nous nous réchauffons tous les deux. Je souhaite qu'il puisse dormir la nuit. »

30 juillet (Yasser). « Chaim a changé depuis hier. Il est sorti de son silence et de sa solitude; il a communiqué avec moi et s'est assis près de moi presque toute la journée. Il insistait pour que je fume. Il a recommencé à marcher en rond, mais maintenant il fait cela d'une certaine façon et à certains moments : quand il est désespéré et qu'il réclame quelque chose. Une fois il m'a montré l'eau du doigt et j'insistais pour qu'il prononçât le mot " eau ". Alors il a commencé à décrire des cercles en pleurant et en montrant des signes de colère. Il l'a refait encore quand il a voulu aller dormir. Je pense qu'il fait des efforts pour prononcer les mots. J'ai essayé de lui faire dire " fumée ", " eau ",

" viande ", " bois ", et il a essayé de prononcer tous ces mots. Mais quand je lui demandais de dire " papa " ou " maman ", il était furieux et refusait obstinément de le dire. Maintenant, je vais mettre nourriture et boisson hors de sa portée pour l'obliger à les demander. Dans l'après-midi, il a ramassé du bois qu'il a mis dans le trou où nous faisons le feu, il a apporté de l'essence qu'il a versée sur les brindilles, il a allumé le feu et m'a montré du doigt la viande. Puis, en me prenant par la main, il m'a forcé à mettre la viande sur le feu. Quand je lui dis que, pour obtenir sa nourriture, il devait la demander, il a commencé à la voler. Voyant cela, je la lui ai donnée. »

2 août (Sadik). « Chaim s'est lavé dans le ruisseau, et il l'a très bien fait. Il a aussi nagé dans une mare que nous avons découverte. »

3 août (Sadik). « J'aime cet enfant étrange qui ressemble beaucoup plus à un animal qu'à un enfant. J'ai envie de le prendre avec moi. »

4 août (Yasser). « Je suis découragé et très fatigué. Il ne nous reste plus qu'un mois pour lui faire faire des progrès, mais nous n'y arrivons pas. Tout cela est si profondément enraciné en lui. Il comprend tout ce que je dis, mais ensuite il met un masque et n'entend ni ne comprend plus rien. »

12 août (Yasser). « Chaim a crié toute la nuit — cette fois, en rêvant — " assassins, ils vont me tuer! " Quand je le réveillai, il s'est enfui, terrorisé, dans la nuit. »

18 août (Sadik). « Nous avons construit un petit terrain de jeu Chaim et moi. Nous avons nettoyé le sol et installé quelques bancs. C'est un bon trappeur, mais il est paresseux. Nous avons lancé des couteaux par terre. C'est un bon tireur. »

21 août (Sadik). « Aujourd'hui, Chaim a essayé en ville de monter sur un vélo, de lui-même. »

25 août (Sadik). « Chaim a appris à monter à bicyclette. »

27 août (Yasser). « Aujourd'hui, Chaim m'a semblé étrange, différent. Il avait l'air de vivre dans un monde à lui et ne voulait être dérangé par personne. Chaque fois que j'essayais de lui parler ou de jouer avec lui, il se mettait en fureur. Il est resté presque toute la journée assis tout seul, sans bouger, contemplant le sol, jouant avec quelques branches qu'il tenait à la main.

Contrairement à son habitude, il n'a pas insisté pour que je fume. Il a cessé de marcher en rond; sa compréhension semblait plus lente. Il mangeait bien. Je l'ai emmené faire une longue promenade dans les bois, et il n'a montré aucun signe de fatigue, alors que moi j'étais rompu. »

30 août (Sadik). « Chaim, Yasser et moi avons mangé ensemble. Nous le faisons rarement; cela trouble l'enfant, car il ne sait pas comment se comporter ni qui écouter. Il s'est levé et a commencé à marcher en rond. »

2 septembre (Sadik). « Chaim s'est complètement replié sur lui-même toute la journée. Il ne voulait ni me voir ni m'entendre. »

6 septembre (Yasser). « Nous avons rencontré les parents de Chaim. C'était une curieuse expérience. Ils l'ont emmené chez eux. Il ne montrait ni peur, ni colère, ni plaisir. Que va-t-il se passer maintenant? »

Sadik décida de continuer à travailler avec Chaim en ville. En dépit de tous ses doctorats, il trouvait l'enfant plus intéressant que n'importe quelle étude universitaire. Sadik, comme nous tous, ne pouvait accepter l'échec. Il avait trop de compassion et d'amour pour cet enfant peu attirant; il avait trop envie de le sauver. Il venait scrupuleusement à l'hôpital de jour, cinq jours par semaine, parfois sept, pour travailler avec le petit garçon. Il établissait même le programme de ses week-ends en fonction des besoins de l'enfant. Malgré tous ses efforts, il ne put l'empêcher de régresser. Bien que par moments l'enfant fût encore capable de sourire affectueusement à Sadik, sa terreur et sa souffrance prirent à nouveau le dessus et firent disparaître le lien qui l'unissait à cet homme. Lentement l'enfant commença à perdre tout ce qu'il avait acquis. Il se remit à gronder comme un animal. On entendait ses cris et ses hurlements à travers tout l'immeuble. Il s'attaquait sauvagement à tout son entourage. Il recommençait à marcher en rond, sans but, jusqu'à en avoir le vertige. Le sommeil fuyait ses nuits qui se passaient à lutter contre la peur.

Il brûlait de plus en plus de poupées dans sa cuisinière. Sa fascination pour la fumée et les cigarettes le reprit, et son insistance pour que tout le monde fume était insupportable. Il cessa de parler, ne conservant que quelques phrases : « Assassins », « Tuer le bébé », « Méchant bébé » et « Ils frappent contre les murs », qu'il répétait sans arrêt sur un rythme rappelant le chant « Shma Israel » que chantaient les juifs avant d'être exécutés. Après avoir prononcé ces mots, Chaim donnait l'impression que la moitié supérieure de son corps avait perdu son centre de gravité. Il se repliait sur lui-même comme un orang-outang captif, vaincu. Grognant, hurlant, sautant, bondissant, les bras pendants, raidi par la peur, il courait en décrivant des cercles inutiles, prêt à tuer et à tout écraser, la terreur si profondément gravée sur son visage qu'elle y était inscrite à jamais. Au bout d'un moment, il tombait par terre en état de stupeur.

Bientôt, il refusa de manger et de boire, et commença à se dévorer.

Et, finalement, il attaqua, attaqua sans cesse tous ceux qui l'entouraient.

C'était un solide garçon de onze ans, dont la force était celle d'un animal qui se sent pris au piège. Chaim devint une menace, aussi bien chez lui qu'à l'école, et l'on s'en débarrassa; désormais, il allait pourrir, végéter, mourir...

Il est dit : « Laissez les morts ensevelir leurs morts. »

Mais si les morts sont encore en vie, qui va les ensevelir? N'est-ce pas aux vivants de le faire?

La nature veut que l'enfant se nourrisse de sa mère. Mais lorsque c'est l'inverse qui se produit, la mère va à l'encontre de la loi naturelle et détruit son enfant. Au cours de la vie intra-utérine, le fœtus vit de sa mère, il en est une partie intégrante. A la naissance — quand l'enfant quitte le ventre maternel —, la mère commence à lui donner son autonomie.

La mère de Chaim était incapable de cela. Sa douleur, sa peur et sa solitude étaient si profondes qu'elle ne pouvait accepter l'indépendance de son enfant : il devait rester une partie intégrante d'elle-même. Elle avait fini par engloutir son fils.

Jour après jour, elle l'avait « dévoré », l'incorporant à elle jusqu'à le faire disparaître. Ce cannibalisme émotionnel de la mère envers son enfant ne peut ni ne veut laisser grandir celui-ci.

Il ne peut pas non plus satisfaire le besoin de la mère, car il ne suffit pas à combler sa « faim ».

Dans ce type de relation, l'enfant n'est plus qu'un prolongement de la mère. Elle ne voit jamais les besoins de l'enfant ni ses droits. Sans même se rendre compte vraiment de ce qu'elle fait, elle use et abuse de lui.

Il devient à la fois son bonheur et son malheur; sa malédiction et sa perte. Il doit respirer le même air qu'elle, manger la même nourriture, boire la même chose. Elle est incapable de lui donner son identité. Si elle est persécutée, il l'est aussi. Si elle est tuée, lui aussi. Et parfois, dans sa fureur, elle finit par le prendre pour le bourreau ou l'assassin et elle le tue.

Si elle meurt, il doit mourir avec elle, psychologiquement, mais aussi, très souvent, physiquement.

L'enfant est pris au piège dans cette horrible toile d'araignée dont il n'arrive pas à se libérer et il finit par se faire dévorer. Il ne peut vivre qu'une seule vie : celle de sa mère. Et ne peut avoir qu'une seule mort : celle de sa mère.

Sara

Une petite fille entra dans la pièce, regarda peureusement autour d'elle, releva sa manche et me dit d'un air décidé, les yeux pleins de larmes :

— D'accord, Docteur. Faites-moi une piqûre. Je pleurerai un petit peu. Après, je rentrerai chez moi. Et tout sera fini.

C'était Sara.

— Je ne suis pas médecin. Je ne fais pas de piqûre. Veux-tu un bonbon? lui demandai-je.

— Non merci. Ce n'est vraiment pas la peine de me jouer la comédie. Je veux simplement m'en aller. Alors, finissez-en, dit-elle la voix tremblante, les yeux pleins de larmes.

C'était une petite fille décidée dont on ne pouvait pas endormir les craintes aussi facilement. Elle pensa que je prolongeais le supplice à plaisir :

« Vous êtes mauvaise, me dit-elle.

Elle se mit à pleurer à chaudes larmes. J'essayai de la rassurer. Elle finit par me croire ou, tout au moins, elle en eut l'air. Elle commença à inspecter la pièce d'un regard résolu, soupçonneux. Elle ne me faisait pas vraiment confiance; elle n'était pas convaincue. Elle attendait.

Elle aperçut les jouets. Et, pour la première fois, elle quitta le coin où elle semblait s'être incrustée depuis son arrivée.

Encore raide de peur, elle se mit à toucher les jouets d'un air hésitant.

C'était une jolie petite fille, trop petite pour ses six ans, avec une grâce un peu sauvage et un air de fragilité.

Son petit visage sensible et son corps de poupée avaient quelque chose d'irréel qui lui donnait parfois l'apparence d'une nymphe des bois ou bien, au contraire, celle d'une vieille femme.

Quand on m'amena Sara, tout le monde la considérait comme une débile mentale. Sur ce point, tous étaient unanimes; les médecins, les hôpitaux, les cliniques étaient arrivés à la même conclusion : « débilité mentale ». La seule personne qui se posait parfois des questions, c'était sa mère.

« Je sais qu'elle est idiote, me dit-elle, je sais qu'elle est débile; mais à certains moments, on ne sait pas pourquoi, elle a l'air si éveillée, si avisée, si précoce. Mais cela ne dure qu'un instant; à peine croit-on l'avoir remarqué que c'est déjà fini. Et tout redevient comme avant — Sara retombe dans son idiotie —, et personne ne me croit, quand j'en parle. »

Elle ajouta : « Sara s'est développée normalement, elle était même plutôt précoce. Mais quand elle eut deux ans et demi, elle changea. Elle devint impossible. C'est à ce moment-là que son frère naquit. »

Impossible : c'est le mot qu'utilisait la mère de Sara pour décrire sa petite fille. Et Sara était vraiment impossible.

Depuis l'âge de deux ans et demi, elle ne dormait plus la nuit, elle ne mangeait pas convenablement, elle n'allait pas à la selle, sauf quand elle ne pouvait plus se retenir. Elle se soulageait alors n'importe où, là où elle se trouvait. Elle avait toujours le regard dans le vague. Elle ne s'approchait jamais des fenêtres, ne se regardait pas dans la glace et ne quittait pas sa mère d'une semelle. « Elle voulait tout le temps avoir des paquets, me raconta sa mère, des paquets bien ficelés, bien fermés. » Et chaque fois qu'on ne cédait pas à ses exigences, ce qui arrivait souvent, étant donné qu'il était très difficile matériellement de les satisfaire, Sara hurlait et entrait dans des crises de rage terribles.

Plus tard, elle inventa autre chose. Elle tendait la main devant elle, la regardait et lui adressait de grands discours.

Quand je demandai au père de Sara s'il avait quelque chose à ajouter à cette description, il acquiesça :

— Elle est comme une sangsue — non, comme une tique — non, un démon plutôt. Elle s'enfonce en vous et ne vous lâche plus. Elle ne vous laisse pas vivre. Elle vous suce jusqu'à la moelle et vous rend fou par son obstination.

Il y avait en cette enfant un drame caché, que je voulais découvrir. Sara et moi commençâmes à travailler ensemble immédiatement. Je ne croyais pas qu'elle fût une débile mentale. Mais je sentais que sa peur et son angoisse la paralysaient tant qu'elle était incapable de bouger, ce qui la faisait passer pour une débile mentale.

Il s'agissait d'une peur et d'une angoisse bien particulières; mais je n'en connaissais pas encore la nature. Toutefois, j'avais remarqué chez elle une détermination, une tendance à poursuivre un but unique qui m'avaient fait comprendre que Sara s'était organisée pour atteindre un seul objectif : circonvenir la douleur profonde et insoutenable qui la consumait. Elle aurait fait n'importe quoi pour échapper à cette souffrance — pour ne plus jamais s'y trouver exposée à nouveau — et pour éviter tout ce qui pouvait la lui rappeler.

Mais tout, autour d'elle, contribuait à raviver sa douleur et il lui devenait de plus en plus difficile d'ignorer ces témoins. Afin d'essayer de les éviter, le monde de Sara se rétrécissait de plus en plus, et l'enfant s'y recroquevillait toujours davantage. Son désir de fuir et de se protéger contre la peur grandissait sans cesse. L'enfant n'avait pas le choix : il lui fallait passer pour une débile mentale.

Quand je commençai à travailler avec elle, j'eus l'impression de marcher dans un champ de mines. Chaque buisson cachait un explosif, et le terrain était très broussailleux.

Sara et moi mettions à tout instant le pied sur une de ces mines; les explosions se succédaient à un rythme ininterrompu, sous forme de pleurs, de gémissements et de colères incessantes.

Si nous passions près de la fenêtre, Sara éclatait. S'il y avait un miroir dans la pièce, elle éclatait. Si nous parlions de Maman ou de Papa, elle éclatait. Si je lui proposais de manger, elle éclatait. Si elle apercevait les toilettes, si je parlais de dormir, si j'évoquais son frère, si on la regardait, si par hasard elle abandonnait son regard vague et fixait quelqu'un, elle éclatait. Tout était prétexte à ces accès de rage : il suffisait de parler de ses intestins, de ne pas lui donner de paquet ou bien de lui donner un paquet trop bien ficelé. Mais s'il n'était pas bien enveloppé, elle éclatait aussi... Et si on lui demandait pourquoi elle éclatait, elle éclatait. Et ce ne sont là que quelques exemples.

Une fois que Sara avait commencé à piquer ses colères et à pleurer, elle ne savait plus comment s'arrêter. Ses gémissements exprimaient une angoisse et une solitude immenses.

Au début, il me fut impossible de l'aider, car elle me bloquait autant qu'elle se bloquait elle-même. Comme elle avait peur du contact physique, je ne pouvais pas la toucher, et tout ce que je disais pour tenter de la réconforter ne faisait que déclencher une autre explosion. Les mots que je prononçais étaient toujours maladroits, car ils heurtaient un autre point sensible que j'ignorais encore.

La solitude et la peur dont souffrait Sara étaient telles qu'elles dressaient une barrière entre l'enfant et ceux qui auraient voulu la rassurer : personne ne pouvait l'aider. Sara se débrouilla donc toute seule. Elle se fabriqua une amie, sur laquelle elle pouvait exercer un contrôle absolu — sa main.

C'était son amie, et aussi une ennemie, une confidente, et une traîtresse; mais elle était toujours sous le contrôle absolu de Sara et, par conséquent, elle était sûre.

L'enfant avait avec elle de longues conversations; mais on n'en saisissait guère que quelques bribes. « Ça va? », demandait Sara à sa main, et celle-ci lui donnait toujours l'approbation ou la désapprobation qu'elle cherchait.

La main pouvait même arrêter les pleurs de la petite fille. « Ça va, Sara, tu as suffisamment pleuré », semblait-elle lui dire.

L'enfant était si perturbée, si disloquée, qu'elle croyait vraiment que sa main possédait une autonomie propre. Mais en même temps, elle ne pouvait se sentir complète qu'en la voyant unie à elle. Comme elle lui avait abandonné une partie de son autonomie, elle avait besoin d'elle pour retrouver cette autonomie.

Sara tendait sa main devant elle, la regardait fixement, les yeux braqués sur elle, puis elle se mettait à lui parler pendant des heures, avec un air d'intense concentration.

La main était plus sûre, plus prévisible, plus rassurante que n'importe qui d'autre, y compris moi. Elle ne pouvait ni lui faire peur ni lui faire mal, sauf si Sara elle-même lui en donnait l'ordre.

La solitude et la peur de la petite fille l'obligeaient à contrôler son univers en contrôlant une autre partie de son corps — ses yeux.

Elle avait peur de voir. De voir ce qu'elle voyait, et de revoir ce qui l'avait tant effrayée, au point de la plonger dans son état présent. Elle laissait donc ses yeux diverger. (Le spectacle était grotesque.) L'une des prunelles se réfugiait dans le coin externe de l'œil, jusqu'à en devenir presque invisible — non seulement elle cherchait à éviter le spectacle du monde, mais elle voulait aussi se cacher de lui. L'autre prunelle errait dans la direction opposée, mais elle ne se cachait pas autant. Après tout, Sara avait besoin de voir. Elle devait continuellement faire le point de la situation, regarder ce qu'il lui fallait éliminer afin qu'il ne lui soit fait aucun mal. Ses yeux me faisaient penser à un bateau qui disparaît derrière l'horizon, au-delà de notre regard. Nous ne pouvons plus le voir, mais nous savons qu'il est là, et qu'il nous voit.

Sara donnait à ses yeux l'autonomie qu'elle avait accordée à sa main. Ainsi, elle les contrôlait. Cependant, elle était elle aussi sous leur contrôle, et elle dut une fois subir une opération destinée à les corriger — inutilement, je dois dire. L'intervention chirurgicale ne changea rien.

Contrôler, toujours contrôler. C'est ce besoin qu'elle avait de contrôler et d'organiser toutes les situations qu'elle vivait qui me permit de l'aider à faire des progrès en un temps relativement court.

Je vis Sara pendant un an, une fois par semaine, parfois deux. En été, je travaillais avec elle au camp de Blueberry; pendant dix semaines, je fus continuellement avec elle, vingt-quatre heures sur vingt-quatre.

J'ai toujours eu l'impression, au cours de cette relation, que Sara était mon professeur. Je n'ai jamais compris comment elle avait pu progresser en aussi peu de temps. C'était toujours elle qui prenait l'initiative de son traitement. Je me contentais de l'aimer, de l'apprécier et de la respecter. Et je lui faisais part de tout ce que je comprenais. Cette jolie petite fille, si résolue, posait ses conditions; je les respectais. Elle faisait le reste.

La deuxième et la troisième semaine où elle vint me voir, elle essaya encore de me convaincre de lui faire une piqûre. Au cours de la quatrième semaine, son insistance faiblit; mais elle piqua un accès de colère qui dura près de trois heures. Quand elle se fut calmée, elle me demanda « un cadeau » — « un paquet », me dit-elle. « Il faut le mettre dans une boîte, l'envelopper dans du papier et le ficeler. »

Je m'exécutai. Elle prit son « cadeau » sous le bras, me regarda de ses yeux qui ne voyaient pas et s'en alla, sans plus de cérémonie.

Je savais que j'avais franchi une étape avec elle.

Au propre comme au figuré, Sara voulait que tout soit mis dans une boîte, enveloppé dans du papier et ficelé. Un paquet bien fait. Un cadeau. Jusqu'à présent, aucun « paquet », aucun « cadeau » ne l'avait satisfaite. Le mien, oui.

L'un des plus grands soucis de la mère de Sara, c'était justement ces paquets.

Elle nous dit que la petite fille exigeait sans cesse que l'on enveloppât tout dans du papier : la cuiller avec laquelle elle allait manger, la chaussette qu'elle allait mettre, le trognon de pomme qu'elle allait jeter. Elle répétait inlassablement : « Fais-en un paquet. » Elle réclamait aussi tout le temps : « Tu m'as apporté un paquet? » Sara appelait cela des « cadeaux ». Mais aucun « cadeau » n'était assez beau. Aucun paquet ne lui plaisait. Et elle entrait dans des colères terribles — une colère permanente, disait sa mère.

La cinquième fois où Sara vint me voir, elle venait chercher sa réponse et était bien décidée à l'obtenir :

— D'accord. Vous n'êtes pas médecin. Vous êtes Mira. Alors je vais redevenir petite et vous serez ma maman. Vous devez faire ce que je dis. Mettez-moi sur le lit.

J'obéis.

« Et maintenant couvrez-moi. Avec une couverture.

Je le fis.

146

« Et maintenant je suis un tout petit bébé, dit-elle d'un ton enfantin.

« Donnez-moi un biberon.

La situation perdit rapidement son aspect artificiel; je n'avais plus le sentiment de faire partie d'une mise en scène minable. Tout cela devenait d'une étrange réalité; l'enfant jouait la comédie, mais en même temps elle *était* ce qu'elle jouait. Et je suivais toutes ses consignes à la lettre, car je sentais qu'elle m'invitait à pénétrer dans son univers le plus secret et le plus terrible. Je lui préparai un biberon de lait et le lui donnai en lui touchant les lèvres avec la tétine, comme on fait avec un tout petit bébé. Sara commença à téter vigoureusement, mordant et tirant sur la tétine. Quand elle eut terminé le biberon, elle dit :

« Maintenant, faites-moi roter. Sur l'épaule.

Je la pris dans les bras et lui tapotai le dos pour la faire roter, comme s'il s'agissait d'un nourrisson. A ma grande stupéfaction, elle rota.

« Et maintenant, bébé doit aller faire son dodo, continua-t-elle.

Je la recouchai dans le lit, la couvris et la bordai soigneusement; puis je commençai à chanter une berceuse yiddish que Sara aimait bien, d'après ce que sa mère m'avait dit.

Elle bâilla, se frotta les yeux et s'endormit immédiatement. Elle qui n'avait jamais eu suffisamment confiance en quelqu'un pour oser dormir.

Elle plongea dans un sommeil profond qui dura environ une quinzaine de minutes. Puis elle s'éveilla, se frotta les yeux et dit, abandonnant sa manière de parler enfantine :

« Bon. Maintenant Sara va aller à la cuisine. J'ai grandi. Mais portez-moi, parce que je ne suis pas encore assez grande. Installez-moi sur une chaise et faites-moi manger. Donnez-moi ce qu'on donne aux bébés plus grands.

J'obéis.

Sara mangea et, à sa demande, je mangeai avec elle.

« Bon, dit-elle, quand elle eut fini.

« Maintenant, je suis Sara à six ans.

Elle bondit de sa chaise, prit un crayon et dessina.

Puis elle se précipita vers la salle d'attente où sa mère, comme toujours, l'attendait patiemment, et elle lui annonça :

« Maintenant, tu n'as plus besoin de m'attendre. Tu n'as qu'à m'amener ici, après tu repartiras, et tu reviendras quand ce sera l'heure de venir me chercher.

Sa mère était tellement abasourdie qu'elle était incapable de faire un mouvement.

« Pars, lui dit Sara. Pars maintenant.

Sara, qui réclamait perpétuellement la présence vigilante de sa mère, de jour comme de nuit, lui disait maintenant : « Pars. »

Sara, qui voulait tout le temps voir, sentir et toucher sa mère.

Sara, qui était dévorée par le besoin constant d'être reliée à sa mère, par les mots comme par les actes.

Cependant, l'enfant ne rendait sa liberté à sa mère que lorsqu'elle était avec moi. Le reste du temps, elle éprouvait toujours ce terrible besoin d'être totalement liée à elle.

Sara exigeait que sa mère restât toujours dans son champ visuel. Elle ne la laissait jamais la quitter, physiquement ou verbalement, car elle avait toujours peur de la voir disparaître. « Et qu'est-ce qui arriverait alors à Maman? Et à Sara? » demandait l'enfant. Qui peut le savoir?

Depuis quatre ans, vingt-quatre heures sur vingt-quatre, d'un bout de l'année à l'autre, elle dévorait sa mère et la saignait à blanc, comme une sangsue.

Elle lui posait sans cesse des questions, dont les réponses ne la satisfaisaient jamais, car ce n'était pas celles qu'elle aurait voulu entendre. Pourtant, elle répétait inlassablement les mêmes questions. Pour entendre les réponses, pour se rassurer en constatant qu'elles ne variaient pas, pour garder le contact. Elle obtenait ainsi une certaine forme de sécurité, de stabilité, même si les réponses étaient fausses. Mais ce n'était pas du tout celles qu'elle voulait.

Elle était toujours en quête de la seule et unique réponse que personne n'avait encore été capable de lui donner. Celle que sa mère ne pouvait lui apporter uniquement avec des mots. Cette réponse, c'était essentiellement l'assurance que l'enfant était aimée de sa mère. Que son amour était assez fort, assez sage, pour aider Sara à devenir elle-même, à s'épanouir et à conquérir son indépendance.

Sara avait trouvé une partie de la réponse avec moi. A sa

demande, nous avons continué à jouer la scène du nouveau-né, du bébé et de l'enfant à chacune de ses visites. Cela dura trois mois.

Nous reprenions à chaque fois les mêmes mots et les mêmes gestes (« Il faut que ce soit comme cela, insistait Sara, autrement cela n'irait pas »). Et avant qu'elle ne me quitte, je lui donnais toujours « quelque chose d'enveloppé ». La plupart du temps, elle acceptait le « cadeau » sans difficulté. Mais parfois le rituel était interrompu par un accès de rage ou par des questions sans fin. Je ne savais comment calmer sa colère : aussi, j'attendais qu'elle prenne fin. Lorsqu'elle me harcelait toujours des mêmes questions, je lui répondais ceci :

— Cela suffit. Je t'ai déjà répondu une fois. Je n'ai pas à répéter toujours la même chose. Parce que tu sais ce que j'ai dit.

Et c'était suffisant.

Au bout de trois mois, Sara se comportait mieux chez elle. Elle faisait moins de jérémiades et se montrait moins exigeante.

C'est alors qu'elle commença à s'attaquer à son problème de propreté.

Jusqu'à la naissance de son frère, son apprentissage de la propreté s'était déroulé normalement. Mais quelques mois après la naissance du bébé, elle devint incapable de se dissocier de ses excréments. Lorsqu'elle déféquait, elle entrait dans de violentes colères et des crises de larmes interminables. Elle se retenait pendant des jours, souvent pendant des semaines. A tel point que, parfois, on aurait vraiment cru qu'elle était enceinte, tant son ventre était gros. Puis, lorsque ses muscles se relâchaient, elle se soulageait subitement, là où elle se trouvait. Elle se mettait alors à pousser des gémissements, des cris et des plaintes — qui traduisaient sa peur, sa douleur et sa colère.

On eût dit que cette perte s'accompagnait non seulement d'une souffrance émotionnelle, mais aussi d'une douleur physique presque insoutenable.

Je commençai alors à soupçonner que Sara n'avait pas seulement peur de perdre une partie de son corps en abandonnant ses excréments; pour elle, la fonction intestinale symbolisait aussi la grossesse et la naissance, l'époque où sa mère attendait son petit frère, la naissance dont Sara avait pu être le témoin et qui lui avait volé son enfance et l'amour de sa mère. C'est pourquoi elle essayait de détruire tout cela. Elle était enceinte, mais ne donnait jamais naissance; il n'y avait pas de frère, puisqu'elle le portait en elle. Et, en ne le mettant pas au monde, elle ne lui abandonnerait jamais la place qu'elle tenait dans le cœur de sa mère. Il y avait également une autre interprétation possible. Peut-être était-elle enceinte d'elle-même, dans l'espoir de renaître et de regagner l'amour que son frère lui avait volé. Toutefois, la naissance était pour Sara une chose si terrible qu'elle se confondait dans son esprit avec la mort. Il ne faut pas oublier ce que le spectacle d'une naissance peut avoir d'horrible pour un petit enfant.

Les toilettes étaient donc pour Sara et moi un sujet défendu, qu'il s'agisse du mot ou de l'endroit. Et le mot « digestion » ou tout autre terme qui y faisait référence étaient également tabous.

Puis, un jour, Sara me prit par la main et m'emmena aux toilettes. Elle me fit asseoir sur le siège et dit :

— Quand vous faites, il ne vous arrive rien?

— Non, mais je me sens mieux.

— Vous tirez la chasse d'eau?

— Oui.

— Et quand vous tirez la chasse d'eau, vous êtes encore là?

— Oui.

— Tout entière? Vous ne laissez rien partir de vous-même?

— Non.

— Vous laissez partir le bébé? demanda-t-elle, partagée entre l'espoir et la peur.

— Il n'y a pas de bébé. Ce sont seulement des déchets, la nourriture dont le corps n'a plus besoin.

Sara me fit quitter le siège et s'assit sur les toilettes. Elle essaya, de toutes ses forces; mais elle avait encore trop peur. Ensuite, chaque fois qu'elle vint me voir, elle essaya. Parfois avec un certain succès, mais le plus souvent elle échouait.

A chaque fois, cependant, elle me demandait de m'asseoir sur le siège pour voir s'il ne m'arrivait rien.

Puis, un jour, sa mère me téléphona pour me dire que Sara avait pris une couche et l'avait étendue sur le sol des toilettes.

Elle avait déféqué dessus. Elle recommença ensuite de plus en plus souvent la même opération.

Sa mère avait parfaitement compris la situation :
— Je sais qu'elle revit sa période d'apprentissage de la propreté, qui n'avait pas été une réussite. Peut-être sort-elle aussi de sa compétition avec son frère. Et elle a revécu tout cela. Ses problèmes ont commencé à la naissance de son frère. Peut-être a-t-elle pensé qu'elle me perdait lorsque j'ai attendu mon fils?

Avec moi, Sara n'a jamais eu besoin de couche. Elle allait aux toilettes, avec plus ou moins de succès, jusqu'au moment où, enfin, les réussites se multiplièrent.

Sara allait mieux; ses relations avec ses parents s'amélioraient. Elle fit des progrès même à l'école. Bien que sa maîtresse fût encore persuadée que l'enfant était une débile mentale, elle commença à s'intéresser à l'étonnante progression de Sara et à l'aider. Elle était abasourdie de voir que maintenant, à l'école, l'enfant osait s'aventurer vers les fenêtres. Qu'elle osait même regarder à travers les vitres. Évidemment, elle ignorait que, pour arriver à cela, il avait fallu à Sara trois mois de conversations avec moi, trois mois de délibérations avec sa main, trois mois pour avoir le courage de regarder par la fenêtre sans crier.

L'été vint, et j'emmenai Sara en camp de vacances avec moi. C'était la première fois qu'elle quittait sa famille. Ses parents étaient heureux de son départ — d'avoir enfin une nuit complète de sommeil, un repas sans paquet... c'était leur premier moment de répit, leurs premières vacances depuis des années. Et le fait de savoir que j'allais devoir assumer la charge de l'enfant — ses crises de colère, ses jérémiades, ses ordres, ses insomnies — ajoutait encore à leur plaisir : en effet, ils envisageaient de « placer » Sara dans un quelconque établissement et, comme je leur avais conseillé de n'en rien faire, ils étaient persuadés que je ne me rendais pas vraiment compte de la vie que leur imposait leur enfant. Ils avaient parfaitement raison.

Au camp, Sara se comporta tout à fait comme une petite fille — une petite fille terriblement effrayée.

Les tout premiers jours, elle refusa de manger. C'était trop dangereux. Au moment des repas, elle se cachait sous la table du réfectoire et restait assise là, malgré tous nos efforts de persuasion. Les deux premiers jours, elle se laissa vraiment mourir de faim. Comme ce n'était pas sa mère qui avait fait la cuisine, la nourriture était peut-être empoisonnée. Privée des repas maternels, Sara n'avait pas le droit de manger, d'exister, de vivre.

Le troisième jour, elle se glissa encore sous la table, mais tout près de ma chaise. Je pris de la nourriture dans ma main et la tendis sous la table à l'enfant; je sentais que si Sara acceptait de calmer sa faim (et de courir le risque d'être empoisonnée), ce ne serait jamais ouvertement. Elle n'accepterait jamais de reconnaître qu'elle avait mangé.

C'est pourquoi je lui passais la nourriture sous la table et Sara, comme un petit chien affamé, la prenait dans ma main et l'avalait. Je fis la même chose avec le lait. Mais si je me penchais pour la regarder, elle me tournait le dos immédiatement et refusait de boire ou de manger.

Ce manège dura quelques jours; puis Sara s'enhardit. De temps en temps, une petite main sortait de sous la table et s'avançait vers mon assiette, et ma nourriture se volatilisait comme par magie. Au bout d'une semaine, Sara sortit de sa cachette et, d'elle-même, vint s'asseoir à table, aussi naturellement que si elle avait toujours agi ainsi. A partir de ce moment-là, Sara mangea.

Dès son arrivée au camp, Sara prit l'oreiller qui était sur son lit et commença à le porter. Elle l'emmenait partout avec elle. Elle le quittait rarement des yeux, ne s'en séparait pratiquement jamais; si elle le laissait quelque part un instant, elle courait vite le récupérer.

Elle le serrait dans ses bras, comme on porte un bébé. Parfois, elle l'embrassait, l'étreignait très fort, et son visage exprimait alors un curieux mélange de haine, de plaisir et d'énergie. Elle poussait en même temps un cri aigu, étrange et terrifiant.

Sara ne s'endormait jamais sans serrer l'oreiller dans ses bras. Elle ne partait jamais en promenade sans lui. Pour manger, pour aller aux toilettes, il le lui fallait. Il était à la fois son frère, elle-même, son amour.

L'oreiller était dans une taie, qui devint très sale. Je voulus la changer. Sara refusa d'en entendre parler. Le combat fut difficile, car Sara était décidée à défendre l'oreiller et sa taie crasseuse contre toute agression extérieure. Pourtant, au bout d'un moment, elle finit par céder :

— Mais c'est moi qui la changerai, dit-elle d'un air déterminé.

Elle retourna l'oreiller. Il en tomba de la nourriture.

De toute évidence, c'était des réserves qu'elle avait stockées depuis son arrivée au camp : un pot de beurre de cacahuètes, une bouteille de sauce tomate, du pain, des morceaux de sucre, de vieux gâteaux, quelques bonbons, une poire, une demi-pomme, une salière, et quelques autres vieux restes. C'était une véritable épicerie. Comme je regardais l'enfant, étonnée, elle planta à son tour son regard dans le mien et me dit :

« Vous ne saviez pas?

— C'est comme les paquets, n'est-ce pas?

— Oui.

Grâce à l'oreiller, Sara était à nouveau « enceinte » — elle portait en elle le bébé, l'amour, la promesse de l'éternité et de la procréation : de bonnes choses à manger, les fruits de l'abondance. Elle le portait dans son oreiller, dans ses paquets, dans son ventre.

L'oreiller figurait-il son frère, qui lui avait volé sa sécurité et l'amour de sa mère, de sorte que, pour survivre, elle devait redevenir un tout petit enfant? L'emmenait-elle partout avec elle, s'identifiant à lui, songeant à sa petite enfance disparue et à la mère protectrice et généreuse qu'elle avait perdue?

Pauvre petite Sara, toujours insatisfaite, toujours incomplète. Son vide intérieur était aussi profond que sa solitude.

Sara devait survivre. S'il n'y avait pas de nourriture, il n'y avait pas d'amour, et Sara se débrouillait pour avoir toujours avec elle quelque chose à manger. Ainsi, elle n'était jamais seule.

Elle changea la taie d'oreiller et remit dedans toutes ses richesses.

Sara était parfaitement capable de fixer son regard sur quelqu'un ou quelque chose, mais c'était si rare et si bref qu'à peine l'avait-on remarqué que ses yeux divergeaient à nouveau, et l'on croyait avoir été victime d'une illusion.

Si l'on se plaçait devant elle, à sa hauteur, on s'apercevait qu'elle regardait sa main quand elle lui parlait. On découvrait ainsi que Sara était parfaitement capable de contrôler son regard, et qu'elle avait des yeux magnifiques. Mais, pour cela, il fallait se baisser, se mettre à son niveau. Souvent, nous avons du mal à comprendre les autres simplement parce que nous ne faisons pas l'effort de nous mettre à leur niveau.

Oui, Sara avait de beaux yeux, avec des grands cils épais et noirs, qui faisaient penser à des algues marines. Je le lui dis. Je lui dis aussi autre chose. Que lorsqu'elle me parlait, elle devait me regarder. Et me regarder vraiment, de ses deux yeux. Autrement, je penserais qu'elle m'évitait, que je l'effrayais. Et qu'elle trouvait en moi quelque chose d'horrible et de terrifiant. Je savais qu'elle ne regardait jamais les choses, ajoutai-je, parce qu'elles lui faisaient peur.

Sara essaya. De toutes ses forces. Au début, elle y arrivait plus facilement quand elle était en colère. Quand elle voulait vraiment me convaincre de quelque chose, elle me regardait droit dans les yeux, car elle savait qu'autrement je ne l'écouterais pas. « Mira n'est pas sûre que je m'adresse vraiment à elle, si je ne la regarde pas », expliqua-t-elle brièvement, et d'un ton amer, à sa main.

Peu à peu, elle prit l'habitude de regarder en face les personnes avec lesquelles elle parlait.

Je me suis souvent demandé quel était le spectacle horrible que cette petite fille essayait de ne pas voir. Quelle bonté ou quelle méchanceté essayait-elle de ne pas révéler à travers le « miroir de son âme »? De quoi avait-elle peur? De la scène primitive? De la naissance de son frère? J'essayais d'imaginer à quoi pouvait bien ressembler le monde vu par les yeux de Sara.

Des paquets, toujours des paquets. Sara mangeait, mais elle gardait la plus grande partie de sa nourriture « pour plus tard ». Il fallait tout envelopper dans des paquets. Si nous ne le faisions pas, Sara le faisait elle-même. Nous étions sans électricité parce que Sara avait enveloppé le fusible et l'avait mis de côté « pour plus tard ». Pas de chaussure : Sara l'avait empaquetée. Pas de couteau, pas de mercurochrome, pas de savon, pas d'imperméable... Essayez donc de faire un paquet avec des myrtilles ou un verre de lait, et de le ficeler.

Si Sara n'arrivait pas à obtenir ou à faire son paquet, elle piquait une colère formidable. Bien sûr, c'était pour arriver à ses fins. Mais il y avait aussi autre chose dans cette fureur : une nécessité urgente, comme s'il s'agissait d'une question de vie ou de mort.

Elle voulait s'approprier tout ce qu'elle voyait. C'était une collectionneuse insatiable. Mais sa collection n'avait pas de prix. Plus elle possédait d'objets, plus elle se sentait rassurée. Elle voulait prendre, prendre, jamais donner.

Une fois, je vis Sara enfiler six robes, l'une par-dessus l'autre (la plupart ne lui appartenaient pas). Alors seulement, elle se trouvait jolie.

La nourriture qu'elle mettait de côté venait la plupart du temps, non pas de son assiette, mais de celles des autres enfants. Quand Sara cueillait des baies, elle les voulait toutes. Elle ne partait pas avant d'avoir cueilli tous les fruits, jusqu'au dernier.

Elle souffrait d'une impression de manque, d'inachèvement, tant qu'elle ne s'était pas emparée de tout ce qui appartenait aux autres. Rien n'arrivait à la satisfaire. Elle n'avait jamais assez d'amour, assez de paquets, de nourriture ou de baies. Il lui aurait fallu tout posséder. Alors, elle se serait sentie protégée, elle n'aurait plus eu peur, elle aurait pu rassasier son désir effréné, sa faim d'amour. Oui. — Et encore...

Oui, il lui fallait tout de Maman. Tout de Mira. Tout de tout le monde. Comme cela, elle n'aurait plus peur de personne ni de rien. Et ses craintes, ses frayeurs, sa souffrance de se sentir si seule et si incomplète, s'en iraient. Si elle avait tout, elle ne disparaîtrait jamais. Alors, elle serait elle. Elle existerait. Elle ne mourrait pas.

Et la méchanceté sortirait d'elle. Le mal s'évanouirait. Elle deviendrait bonne. Et elle pourrait facilement abandonner ses excréments.

Mais maintenant, comme elle devait être méchante, pour vouloir tant de choses, pour avoir besoin de tant de choses. Comme elle avait dû être odieuse pour qu'on la punisse aussi sévèrement. Elle n'avait pas encore reçu assez pour pouvoir survivre.

Ce fut au camp que je pris vraiment conscience de ses insomnies. Toutes les nuits, Sara restait étendue sur son lit, les yeux grands ouverts, complètement éveillée. Toutes les nuits, je m'asseyais près de son lit, la regardant, montant la garde, lui chantant des chansons, essayant de l'endormir. Quand elle arrivait à s'assoupir quelques minutes, elle se réveillait en sursaut, saisie d'une frayeur indescriptible, comme si elle venait d'avoir un cauchemar. Elle semblait toujours vivre en plein cauchemar. Quand je lui demandais ce qui l'avait ainsi terrorisée, elle me répondait toujours : « Je ne sais pas. » Puis, une nuit, je sombrai dans le sommeil, épuisée; je sentis soudain qu'on me tirait par la manche. Sara était pâle comme la mort, comme si elle avait vu un fantôme, et, par bribes, elle commença à me raconter l'histoire.

Comme d'habitude, elle me donna ses indications de scène :
— Asseyez-vous là, sur une chaise, dans le coin près de la lampe, pour que je puisse vous voir et savoir que c'est vous.

Je m'exécutai.

Elle commença :

« Et puis, il y avait deux personnes, et plein de bras, et plein de jambes. Elles se tortillaient dans tous les sens. Et puis Papa a pris un couteau, et il a frappé Maman avec, sans s'arrêter. Il la frappait dans le ventre, continua-t-elle en haletant.

« Alors Maman a commencé à crier, et ils remuaient comme Petey (un enfant épileptique) quand vous devez lui mettre une cuiller dans la bouche, et après elle est morte. Et peut-être qu'il était mort aussi. Non, il était simplement fatigué de la tuer.

Lentement, je m'approchai de l'enfant, malgré ses consignes. Elle ne s'en aperçut même pas, tant elle était occupée à revivre cette scène. Elle était trempée de sueur; son visage ruisselait. Je la pris dans mes bras. Elle se laissa aller comme une poupée de chiffon sans vie.

Puis tout à coup, elle me saisit à la gorge et commença à crier :

« Mira, j'ai peur! Tenez-moi, tenez-moi. Ne les laissez pas me tuer!

Puis elle plongea ses yeux dans les miens et regarda longtemps, attentivement, comme si elle cherchait quelque chose. Je sentis qu'elle se détendait :

« Je sais que vous ne les laisserez pas faire, dit-elle.

Elle s'enfouit la tête dans ma poitrine et plongea dans un sommeil paisible.

Elle avait vu ce qui, à ses yeux, était un meurtre : la scène primitive.

Toutes les nuits, nous refîmes les mêmes gestes, nous prononçâmes les mêmes mots. Sara ajoutait parfois : « Mais si Maman est morte, comment se fait-il qu'elle vive? » « Est-elle vivante? » « Est-ce bien ma Maman? » « Est-elle un fantôme? » « Va-t-elle venir me tuer, ou bien Papa va-t-il me tuer? »

Au bout de quelque temps, Sara se débarrassa enfin de ce souvenir qui l'avait hantée jusque-là. Et je me sentis aussi soulagée que l'enfant. Nous pourrions dormir désormais — toutes les deux.

Mais non. Il y eut une autre scène. Tout commença avec une tranche de foie qu'on nous avait servie au dîner. Cette nuit-là, Sara n'arrivait pas à dormir car elle pensait à ce foie. Cela la rendait malade, disait-elle; elle avait mal au ventre. Elle me demanda de la tenir : elle pensait que cela lui ferait du bien. J'obéis. Elle était toute moite, devenant tour à tour brûlante ou glacée. Puis elle commença à laisser échapper des mots qui n'avaient apparemment aucune signification. Elle semblait plongée dans une hallucination :

« Un gros ventre, foie, sang, tuer le bébé, tuer la Maman. Le bébé sort. Le bébé est couvert de sang parce que la Maman l'a tué. La Maman a du sang parce que le bébé l'a tuée. Et le foie sort de la Maman morte.

Était-ce du délire? Peut-être le foie était-il avarié et avait empoisonné l'enfant, pensai-je. Mais, tout à coup, je compris. Sara décrivait quelque chose qu'elle avait vu. Une naissance?

La petite fille frissonnait, ses dents claquaient comme si la température était tombée au-dessous de zéro, alors qu'il faisait une chaude nuit d'été. Je la tins bien serrée contre moi et la couvris de couvertures tandis qu'elle continuait à répéter dans son délire :

« Et alors Maman a tué le bébé, et maintenant elle va me tuer. Petite Sara, Sara la solitaire. Il n'était pas étonnant qu'elle vive dans un monde si petit, qu'elle ait peur de tout. Car tout signifiait la mort pour elle.

Après cette soirée, Sara dormit un peu mieux. Mais elle avait encore peur de toute sensation nouvelle. L'eau, une promenade en bateau ou en voiture, un nouveau venu, ravivaient chez elle la crainte de sa destruction finale et, pour se défendre, elle se mettait en colère.

Le camp était installé sur une île. Un bateau apportait tous les jours le courrier et les paquets adressés aux enfants. Mais Sara n'avait pas de paquet tous les jours. Et, à chaque fois, elle piquait une colère. Si elle recevait un paquet, il n'était jamais de son goût; elle n'y touchait pas, ne mangeait pas ce qu'il y avait dedans. Plus tard, elle l'ouvrait en secret, le refermait, et l'enfouissait dans son oreiller ou dans sa malle.

Puis, un jour, Sara reçut un paquet, et elle ne le mit pas de côté. Elle l'ouvrit devant tout le monde et distribua les petits gâteaux qu'il contenait. Elle partageait. Et je sus alors que Sara se sentait un petit peu plus satisfaite et que ses besoins étaient moins exigeants.

Au fur et à mesure que le temps passait, Sara voyait s'atténuer son impression de manque. Elle regardait son interlocuteur droit dans les yeux, la majeure partie du temps. Ses colères diminuaient. Elle allait plus facilement aux toilettes et osait même tirer la chasse d'eau sans dire : « Sara s'en va. » On l'entendit même déclarer à un enfant qui avait le même problème qu'elle : « Vraiment, ce n'est rien. Il n'y a qu'à pousser, et c'est tout. Après, on se sent bien, libre et propre. »

Elle se mit à aimer le contact de l'eau; elle passait une grande partie de son temps dans le lac; elle m'aidait à laver le linge, baignait les autres enfants, ou jouait. Elle stockait moins qu'auparavant. Elle commença à jouer avec les autres et à partager avec eux ses réserves. Elle m'aida même à cuire un gâteau pour « tout le monde ». Elle se montrait un peu moins impatiente quand elle voulait quelque chose. Son « besoin maintenant,

maintenant, maintenant », comme l'avait décrit l'un des enfants, avec beaucoup d'à-propos, diminuait. Son intelligence et sa vivacité étaient de plus en plus manifestes. Elle se mit à organiser de « petites fêtes », pour elle ou pour ses camarades. Elle prit conscience des problèmes de ses petits compagnons et s'y montra sensible. Très souvent, je l'entendis expliquer à un enfant qui ne parlait pas : « N'aie pas peur de parler. Tu ne risques rien. Personne ne te fera de mal. Et tu ne feras de mal à personne si tu parles. Aussi, il ne faut pas que tu aies peur. »

Une autre fois, elle dit à Lee, un garçon qui avait comme elle des problèmes de propreté : « Tout ce que tu as à faire, Lee, c'est de t'asseoir et de pousser. Ça viendra tout seul, tu verras, et il ne t'arrivera rien. Tu n'as qu'à pousser et ça vient. Ce n'est pas toi qui sors, mais seulement la saleté. »

Et aussi : « N'aie pas peur, Kate. Ce n'est que de l'eau. On va y aller, et tu t'amuseras, comme moi. »

Mais nous, nous lui disions tous : « N'aie pas peur, Sara. Ce n'est qu'une main. » Il est plus facile de rassurer autrui que de conjurer sa propre peur.

Chaque fois que quelqu'un levait la main, pour montrer ou attraper quelque chose, Sara s'affaissait en se protégeant la tête contre des coups imaginaires. Quand je lui demandais :

— Sara, pourquoi es-tu effrayée? Quelles sont les mains qui t'ont fait si peur? Quelqu'un t'a frappée?

Elle répondait toujours :

— C'est la main simplement.

Encore la main, et son autonomie. J'eus alors l'impression que ce n'était pas un hasard si Sara avait choisi sa main pour compagne. Peut-être essayait-elle ainsi de conjurer le danger, de rendre sa main inoffensive en s'en faisant une amie.

Nous abordâmes en dernier le problème de la main. D'une part, en raison du manque de coopération et d'intérêt dont Sara faisait preuve, mais aussi parce que nous étions fascinés par la manière dont elle considérait cette partie d'elle-même : comme une entité indépendante, comme une amie.

Sara prenait toujours conseil auprès d'elle avant d'entreprendre quoi que ce soit. Elle tendait la main devant elle, avec le geste que l'on a pour repousser un assaillant. Elle la regardait très attentivement, comme pour lui permettre de parler la première, puis, avec beaucoup de sérieux, elle débattait du problème : « Devons-nous aller en bateau avec Mira? » lui demandait-elle. Puis elle répondait à sa place : « Oui. » « Mais elle le conduit si mal », ajoutait-elle. Elle écoutait attentivement la réponse. Elle se tournait ensuite vers moi et disait : « Elle a dit que vous conduisiez bien, mais que vous ne saviez pas vous garer. »

Alors je demandai :

— Bon, Sara, tu viens?

— D'accord, nous avons décidé de courir le risque, mais garez-vous doucement.

Chaque fois que j'essayais d'expliquer à l'enfant que sa main n'était qu'une main, elle regardait droit devant elle comme si elle ne me voyait pas; en réalité, elle refusait de m'entendre. Les autres enfants considéraient que la main de Sara faisait partie du camp. Quand ils parlaient de la petite fille, ils disaient « elles », pour désigner l'enfant et sa main; tout comme Sara disait « nous ». Ce n'était pas un « nous » de rhétorique, comme le crut un jour un visiteur, mais *nous* — Sara et la main.

Les enfants et le personnel disaient souvent à la petite fille : « Demande à la main. » Ou bien : « Qu'en pense la main? », « Mais je parie que la main n'a pas peur », « Penses-tu que la main aimerait cela? »

L'enfant avait une telle influence sur nous qu'elle nous avait tous happés dans son univers.

J'écoutais les autres parler de cette main et je pensais : « Mon Dieu, ils sont tous devenus fous! Cette enfant est possédée. La possession est dans cette main, et ils la renforcent tous. »

Et, une seconde après, je m'entendais dire le plus sérieusement du monde : « Bon, interroge ta main et partons. »

Puis un jour, à peu près une semaine avant de rentrer chez elle, Sara vint me trouver. Elle laissait échapper des petits rires nerveux. Elle tendait la main droit devant elle, comme elle le faisait quand elle était prête à converser avec elle. Elle me dit :

— Vous savez, Lee, Kate, Matthew et Johny parlent tous de ma main comme si c'était une vraie personne. Ils sont idiots, n'est-ce pas? Dites-leur que c'est seulement ma main, et qu'elle fait partie de moi.

Et voilà.

Comment était-elle arrivée à prendre cette décision, quand et comment avait-elle renoncé à considérer sa main comme une amie, je ne l'ai jamais su. Car chaque fois que j'abordais ce sujet avec elle, elle me regardait comme si j'étais folle et me disait : « Voyons, Mira. Une main n'est qu'une main. Comment pourrait-elle être une amie? Ce n'est pas un être humain. »

Vers la fin de l'été, elle devint tout à fait délicieuse, et la favorite de tous, enfants comme adultes. C'était une petite fille adorable, toute bronzée par le soleil. Ses beaux yeux noirs qui avaient maintenant presque toujours un regard bien droit, exprimaient la chaleur. Ses traits délicats et la perfection de son corps faisaient d'elle une enfant ravissante.

Elle s'appelait Sara. Mais nous avions avec nous un homme à tout faire, un Russe, qui avait saisi toute la poésie émanant de la petite fille et qui, au lieu de l'appeler Sara, lui donna le nom de Blueberry [1].

La « Colline aux myrtilles », disait Sara. « Allons sur la Colline aux myrtilles. Nous aurons toutes les baies que nous voulons. Allons faire une promenade là-bas. C'est si joli. » Elle parlait tout le temps de cette petite colline où poussaient les myrtilles et où nous allions chercher notre dessert.

Elle adorait cet endroit et les fruits qu'elle y cueillait. Là-bas, elle riait, elle chantait, elle se sentait libre.

C'est ainsi qu'elle baptisa le coin la « Colline aux myrtilles » Et nous, suivant l'exemple de l'homme à tout faire, nous l'avons appelée Blueberry. Au bout de quelque temps, nous avions tous oublié son vrai nom. Nous hurlions à tue-tête : « Hé, Blueberry? Où es-tu? »

Et comme si c'était là son vrai nom, elle courait nous rejoindre en criant : « Ici. » Et c'est ainsi que notre camp fut baptisé, à cause de Sara : Blueberry.

---

1. *Blueberry* = myrtille.

Danny

Je n'avais jamais aimé aucun autre enfant comme j'ai aimé Danny.
Danny était mon bébé.
Danny était le premier-né.

Je vis un jour une toile d'araignée dont le dessin extraordinairement compliqué m'émerveilla. J'étais alors une enfant, et la complexité de la toile, sa beauté et sa dentelle dépassaient tout ce que j'avais pu imaginer.

J'étais bien incapable d'en démêler le dessin. Mais je la considérais alors — comme maintenant — comme une merveille que l'on devait regarder, admirer et essayer de comprendre. Sa délicatesse et sa logique m'inspiraient un respect mêlé de crainte pour l'art cruel et déterminé de l'araignée.

La première fois où je vis Danny, il avait un aspect curieux; il tenait à la fois de l'enfant et du vieillard, tout ratatiné, les épaules basses, le dos voûté. Son front était plein de rides; il laissait pendre nonchalamment ses mains le long du corps. Il bougeait tout le temps, comme s'il avait peur de l'immobilité, peur de ce qui arriverait s'il cessait de remuer. Peut-être craignait-il de se désintégrer?

Il avait le regard vide. On ne pouvait ni le toucher ni l'atteindre. Il était comme une petite planète qui aurait perdu sa route et qui continuerait à tourner sur son orbite, sans avoir aucune relation avec les étoiles, le soleil, la lune ou la terre, ni même avec son créateur.

L'enfant errait à l'aventure. Personne ne pouvait communiquer avec lui : il parlait à peine, et il avait peur du contact physique.

Les seuls mots qui sortaient de sa bouche étaient ceux-ci :
« Pauvre petit Danny » « étoiles et ciel », et « Dieu n'aime pas
les pauvres petites choses. »

Il prononçait ces mots de manière décousue, comme s'il se
parlait à lui-même, en geignant. C'était le pleurnichement d'un
enfant, si perdu et si fatigué qu'il semblait avoir renoncé à chercher une voie de salut.

Le professeur chargé de travailler avec lui s'en alla. Danny
continuait à tourner et à se tortiller, sans jamais s'arrêter. Puis,
un jour, on me demanda de m'occuper de lui. C'était mon premier enfant autistique — je redoutais cette expérience. Elle m'effrayait, cette créature tourbillonnante, fugace, qui était un petit
garçon. Sa solitude et son abandon me semblaient trop grands.
(Il me faisait horreur, aussi, car, d'une certaine manière, il me
rappelait mon propre problème, que je n'étais pas prête à affronter.)

Pendant deux jours, nous restâmes simplement ensemble dans
la même pièce. J'avais le désir effréné de voir, de connaître, de
comprendre qui il était, de découvrir à quoi il ressemblait quand
il ne bougeait pas. Je l'arrêtai en usant de ma force physique et,
le tenant bien serré, je le dévisageai longtemps, longtemps. Ce
fut la première et la dernière fois que je me laissai aller à faire
une chose aussi stupide. Je sortis de là bourrée de coups de poing,
de coups de pied et de coups d'ongle. J'étais en sang et couverte
de bleus.

Il avait de beaux cheveux, un gentil petit visage et des yeux
bleus. Mais au fond de ces yeux si brillants, si bleus, je ne découvrais pas la chaleur que l'on aurait pu croire y trouver; je ne
voyais qu'un curieux mélange d'excitation, de dépression, de
haine et de terreur, et comme une lueur de souffrance.

Et le rire qu'il lâchait soudain n'était pas, comme on aurait
pu croire, une explosion de gaieté, mais un mélange de plaisir
et de peur, ou peut-être le plaisir de la peur.

Puis, en un instant, tout s'évanouissait, remplacé par la fixité
d'un regard vide et le silence.

Au cours des trois mois suivants, je m'assis à un bout de la
pièce, Danny à l'autre bout, et, comme le chasseur et sa proie,
nous avons commencé à nous observer réciproquement. Comme

nous ne savions pas très bien lequel de nous deux était le chasseur, nous nous surveillions attentivement; aucun mouvement d'un des adversaires n'échappait à l'autre. La seule chose qui nous reliait l'un à l'autre, c'était une bascule. Si j'essayais de m'approcher de lui, il me repoussait. Je respectais son besoin d'être seul et de fixer les règles de notre rencontre.

Danny parlait à peine et les mots qu'il prononçait n'avaient aucun sens. Il ne semblait ni vous entendre ni vous comprendre; souvent, il avait l'air de ne pas même remarquer votre présence. Sauf si vous bougiez. Il se tenait généralement hors de votre portée. Cependant, j'avais souvent l'impression qu'il venait à la limite de la zone de contact pour regarder, peser et mesurer.

Il était toujours en train de courir, toujours occupé à quelque chose : c'était une vis qu'il essayait de visser, sans succès; un marteau qu'il utilisait comme arme pour démolir une boîte, une chaise, une table ou un mur; son pied, avec lequel il essayait de « détruire » le mur, la table, la chaise, ou une chose imaginaire. Il se blessait continuellement. Et, pourtant, il était impossible de l'arrêter ou de le réconforter quand il se faisait mal. Il se punissait en permanence, se frappant sans pitié pour toutes les fautes réelles ou imaginaires qu'il avait commises. S'il s'arrêtait, c'était pour se replier sur lui-même. Au lieu de fuir sa peur, il se jetait dedans pour « s'y perdre », comme il l'expliqua lui-même plus tard. Se perdre dans sa terreur. Pour redevenir inaccessible. Alors, il s'installait dans son fauteuil à bascule et restait assis là à se balancer pendant des heures en regardant par la fenêtre. Mais si on l'examinait attentivement, on comprenait qu'il ne voyait pas ce qu'il avait sous les yeux : il contemplait les fantômes que son esprit d'enfant apeuré évoquait. En écoutant bien, on pouvait l'entendre murmurer : « étoiles », « pas d'étoiles », « petit », « petit Danny », « être perdu ».

Quand il sortait de la maison, il allait jusqu'à la véranda. Il s'asseyait sur les marches, la tête dans les mains, les coudes sur les genoux. Pâle comme la mort, l'air terrifié, il murmurait : « pas d'étoiles », « pluie », « petit », « les petites choses ne vont pas vers Dieu ».

Si, distrait, vous essayiez de mettre un bras autour de lui, il vous frappait.

165

Si vous essayiez de le tenir ou de le prendre sur vos genoux, il hurlait de terreur et se débattait.

Et pourtant, en même temps, vous aviez l'impression que, très souvent, Danny était tout proche de vous. Prudent, anxieux, il regardait, attendait et vous défiait de vous approcher, de traverser son mur imaginaire.

Quand Danny arriva à notre école, il sortait d'un établissement pour débiles mentaux où il avait vécu deux ans, sans rien faire d'autre que de rester assis et de se balancer dans un fauteuil à bascule. On l'avait affublé de l'étiquette « débile mental ». Nous la lui avons ôtée. Et, libéré, il arrivait un peu à se détendre.

Physiquement, il était très bien développé pour ses six ans. Il avait la coordination et la maîtrise corporelles d'un jeune tigre, l'aisance et la grâce innocente d'un cerf. Danny était rapide comme le vent — et aussi insaisissable que du vif-argent. Il ne restait jamais en place. Dès qu'on croyait l'avoir attrapé, il vous avait déjà échappé. Son agilité et son sens de l'équilibre semblaient destinés à vous éviter et à le détruire. Danny était capable de marcher sur une clôture en fil de fer. Il faisait de l'équilibre sur le toit. Il restait, par provocation, au bord d'une falaise. Au bord d'une bascule. Toujours sur le bord, toujours sur le point de tomber — mais il ne tombait jamais. Juste au moment où il allait faire la culbute, il vous regardait soudain, comme pour vous défier de le rejoindre, pour vous inciter à l'encourager à aller jusqu'au bout; il serait alors obligé de s'exécuter. En même temps, il cherchait votre regard, l'air de demander : « Est-ce que vous vous souciez vraiment de moi? Si c'est le cas, respecterez-vous le " presque ", sans me pousser jusqu'au bout? »

C'étaient à peu près les seules secondes de contact direct entre lui et moi. Presque les seules confrontations au cours de ces trois terribles premiers mois.

Je me rappelle Danny debout sur le toit de l'école. Un pied dans le vide, prêt à sauter d'un immeuble de quatre étages. Il me défiait d'aller à son secours, ou de me mettre en colère, ou bien, ou bien... je souffrais mille morts, mais je ne bougeais pas.

— Ne fais pas cela, Danny, répétais-je inlassablement.

166

Il scrutait mon visage, guettant mes réactions. Je pense qu'il trouva celle qui lui convenait, et il ne sauta pas.

Je me rappelle le jour où il prit un clou et l'enfonça dans son pied. Il se balançait sur un pied sur le rebord de la fenêtre, comme un acrobate de cirque. Il me regardait et me défiait d'approcher.

J'apportai de l'eau savonneuse, une boîte de pansements et du mercurochrome; je mis tout cela près de l'enfant, sans le toucher — je pensais que c'était cela qu'il voulait. Je ne m'étais pas trompée. Il retira le clou de son pied au lieu de l'enfoncer davantage, désinfecta sa plaie et se fit lui-même un pansement.

Il voulait à tout prix sauvegarder son isolement. Il allait jusque-là pour me tester, pour s'assurer que je ne franchirais pas la frontière qu'il avait établie pour se protéger.

Il semblait toujours entre la vie et la mort; il flirtait sans cesse avec la mort et résistait difficilement à son charme. On aurait dit que pour lui la vie et la mort ne formaient pas un cycle, mais qu'en mourant il se mettrait enfin à vivre. Ou bien croyait-il qu'en mourant il serait alors suffisamment puni. Et, cependant, il n'osait pas franchir l'étape finale, peut-être par peur, ou bien parce qu'il se rendait vaguement compte que cela ne lui donnerait pas accès à une vie meilleure.

Ainsi, pendant trois mois éprouvants, je l'observai. Je ne réussis pas à mieux le comprendre, mais je devins plus intime avec lui; je découvris sa manière d'être, et j'appris à l'aimer.

Au cours de cette période, j'acquis une conviction : il fallait laisser tranquille cet enfant. Il fallait lui laisser le temps de me tester, puis de venir vers moi. Cet enfant disloqué, brisé, qui n'avait le sentiment de sa réalité qu'à travers son attirance pour la mort et le défi qu'il lui jetait, cet enfant avait droit au respect. Non seulement pour ce qu'il était et pouvait être dans son état normal, mais également pour sa propre manière d'être, sa façon étrange, insensée, de se comporter. Maintenant je savais que ce petit garçon autodestructeur c'était Danny — le seul Danny qu'il connaissait jusqu'à présent, le seul qui existait pour lui, dans lequel il croyait, et le seul qu'il voulait vous faire connaître et aimer.

C'était sa manière d'être. On devait la respecter — aussi terrible, aussi effrayante qu'elle pût paraître. Même si elle le blessait, lui ou quelqu'un d'autre. Il y avait droit.

Aussi, j'attendais, j'espérais et je croyais qu'un jour, bientôt, il aurait suffisamment confiance en moi pour oser accéder à la connaissance de lui-même, et me montrer le Danny dont je commençais à sentir l'existence derrière ses terribles défenses.

Il fallait respecter la force active de Danny, aussi négative et autodestructrice qu'elle fût. Il ne pourrait en être autrement, puisque aux yeux de l'enfant, cette force était la seule qu'il possédait. Il cachait si bien son moi qu'il avait lui-même cessé d'y croire. Au début, je ne pouvais pas m'attaquer à ses défenses, puisqu'il n'avait que cela. Si j'avais essayé de les détruire, Danny aurait eu l'impression d'être dépouillé de tout. Et puis, cette autodestruction de laquelle il semblait jouer avec tant d'aisance lui servait essentiellement à se prouver qu'il était encore vivant (c'était pour lui la preuve de son existence, la preuve qu'il était). Je devais croire en elle, la respecter. Alors seulement, pensai-je, il y renoncerait et oserait se regarder ou se démasquer. Alors seulement, il oserait voir s'il existait vraiment pour lui une autre manière d'être.

Prudemment, Danny commença à me faire confiance. Il partait jouer — donner des coups de marteau ou démolir —, et soudain il revenait en courant. Il s'arrêtait devant moi, sans un mot, et attendait que je le regarde; alors, il me regardait à son tour, droit dans les yeux, comme s'il cherchait quelque chose. Et quand il avait trouvé ce qu'il voulait, il retournait jouer, sans un mot. Tant qu'il n'avait pas trouvé, il restait là et attendait. Je ne sais pas ce qu'il guettait ainsi sur mon visage; mais, généralement, il repartait satisfait.

C'est ainsi que, jour après jour, nous apprîmes à mieux nous connaître. Il découvrait qu'il pouvait courir le risque d'aimer et d'être aimé. Qu'il pouvait même le reconnaître, de temps en temps. Qu'il pouvait essayer d'avoir confiance. Et je me rendais mieux compte à quel point je l'aimais; je découvrais ses fantasmes et l'horreur des événements qui avaient marqué sa vie.

Et nous continuions ainsi, moi à un bout de la pièce, lui à l'autre bout, reliés seulement par une bascule.

Si je m'approchais, il se mettait à courir. Si je le touchais, il se mettait à donner des coups de pied, à griffer et crier. Depuis le commencement, il me testait, me défiait et m'observait. Quand il donnait des coups de pied dans le mur; quand il brisait le mobilier. Quand il tournoyait, pirouettait et se balançait si haut qu'on craignait de le voir se retourner. Quand il s'asseyait sur le fauteuil à bascule et se mettait à se balancer en contemplant le plafond ou le ciel, marmonnant entre ses dents : « le ciel », « être perdu », « les étoiles », « petites choses » et « Dieu ». Quand il devenait de plus en plus blême, et son regard de plus en plus vide. Quand il riait et me provoquait de mille manières. Quand il détruisait tout ce qui se trouvait à sa portée pour essayer de fuir ce qui le terrorisait — ou peut-être pour se détruire lui-même.

Je croyais en lui, malgré son absence de logique et de raison, et je commençais à m'attacher beaucoup à ce petit garçon. Cependant, comme je l'ai dit, une certaine partie de moi-même détestait cet enfant qui, je commençais à le comprendre, me rappelait ce que j'étais.

Au cours de cette « attente » — c'est ainsi que je l'appelais —, il y eut quelques minutes tout à fait étonnantes où nous fûmes vraiment en contact l'un avec l'autre. Je ne m'en rendis pas compte au moment même; ce n'est que plus tard que je compris l'importance de cet instant.

Un jour, j'avais fait la liste des mots, apparemment dépourvus de sens, qui sortaient de la bouche de Danny — « étoile », « ciel », « lune », « étoiles », « pas d'étoiles », « soleil », « pas de soleil », « nuages », « haut, haut, haut », puis « hélicoptère ». Et je pris ces mots pour en faire une chanson. Pour lui.

A ce moment-là, je ne savais pas pourquoi je donnais à la chanson cette signification-là; je ne savais pas non plus pourquoi elle avait une signification particulière pour Danny. Ce n'est que bien longtemps après que je compris que j'avais deviné juste — la chanson me permettait de démêler la toile d'araignée de Danny. Voici la chanson :

Les cheveux de Danny sont comme le soleil
Les yeux de Danny sont comme le ciel

En haut et en bas
En haut et en bas nous allons.
Là-haut, très haut, très haut dans le ciel
Là où le vent mugit
Et les nuages passent
Et les oiseaux volent
Où le soleil est doré et brûlant
Où la lune est jaune et éclaire la nuit
Et les étoiles brillent dans le ciel.
Les cheveux de Danny sont comme le soleil
Les yeux de Danny sont comme le ciel.

La chanson frappait encore davantage Danny quand on la chantait sur la bascule.

Il y avait toujours dans mon bureau une planche et un pied de support. Les enfants ou moi, nous nous en servions pour faire une bascule. Danny voulait toujours que cette bascule soit installée. Si je ne le faisais pas, c'est lui qui la mettait en place. Pendant longtemps, j'ai pensé qu'elle lui servait à renforcer la barrière qu'il dressait entre nous. Mais, plus tard, je compris qu'il l'utilisait aussi parfois comme un lien qui nous unissait. De temps en temps, il s'asseyait à un bout de la planche et me laissait m'asseoir à l'autre bout, se servant de moi comme contrepoids, tandis que je lui chantais sa chanson.

Il regardait le ciel et ouvrait tout grands les yeux quand je chantais que ses yeux étaient comme le ciel. Je répétais plusieurs fois la chanson sur le même ton monotone et Danny s'apaisait.

Et puis il se lassa de la bascule. Au bout d'un certain temps, je remarquai que, parfois, lorsqu'il était bouleversé, il courait vers elle et attendait que je m'assoie et lui chante sa chanson. Cela le détendait. Puis, quand il avait obtenu ce qu'il voulait, il sautait par terre et continuait à courir, à briser et à tout détruire.

Son passé racontait l'histoire habituelle.

Son développement physique et neurologique avait été normal, mais précoce. Son apprentissage de la propreté, son lan-

170

gage, sa marche, son sommeil, son alimentation n'avaient posé aucun problème — mais, là aussi, l'enfant s'était montré précoce.

Cependant, à quatre ans, il devint un « enfant différent », déphasé, inaccessible. Ses parents coururent toutes les consultations; le diagnostic tomba : « débilité mentale ». On plaça l'enfant dans une école pour débiles mentaux où il resta deux ans, puis, sur le conseil d'un psychiatre clairvoyant de l'Oregon qui vit en Danny un enfant autistique, les parents s'installèrent à New York pour que leur fils puisse venir dans notre école.

Le père et la mère de Danny étaient épuisés, écrasés, et perturbés. C'était des gens très intéressants, brillants, idéalistes. Le père était pilote d'essai. C'était un homme d'un courage héroïque, conscient de son rôle social; il avait fait plusieurs tentatives de suicide.

La mère était une femme créative, pleine de « vitalité » et de « joie de vivre », qui n'étaient en fait que de l'excitation et de la peur. C'était une famille religieuse — catholique. Un mélange de catholicisme espagnol et irlandais. Dieu était considéré comme un membre de la famille.

Ni le père ni la mère ne se sentaient très attirés par les enfants, et un fils comme Danny ne pouvait susciter chez eux qu'une attitude de rejet. Tous deux avaient peur de l'enfant. De sa colère, de son absence de communication, des dégâts matériels et de la destruction qu'il semait autour de lui, de son étrangeté, de son isolement et de sa souffrance, et de leur incapacité à lui venir en aide.

Danny vécut certains événements assez terribles.

Il avait un grand-père auquel il était très attaché. Ce grand-père l'aimait énormément et lui manifestait beaucoup d'intérêt. Il était probablement le seul membre de la famille à accorder autant d'attention à l'enfant. Il mourut quand Danny avait trois ans.

L'enfant connut d'autres traumatismes. A deux ans et demi, il se perdit dans les bois. Il resta tout seul pendant deux jours et deux nuits. On envoya des avions à sa recherche, on fit des battues, etc. On finit par le retrouver. A trois ans, il assista à la mort d'une petite fille qu'il connaissait bien et il participa à la veillée mortuaire. Ce sont là les événements que nous connaissons; il y en eut beaucoup d'autres que nous n'avons jamais pu découvrir.

Trois mois après avoir commencé à travailler avec Danny, par une froide après-midi de novembre, je l'emmenai avec un autre enfant écouter l'océan rugir. La mer était tentante; aussi avais-je enlevé mes chaussures et commencé à marcher dans l'eau. Soudain je sentis une petite main dans la mienne. Danny marchait dans l'océan avec moi. Il avait franchi l'abîme et pris ma main craintivement, mais aussi avec une certaine confiance. Je le regardai l'espace d'une seconde, incrédule, puis je tournai rapidement les yeux ailleurs, de peur de l'effrayer. Je me rappelle combien l'eau était froide; l'enfant m'entraîna plus loin, alors que je voulais seulement me « mouiller les pieds ». Je me souviens que j'essayais de ne pas frissonner, pour que Danny ne s'aperçoive pas de mon hésitation. Quand j'eus de l'eau jusqu'aux genoux, il fit demi-tour et sortit des vagues avec moi. Cela avait valu la peine d'attendre. Danny osait faire confiance quand il était prêt à le faire.

Je n'ai jamais aimé aucun des enfants avec lesquels j'ai travaillé comme j'ai aimé Danny. Peut-être à cause de sa façon de se détruire.

J'aime tous « mes » gosses, je respecte et j'admire leur courage; mais une fois que j'eus commencé à démêler la toile d'araignée avec Danny, ce fut autre chose. J'admirais et je respectais l'orgueil farouche de l'enfant, qui était dans tout ce qu'il faisait, bien ou mal, constructif ou destructif.

Il y avait chez lui une indépendance qui n'était pas simplement dictée par la peur ou par le besoin de contrôler, mais qui venait du refus de dépendre de quelqu'un ou de quelque chose; c'était sa manière d'être. J'admirais son besoin de rester à part, pour le meilleur comme pour le pire. Il voulait et exigeait d'être à part, à tout prix. Il se montrait très strict sur ce point. Il avait besoin de ses frontières ou de ce qu'il croyait être ses frontières, même s'il ne s'agissait que de défenses — aussi peu orthodoxes et aussi délirantes qu'elles fussent, il voulait que chacun les respectât, et il s'arrangeait pour être obéi.

Danny était mon bébé. Il était un peu mon enfant.

On aurait dit un petit étalon qui rejette la tête en arrière et clame au monde entier : « Me voici, et vous devez m'aimer tel que je suis. »

A ses pires moments, il voulait faire passer l'idée : « C'est moi, c'est comme cela » et, comme il l'exprimerait plus tard, « C'est Dan. »

Après ce qui s'était passé au bord de l'océan, Danny ne changea pas beaucoup en apparence. Mais rien ne fut plus pareil entre nous. Il me regardait. Il m'observait attentivement pendant de longs moments. Il me touchait un peu. Il me prenait parfois par la main.

Et il me donnait un nom. Non pas mon vrai nom, mais celui que, pendant ces quelques mois, il m'avait donné au fond de lui-même : Miria.

M-I-R-I-A.

« C'est Miria », disait-il. « C'est elle. Danny veut Miria. »

A partir de ce moment-là, l'attente prit fin et nous commençâmes à travailler ensemble d'une manière plus active.

Peu à peu, Danny s'exprima davantage. Quand il pleuvait, il pleurait et regardait le ciel en gémissant : « Pas de soleil. » Si la journée était sombre, il s'asseyait sur la véranda et pleurait en disant : « Pas d'étoiles. Pas de lune. » S'il voyait un avion dans le ciel, il se mettait à trembler en répétant sans cesse : « Hélicoptère, hélicoptère. »

Et les choses commencèrent à émerger, une à une. Le père de Danny était pilote. Quand il faisait noir, l'enfant craignait que son père ne s'égare. S'il pleuvait, il éprouvait la même angoisse, faite d'un mélange de peur et de désir. Il était pris de panique aussi. Parfois il se couchait par terre, comme un cadavre, en disant : « Danny est mort. » Puis apparurent d'autres peurs, que l'enfant verbalisait : la peur des bougies, la peur du feu, la peur du piano qu'il appelait « bougie ». La peur des « grosses choses » et des gens plus grands que lui. La peur des « petites choses » et des gens plus petits que lui. La terreur des « bébés » et des poupées. La peur d'être touché ou d'être aidé — qu'il s'agisse de nourriture, de vêtements, d'une vis ou d'un marteau.

173

La terreur des maladies. Des suppositoires. Des lavements. Des coups. Des adultes. Des autres enfants. Il avait peur des chiens, des chats, de l'eau, des montagnes, des fenêtres. Enfin, et ce n'était pas la moindre, la peur de se perdre.

Et, au fur et à mesure que les multiples frayeurs de Danny remontaient à la surface, je comprenais mieux son besoin constant de bouger. Tant qu'il remuait, il était en sécurité — il échappait à ces peurs. Quand il s'arrêtait, il devait leur faire face.

Après que Danny eut fait ce premier pas vers moi — en prenant ma main, dans l'eau —, nous commençâmes tous les deux, lentement, doucement, délicatement, mais avec fermeté, à démêler sa toile d'araignée.

Nous n'avions eu jusque-là aucun contact physique : notre communication se limitait à un regard ou à une chanson. La bascule était toujours entre nous. Quand j'essayais de le toucher, il gardait des réactions suicidaires ou meurtrières.

Après notre promenade dans l'océan, il y eut peu de changement si ce n'est que, de temps en temps, il me prenait la main, ou bien il m'effleurait. Si j'essayais de le toucher, il disparaissait. Ce n'était plus la violence d'avant, mais c'était aussi terrifiant. Il se dissolvait littéralement à mon contact, comme s'il retournait au néant. Et j'avais alors l'impression d'avoir en effet touché quelque chose — mais qui? quoi?... Certainement pas Danny. C'était comme si son être véritable s'était volatilisé, et qu'il ne me restait plus entre les mains qu'une chose désincarnée.

Sans dire un mot, l'enfant me faisait comprendre très clairement, de tout son être : « Va-t'en », « Je ne veux pas de toi », « Quand tu me touches, je ne suis pas là », « Quand tu me touches, je disparais, parce que je ne veux pas de toi. »

Parfois, comme s'il cherchait à m'expliquer ce retrait, il disait : « Danny est petit », « Dieu n'aime pas les petites choses », « Les petites choses se perdent. » La seule conclusion que j'en tirai, à cette époque, c'est qu'il était dangereux à ses yeux d'être petit, qu'être touché voulait dire qu'on était petit, et que le petit Danny se sentait perdu.

Puis, un jour, alors que nous étions en classe, on entendit

une explosion. Je pense qu'elle était due à l'éclatement d'un pneu. Mais le bruit fut si assourdissant, si soudain et si violent que Danny laissa tomber le marteau avec lequel il était en train d'essayer de défoncer le mur; il bondit vers moi et s'enfouit la tête dans mes bras. La soudaineté de son acte et sa fusion avec moi le terrifièrent et il repartit très vite. Mais je compris alors que s'il avait tellement besoin de rester à l'écart, c'était parce qu'il avait le désir fou de fusionner et de ne faire qu'un avec tout et tout le monde. La proximité physique signifiait pour lui dévorer et être dévoré. C'était la perte de lui-même, la perte de son identité; un danger plus grand que la mort.

Toucher et être touché, cela voulait dire fusionner, devenir tout petit et disparaître dans l'autre. Et pourtant, il avait terriblement envie de devenir un bébé et de fusionner avec une mère — il en avait envie et besoin. Mais cette équation (fusion = être petit = bébé) était dangereuse pour lui, car elle signifiait qu'il se perdrait psychologiquement et physiquement.

Après l'épisode de l'explosion, Danny m'évita pendant quelque temps; mais il tournait sans cesse autour de moi. Il me regardait fixement et m'observait. Je ne le dévorais pas. Je ne m'en emparais pas. Je n'avais pas besoin de lui; je ne l'utilisais donc pas. Puis, bientôt, il s'approcha de moi et commença à m'explorer physiquement. Il toucha mon nez et s'enfuit en courant. Mais rien ne se produisit. Il revint et toucha mes yeux; effrayé, il s'enfuit. Mais, là encore, rien ne se produisit. Et il continua ainsi à explorer toutes les parties de mon visage. Quand il arriva à ma bouche, je savais que ce serait pour lui l'épreuve du feu. Si je ne le dévorais pas, nous aurions réussi. Pendant un moment interminable, il passa son petit doigt autour de mes lèvres. Puis, comme s'il se décidait soudain à tenter l'expérience la plus dangereuse du monde, il ferma bien fort les yeux et, l'air tout à la fois décidé et terrorisé, il poussa ses doigts entre mes dents. Nous restâmes ainsi quelques instants. Puis Danny ouvrit lentement les yeux et commença à examiner ses doigts, et lui-même. Puis il me regarda. Non, je ne l'avais pas dévoré. Il était là, tout entier.

Je fis les frais de cet exploit. Assuré que je n'allais pas le manger, Danny décida, j'imagine, de me dévorer. Il commença à me mordre. Il mordait par amour, par haine, par chagrin, par peur. Et il mordait vraiment. Ses dents étaient aussi acérées que celles d'un loup. Il s'attaquait surtout à mon nez, mais aussi à mes bras, mes joues, partout où il pouvait planter ses dents. Il me frappait aussi, me pinçait et me donnait des coups de pied (je pense que c'était pour voir s'il réussirait à me démolir, comme le mur).

Mais il y eut un meilleur contact entre nous. Il ne disparaissait plus quand je le touchais. Il ne se « dissolvait » plus. Il me *laissait* lui tenir la main quand nous étions dehors — ce qui me permit de l'emmener se promener, malgré sa tendance à vouloir se précipiter sous les voitures et surtout sous les camions. Il me laissait de temps en temps lui caresser les cheveux ou le tenir dans mes bras (pas très souvent) et même, parfois, il me permettait de l'embrasser.

Il essayait aussi quelquefois de m'embrasser, mais c'était un désastre. Il commençait par me lécher et finissait toujours par me mordre — si fort qu'une fois j'eus un accès de fièvre terrible et que l'on dut me faire une piqûre antitétanique.

Danny commençait à m'assimiler. J'étais le bien et le mal. J'étais tout pour lui. Je devenais son étalon de mesure.

Rien d'autre ne changea, pourtant. Ses terreurs étaient toujours les mêmes. Il continuait à démolir les murs et à se blesser. Il marmonnait toujours les mêmes mots : « les étoiles », « petit », « grosses choses », « Dieu n'aime pas les petites choses » — et cela se terminait comme avant : par des réactions de peur et un repli sur lui-même. Les seules choses qui le délivraient vraiment de sa terreur, c'étaient la bascule et la chanson, à laquelle j'avais maintenant ajouté une phrase :

Et Mira aime beaucoup Danny.

Danny semblait dévoré par le besoin constant de se faire punir ou de se blesser. Et il passait son temps à provoquer blessures et punitions.

Quand il ne laissait pas tomber la peinture, c'était la bouteille de jus de fruit. Il renversait la poubelle, cassait la vaisselle, démolissait les meubles, donnait des coups de pied dans les murs.

Et comme si tout cela ne lui faisait pas suffisamment mal et n'arrivait pas à déclencher la punition qu'il recherchait, il se battait lui-même : il se donnait des coups de poing, des gifles, il se griffait, s'écorchait et se tapait avec ce qu'il avait sous la main, une pierre, une boîte de conserve, un bâton, une branche ou une chaise. Il se frappait dans le dos, sur la tête, les jambes, les bras, tout en marmonnant : « Méchant », « Méchant Danny », « Je suis fâché avec toi », « Vilain garçon. » Il y avait alors en lui une détermination, une haine pour lui-même et un désir de vengeance tel que non seulement on sentait à quel point l'enfant se jugeait mal, mais on avait aussi l'impression d'assister à une exécution.

C'était pénible de voir ce beau petit garçon, complètement perdu, se condamner lui-même et exécuter la sentence d'une manière si méthodique. Il était son pire juge, et le plus méthodique des bourreaux.

Il se punissait pour toutes les fautes qu'il avait commises ou imaginées, souhaitées ou redoutées. Il devait expier.

Comme il était dur pour lui-même — comme la frontière qu'il dressait entre le bien et le mal était rigide! A ses yeux, il y avait en lui peu de choses bonnes et beaucoup de mauvaises; il façonnait son image à coups de punitions.

Je me rappelle notre premier Noël ensemble. Je demandai à Danny ce qu'il aimerait recevoir comme cadeau. Il répondit très sérieusement : « Une brosse à cheveux. » Pour se frapper.

Que se passe-t-il dans cette chose étrange que nous appelons l'homme? Nous voulons tous être aimés. Nous en avons besoin pour survivre. Danny aussi voulait être aimé — terriblement. Nous nous efforçons tous de nous rendre acceptables, dans la mesure où cela ne va pas à l'encontre de ce que nous pensons être. Dès l'enfance, nous apprenons au contact d'autrui ce qui est bien ou mal et nous prenons ces valeurs pour guide. Si tout se passe bien, les valeurs sont bonnes et nous faisons confiance aux autres.

Danny, lui aussi, voulait ressembler à l'image que les gens se font du « bon garçon ». Mais l'idée qu'il se faisait du bien et du mal était embrouillée, terriblement sévère et rigide. C'est pourquoi il se considérait en faute la plupart du temps. Il voulait être puni, purifié et se sentir un garçon bien. « Je deviendrai un bon enfant, et vous m'aimerez alors. Et *je* m'aimerai. » Mais Danny ne se fiait à personne. Et personne ne pouvait le toucher, personne ne pouvait le punir, excepté lui-même. C'est ce qu'il exprimait à sa façon : « Oh, oui, je suis méchant. Il faut me punir. Mais quelle que soit la punition que vous m'infligiez, je saurai toujours m'en donner une meilleure. » La punition était violente, mais c'était aussi une garantie. « Vous pouvez me tuer, moi pas — presque, mais jamais réellement. Vous voyez comme je peux me faire mal. Vous n'avez pas besoin de le faire à ma place. »

Danny, comme nous tous, avait besoin d'aimer et de se sentir aimé. Sans doute encore plus que nous. Et l'on est prêt à faire bien des choses par amour. Bien peu parmi nous, je pense, ne paient pas à l'amour un tribut plus ou moins élevé. Danny était prêt à payer le prix fort. Il était prêt à se frapper, pour devenir un enfant aimable, tant était grand son besoin d'amour. Mais quelle était sa définition — ou celle de ses parents — du mot « aimable »? Il se trouvait méchant, très méchant, ce petit garçon; pour devenir bon, aimable, il devait être puni... par les autres, si besoin était, mais surtout par lui-même. Les autres pouvaient le tuer. Et Danny avait, comme tout le monde, peur de mourir; c'est pourquoi il se punissait lui-même, beaucoup plus sévèrement que n'importe qui d'autre, mais il préférait cela au risque de mourir ou de s'abandonner entre les mains d'autrui.

Aussi décidai-je un jour de prendre la relève et de montrer à Danny qu'il pouvait se fier à l'opinion que j'avais de lui; les punitions que je lui infligerais ne le détruiraient pas. Je lui montrerais que ses crimes ne me paraissaient pas aussi atroces que ses parents, Dieu ou lui-même semblaient les considérer. Je deviendrais son juge et je serais plus gentille, plus douce et moins sévère qu'il ne l'avait été lui-même. Ma punition serait adaptée au délit commis — et je ne le tuerais pas.

Je lui montrerais qu'il n'était pas méchant, mauvais, incapable d'inspirer l'amour. Il *était* aimable, mais malgré cela, et non à cause de cela, il était punissable.

Et c'est ainsi qu'un jour, alors qu'il était en proie à l'une de ses crises d'autopunition, je le pris dans mes bras, l'installai sur mes genoux et lui dis :

— Maintenant, cela suffit. Je ne vais pas te laisser te faire du mal comme cela. A partir de maintenant, si tu as besoin de recevoir une raclée, c'est moi qui te la donnerai, pas toi.

Danny me regarda, ahuri, effrayé. Mais il ne se « volatilisa » pas. Et je passai aux actes. J'ai commencé à lui donner la fessée (une « raclée », comme il disait) en comptant les coups : un, deux, trois, quatre, cinq, six, sept, huit, neuf, dix, un million. Danny, son petit visage tout grimaçant de larmes, levait les yeux vers moi, stupéfait. La fessée n'était pas très forte, mais je la lui donnais sérieusement, très sérieusement même. Et je continuai :

« A partir de maintenant, quand tu seras mécontent de toi, quand tu croiras avoir mérité une punition, tu dois venir me le dire et je te donnerai une raclée. Tu as compris?

Je lui parlais avec sévérité.

— Oui, oui, Danny doit le dire à Miria, me répondit-il.

C'était la première fois que j'agissais d'une manière aussi catégorique avec lui, que je prenais une telle initiative. Il était prêt. Il s'en alla, surpris, mais soulagé. Deux minutes plus tard, il revint en courant :

« Danny a besoin d'une raclée, m'annonça-t-il.

Je le pris à nouveau sur les genoux et lui donnai la fessée.

— Tu comptes avec moi, lui dis-je.

Danny s'exécuta :

— Un, deux, trois, quatre...

— Un million, fis-je.

Danny était fasciné par les mots. « Million » était nouveau pour lui. Il mit deux minutes à apprendre à le dire correctement. Il rit, ravi, quand il réussit enfin à bien le prononcer. Il rit et oublia un peu sa « méchanceté ».

La guérison avait commencé. A partir de ce jour, nous avons souvent joué au « jeu de la fessée ». Je le touchais à peine et ne lui faisais jamais réellement mal. Au bout de quelque temps, les rires et l'énumération des tapes devinrent beaucoup plus importants que la punition.

Cela se passait toujours au bas des escaliers. Parfois Danny devait attendre pour avoir sa fessée que nous soyons revenus du parc à jeux. En limitant l'administration des « corrections » à un seul lieu géographique, nous circonscrivions plus facilement le caractère punissable de l'enfant (Danny n'était pas totalement « mauvais » — totalement punissable).

Et l'enfant commença à apprendre qu'il n'était pas « mauvais » : il faisait simplement des bêtises. La punition se limitait à une fessée : elle épargnait le reste du corps. Elle était adaptée à la gravité du délit commis. Elle était légère, car le délit était léger. Danny commença à apprendre. Une petite brèche s'était ouverte. Et quand, la fessée terminée, il me demandait, avec parfois un accent de désespoir : « Et un coup de pied », « Et une claque », « Et la brosse à cheveux », je me contentais de lui donner encore la fessée en disant : « Et un million. Et un billion. »

Maintenant qu'il n'était plus seul à se punir, Danny pouvait davantage se détendre et se décharger un peu sur moi de la responsabilité de ce qu'il était et de ce qu'il allait devenir. La confiance naissait petit à petit; il se livrait davantage. Il prenait lentement conscience du monde qui l'entourait.

Les mots avaient à ses yeux une très grande importance. Plus un mot était long et compliqué, plus il le fascinait. Cela me fut très utile. Au fur et à mesure que notre relation s'approfondissait et qu'il me faisait davantage confiance, il m'était plus facile, grâce aux mots, d'arriver à le détourner de ses actes destructeurs. Je lui disais :

« *Assurément, absolument,* Danny ne va pas mordre Miria. »
« *Assurément, absolument,* Danny ne va pas casser la chaise. »

Il répétait les mots, à sa manière (« assurlument, absérément »); mais le pouvoir magique de notre relation s'était transféré à ces mots, qui lui servaient de garde-fou et l'empêchaient de s'attirer des difficultés.

Quand je disais : « Non, Danny », il s'arrêtait et attendait que je dise « Assurément, absolument. » Si je ne le faisais pas, c'est lui qui les prononçait et attendait que je les répète. Si je trichais et ne disais que : « Assurément », il attendait : « Absolument. » Il lui fallait les deux.

J'ai souvent essayé d'imaginer ce que l'on pouvait resssentir quand on se perdait, à deux ans et demi, dans une forêt inconnue. Se perdre pendant deux longs jours interminables...

Combien d'heures y a-t-il dans une journée? Combien de minutes dans une heure? A deux ans et demi, errer tout seul dans les bois pendant des heures... cela doit sembler durer toute une éternité. Et ces deux nuits de solitude? Ne prennent-elles pas le visage de l'abandon, de la mort? Je n'arrive pas à m'imaginer ce que tout cela peut représenter pour un petit enfant. Cela me dépasse. Je ne peux comprendre l'intensité de la peur, l'impression d'abandon et de mort imminente, la terreur des croquemitaines qui vous envahit quand la nuit approche et vous engloutit. Et puis, il y a la faim, la soif. Quand tout cela va-t-il se terminer? Jamais. Et les bruits, réels ou imaginaires, et les animaux, et les arbres qui ont l'air de marcher. Et les lutins, et les sorcières...

La détresse physique, bien sûr, mais que dire de la détresse psychologique? Il n'y a personne pour s'occuper de vous, pour prendre soin de vous — vous êtes perdu. Quel effet cela peut-il faire, cette impression d'être perdu — d'avoir perdu son identité, son moi, dans le marais de tous les sentiments que l'enfant éprouve sans pouvoir les contrôler? Danny ne pouvait pas se retrouver. La sécurité du moi disparaissait, noyée, submergée par le flot de ses terreurs; Danny était perdu. Et « Dieu n'aime pas les petites choses » : c'était la conclusion qu'il en avait tirée, comme il le répétait sans cesse.

Qu'est-ce que la maladie mentale si ce n'est la perte du moi, sous une forme ou une autre? Danny avait vécu cela, concrètement, dans les bois, mais ensuite il avait continué à en faire l'expérience à tous les instants de son existence : « Perdu. » C'était une impression qui touchait à la fois son corps et son esprit. Car lorsqu'on est vraiment perdu, toutes les relations sont rompues et le vide qui en résulte — la terreur et l'insécurité — devient écrasant.

Dans le dossier de l'enfant, une simple note mentionnait qu'il s'était égaré en forêt, qu'on l'avait cherché partout et qu'enfin, au bout de deux jours et deux nuits, on l'avait retrouvé. C'est tout. Les parents ne m'en avaient jamais parlé. Ils se sentaient trop malheureux, trop coupables. Nous ne les avions jamais interrogés à ce sujet. Nous ne voulions pas raviver leur peine. Nous faisions preuve de délicatesse. Mais l'enfant, lui? Il s'était perdu. Pour toujours peut-être. Et nous étions trop délicats pour en parler.

Et puis, un jour...

Comme je l'ai déjà dit, les étoiles, le vent, la lune, la pluie, le ciel et le soleil semblaient jouer un grand rôle dans l'univers de Danny. S'il pleuvait, il pleurait. Si les nuages obscurcissaient le ciel, l'enfant devenait blême. Et il ne cessait de regarder le ciel, comme s'il redoutait quelque horrible événement. « Pas de soleil », « Pas de lune », « Pas d'étoiles », disait-il, et il se mettait à chercher l' « hélicoptère ». L' « hélicoptère » était un élément permanent dans la vie de Danny. Il en entendait, même quand il n'y en avait pas. Les avions aussi étaient des hélicoptères — comme n'importe quel appareil volant. Et il était toujours à l'affût, pour essayer d'en voir un.

Tout cela semblait assez incompréhensible — si l'on ne se rappelait pas que le père de Danny était pilote. L'enfant manifestait à l'égard des conditions météorologiques un intérêt excessif. S'il se mettait à pleuvoir ou si le ciel se couvrait, il s'installait dans son rocking-chair et, pendant des heures, il regardait par la fenêtre, replié sur lui-même, l'air vieux, préoccupé, terrorisé.

Mais, maintenant, il commençait à ajouter d'autres phrases à son monologue sur les étoiles, le ciel, etc.

« Dieu n'aime pas les petites choses », « Les petites choses ne vont pas à Dieu. » « Arbres » : il répétait le mot, inlassablement. « Aller sur une étoile », « Dieu n'aime que les grosses choses », « Miria ne doit pas aller sur une étoile », « Les petites choses se perdent. »

Puis, un jour de pluie, je demandai à l'un de mes collègues de nous jouer un morceau de piano, qui évoquerait le bruit du vent. Je dis à Danny que nous allions nous courber comme des arbres dans le vent. Après nous avoir observés pendant un moment, Danny abandonna son rocking-chair et se joignit à nous. Il oublia sa haine pour le piano, qu'il appelait « bougie », et commença à se balancer avec moi. Soudain, je lui dis :

— Étendons nos branches jusqu'au ciel.

Danny obéit, puis, tout à coup, il se mit à frissonner. Il cria :
— Non, non. Pas de lune. Pas de soleil. Pas d'étoiles.

Il se précipita vers moi et se cramponna à mes vêtements en me montrant le plafond.

Il se passa alors quelque chose entre nous. Cette chose étrange, terrifiante, qui se produit entre deux personnes quand soudain l'une saisit l'autre, la comprend, au-delà des mots, au-delà de la conscience.

Je pris Danny dans les bras et lui dis :
— Oui, mais la lune est là.
— Non. Pas de lune. Miria est un arbre, Danny est sur l'arbre. Bien haut, tout en haut, mais il n'y a pas de lune, pas de lumières.

Il sanglotait, pris de panique. Il continua :
« Et ils ne retrouveront jamais, jamais, Danny. Et ni Maman ni Papa ne retrouveront plus jamais Danny. Plus jamais.

Puis, comme s'il changeait d'engrenage, il se mit à hurler :
« Ça va casser! Ça va casser!
— Non, lui dis-je. S'il n'y a ni lune, ni soleil, ni étoiles, il y a des projecteurs et des phares, l'avion va se poser sur le sol sans problème. Et l'on retrouvera Danny.

Danny commença à pleurer en hurlant :
— Non, Miria doit se baisser, sinon l'avion va casser les branches et Danny va tomber de l'arbre et mourir.
— Non, regarde, regarde là-haut. Tu vois les projecteurs? Tu vois les phares?

Le pauvre petit Danny regarda avidement le plafond; alors, il vit et se souvint de ce qui lui avait toujours manqué dans son cauchemar : les lumières.
— Oui, Danny peut voir, dit-il l'air soulagé. Et, maintenant, Papa n'aura pas d'accident, Miria et Danny ne vont pas mourir, et on retrouvera Danny.

Les pleurs s'arrêtèrent. L'enfant revint à lui, avec sur le visage une expression presque détendue.
— Maintenant, descends de l'arbre, lui dis-je.

J'avais les bras brisés de douleur. Danny me regarda comme si j'avais perdu la tête. De quel arbre voulais-je parler? Il sauta de mes épaules.

Les jours suivants, nous rejouâmes la même scène.

J'étais l'arbre; Danny grimpait sur moi et regardait la lune, les étoiles et les projecteurs, quand sa « nuit » était très noire.

Tous les jours, il arrivait à sortir de son cauchemar et était sauvé.

Je devenais un avion ou un hélicoptère et Danny osait grimper dans cet oiseau de mort (qui, parfois, était aussi un oiseau-sauveur); il ne s'écrasait pas au sol et ne mourait pas.

Tous les jours, l'enfant ajoutait des mots nouveaux, des symboles nouveaux, qui nous aidaient à démêler sa toile d'araignée.

Quand il était sur son « arbre » (c'est-à-dire moi), en train de chercher une issue, il disait d'un air satisfait :

— Les petites choses ne vont pas vers Dieu, parce que les petites choses sont mauvaises. Dieu n'aime pas les petites choses, alors elles se perdent et personne ne les retrouve, parce que Dieu ne les aide pas — parce que Dieu n'aime pas les petites choses.

Quand il était dans l'hélicoptère, il disait :

« Papa va s'écraser au sol. Danny a ennuyé Papa ce matin, Papa va s'écraser sur Danny, et Papa sera mort et Danny sera mort. Alors Papa ira à Dieu. Dieu aime les grosses choses. Les grosses choses vont sur une étoile.

Il disait encore :

« Danny est mauvais, il fait tomber l'avion de Papa et alors Papa descendra en parachute et détruira Danny.

L'histoire commençait à prendre forme.

Comme Dieu n'aime pas les petites choses — parce qu'elles sont mauvaises —, il a laissé Danny se perdre dans la forêt et il ne l'a pas délivré. Mais puisque Dieu n'aime pas les petites choses, il ne veut pas les prendre avec lui — il ne les fait pas mourir. C'était là en partie la raison pour laquelle Danny avait peur d'être petit.

Comme Dieu aime les grosses choses, il les rappelle à lui. Et si Papa s'écrase avec son avion, il ira à Dieu, mais il peut aussi emmener Danny avec lui, pour le punir.

Puis d'autres événements remontèrent à la surface. Quand Danny avait trois ans, son grand-père mourut. Ils s'aimaient beaucoup tous les deux. Les parents du petit garçon lui expliquèrent que Grand-père « était allé vers Dieu ». « Il est au ciel, sur une étoile. »

Grand-père était vieux. Quand les gens deviennent vieux, Dieu les rappelle à lui. Surtout s'ils sont bons.

Après sa disparition dans les bois, Danny tomba malade et dut prendre quantité de suppositoires, de piqûres et de lavements; quand on est grand, on échappe à tout cela. Ce n'est pas bien d'être petit. Être petit signifie être mauvais, et comme on est mauvais, on se perd, on doit prendre des suppositoires, des lavements, etc.

Mais quand on est grand, Dieu vous rappelle à lui. On meurt, comme Grand-père, et l'on vit sur une étoile.

Comment sortir d'un tel dilemme?

« Dieu n'aime pas les petites choses. » « Vous n'allez pas à Dieu quand vous êtes petit. » Mais vous vous perdez et personne ne vous retrouve. « Les grands vont vers Dieu. Les grands vont sur les étoiles. »

Et puis aussi, Dieu est bon; vous devez aimer Dieu, mais « Dieu n'aime pas les petits ». Il vaut mieux être petit. On est sûr au moins de ne pas mourir. Dieu devient alors synonyme de mort. « Les grands vont vers Dieu », comme Grand-père (et le père, qui court toujours des risques). « Dieu aime les grands » et c'est pourquoi il les rappelle à lui, dans son sein, « sur les étoiles » (synonymes de la mort).

Là encore, on se heurte à une absurdité. On doit avoir le désir d'être aimé de Dieu — cela veut dire que vous êtes bon. Mais si vous êtes aimé de Dieu, si vous êtes bon, Dieu vous prend. Vous mourez. Qui pourrait avoir envie d'être bon si le prix de la bonté, c'est la mort?

Pour Danny, la récompense de la vie, c'est d'être aimé de Dieu, ce qui veut dire grandir, et donc mourir.

Il faut avoir envie d'être aimé de Dieu. On apprend cela à tous les enfants; et pourtant Danny n'avait vraiment pas envie de mourir.

Ainsi, d'une part, vous essayez d'obtenir l'amour de Dieu et vous prenez peur si Dieu ne vous aime pas (vous vous perdez et vous ne serez pas secouru). D'autre part, vous ne voulez rien de Dieu. Vous voulez rester petit, mauvais, afin que Dieu ne vous aime pas et ne vous rappelle pas à lui (et que vous échappiez à la mort).

Mais si vous êtes petit, vous êtes mauvais. Dieu ne vous aime pas, ne vous protège pas et vous vous perdez dans la forêt et l'obscurité — à jamais.

Quel dilemme!

Nous avons continué à être « l'arbre » ou « beaucoup d'arbres », et l' « hélicoptère », inlassablement, jour après jour. Au bout de quelque temps, nous nous sommes perdus ensemble et avons été sauvés ensemble; puis nous sommes montés tous les deux dans l' « hélicoptère ». Et, finalement, Danny n'éprouva plus jamais le besoin de voler. Ses fantasmes avaient changé.

Ce n'était plus cette vision d'horreur, dans laquelle son père ou lui-même s'envolaient pour s'écraser ensuite au sol, parce qu'il n'y avait « ni lune, ni soleil, ni étoiles » pour retrouver son chemin — ce que Danny souhaitait et craignait en même temps. Maintenant, dans le rêve de l'enfant, il y avait des lumières, le soleil et la lune, et ni Danny ni son père ne se tuaient.

Mais cela prit beaucoup, beaucoup de temps, et arriva après bien des « vols », comme nous les appelions tous les deux — ce qui, pour Danny, voulait dire un « vol dans la forêt » ou « dans le ciel », et pour moi un « vol » dans l'imagination de l'enfant.

Au fur et à mesure que le temps passait, ces « vols » devinrent de plus en plus courts et prirent une tournure comique. Pour aller dans la forêt, nous montions dans un ballon rouge, une bulle, le cœur d'une fleur, un grain de sable, une larme... Parfois même nous « volions » sur le chant d'un oiseau. Mais à ce moment-là, Danny savait très bien qu'il ne s'agissait que d'un jeu. Il s'écriait : « On va prendre un bonbon », ou bien : « On arrête, parce que Danny doit aller aux toilettes. » Mais cela se passait après que nous eûmes fait des millions de voyages au fond de sa vision d'horreur.

Tant que le dilemme des « petits et des grands » n'était pas résolu, Danny restait suspendu entre ciel et terre. Il avait peur de rester petit et craignait de grandir; alors, nous restions bloqués là, à mi-chemin — c'est-à-dire nulle part.

Il disait : « Si on grandit, Danny deviendra vieux et mourra,

Miria deviendra vieille et mourra, et tout le monde sera mort, ira vers Dieu et sur les étoiles. »

Mais chaque jour qui passait signifiait qu'on devenait « de plus en plus vieux », comme il l'exprimait avec beaucoup de justesse. C'est pourquoi il ne voulait pas grandir.

Quand on fêtait un anniversaire, n'importe lequel, l'enfant était pris de panique. Et, bien sûr, il était hors de question de rester « petit », parce que « Dieu n'aime pas les petits ». Danny, alors, « se perdrait », « serait malade », « mourrait ».

C'est pourquoi il était exclu que je porte Danny dans les bras — sauf quand j'étais l'arbre ou l'hélicoptère —, que je le serre contre moi ou que je l'aide d'une manière ou d'une autre, puisque cela voulait dire qu'il était petit.

L'enfant était toujours inquiet; il avait peur que quelqu'un ne s'approche de lui à pas de loup pour modifier un jour de sa vie — en l'ajoutant ou en le soustrayant. Seul le *statu quo* le rassurait — et encore...

Il ne pouvait pas supporter les bébés : ils lui faisaient trop peur. Les poupées aussi : elles ressemblaient à des bébés. Tout ce qui était petit et faible lui rappelait le danger qu'il courait. Il fallait donc frapper les bébés, renverser les poussettes et casser les poupées.

Pour les animaux, les choses n'allaient pas mieux. Il mordait les chats (qu'il appelait « chatons »), pourchassait les chiens et étouffait les poissons.

Cependant, au fur et à mesure que nous progressions dans notre travail, plus je l'aimais, plus il m'aimait — à sa manière —, et plus se développait en lui un certain sentiment de sécurité. Puis un jour, un an environ après que nous eûmes commencé à travailler ensemble, Danny se blessa assez sérieusement à la jambe. Il fallut l'emmener à l'infirmerie. Je le pris dans les bras et commençai à le porter.

Sa réaction fut immédiate : la stupeur devant ce que j'avais fait, la fureur de se sentir trahi, la terreur de ce qui allait sûrement lui arriver (il était petit). Puis, son attitude changea brusquement. Ce petit garçon dur, combatif, se nicha tout à coup dans mes bras avec une force et une joie telles qu'il en fut submergé et se mit à pleurer. Puis il leva les yeux vers moi avec tant de reconnaissance, d'abandon et de confiance que mon amour pour lui devint presque trop lourd à porter.

On aurait dit qu'il avait attendu cela toute sa vie — et c'était vrai, j'en étais sûre. Seigneur! Comme j'aimais cet enfant! Je pus par la suite lui exprimer davantage mon amour. Il ne se lassait pas de se pelotonner contre moi; il était dans mes bras ou sur mes genoux dès qu'il en avait l'occasion (au besoin, il la créait lui-même). Il se gorgeait maintenant de toute la douceur et de toute la tendresse dont, bébé, il avait été privé; il rattrapait le temps perdu, les caresses, les étreintes et les baisers dont sa terreur du contact l'avait empêché de profiter. On aurait dit qu'une soif insatiable le dévorait : il buvait mon amour jusqu'à la dernière goutte.

Mais ces démonstrations de tendresse s'accompagnaient toujours d'une interrogation anxieuse : « Danny est petit, maintenant? » La mort serait le prix de l'amour. Je lui répondais : « Non, Danny se sent seulement petit en ce moment. » Il semblait comprendre cette différence, car il se répétait ensuite à lui-même : « Danny se sent seulement petit en ce moment. Danny n'est pas mort. Danny n'est pas perdu. »

Il paraissait d'une certaine manière convaincu de « n'être pas mort », mais pas de « n'être pas perdu ». Il lui arrivait souvent, par exemple, de placer tous les adultes en cercle autour de lui, de se mettre au milieu et de dire : « Maintenant Danny n'est pas perdu. » Parfois il m'entraînait avec lui au centre du cercle en disant : « Personne n'est perdu maintenant. »

Chaque fois que nous nous exprimions physiquement notre tendresse, je devais toujours ensuite le rassurer, le convaincre qu'il ne se « perdrait pas », même s'il « se sentait petit » ou s'il « était petit ». Il m'interrogeait tout le temps : « Que se passera-t-il si Danny se perd? » demandait-il. Et je répondais toujours : « Miria le retrouvera. »

A mesure qu'augmentait son sentiment de sécurité, il parlait moins de « se perdre ». Mais cette peur était profondément ancrée en lui : il craignait de se perdre, physiquement et psychologiquement, et ce souvenir l'obsédait.

Je me rappelle encore un incident qui m'a beaucoup marquée et qui exprime d'une manière pathétique le drame de Danny.

A cette époque, il parlait de « ne plus jamais se perdre ». Puis, un jour, je subis une épreuve dans ma vie personnelle. Je vins à l'école, mais je n'étais présente que physiquement; mon esprit était ailleurs. Danny s'en aperçut. Il essaya d'établir un contact entre nous, mais en vain. Au moment de retourner chez lui, il se précipita soudain vers moi, s'agrippa à ma jambe et sanglota : « Maintenant Danny est perdu. Miria est perdue et elle ne sait pas où retrouver Danny. » Il sanglotait à se briser le cœur.

« Tais-toi, mon petit », murmurai-je. Je me rappelle mon irritation. N'avais-je pas le droit de penser à moi, à mon chagrin? Mais je revins à la réalité présente. Je rassurai Danny et lui dis que, même s'il avait l'impression que j'étais « perdue », je ne l'étais pas. J'étais simplement partie ailleurs pendant un court instant. Maintenant, j'étais de retour. Et il devait savoir que je serais toujours capable de le retrouver. Qu'il ne « serait jamais perdu ». Où qu'il se trouve, je saurais toujours où « le chercher ». Alors, après avoir scruté mon visage quelques instants, Danny dit au milieu de ses sanglots : « Et si Danny est petit? Danny se perd quelquefois quand il est petit. » Je lui confirmai : « Petit ou grand, je te retrouverai. »

Cette préoccupation de « se perdre quand on est petit » s'estompait de jour en jour. Mais elle faisait place à la peur de « se perdre quand on est grand ». Je pense que cette crainte était directement liée à la hantise que « Papa ne se perde là-haut dans le ciel, dans les étoiles », en volant. Parfois Danny devenait son père et « se perdait dans les étoiles » — il rompait tout contact.

Comme l'enfant constatait qu'il ne se produisait aucune catastrophe quand il osait « être petit », ou « grand » — comme Papa —, il commença à accepter de grandir. Il se mit à boire quelques gorgées de mon café, à s'étirer (et à marcher bien droit) en disant : « Maintenant Danny est grand. » Il parla davantage, se livra à plus d'activités. Il commença à demander qu'on l'aide; il apprit à reconnaître ses limites physiques. Il donnait des suppositoires, des piqûres et des lavements à des poupées, au lieu d'enfoncer n'importe quoi dans son rectum et de planter ses ongles et des baguettes dans ses bras. Il disait en parlant des poupées : « Elles sont malades et Danny les soigne. »

Maintenant, il ne boudait plus son anniversaire; il le fêtait vraiment. Il commença à s'intéresser à celui des autres enfants; il insistait pour leur acheter des ballons et des cadeaux. Il voulait « des chaussures plus grandes », des « vestes plus grandes », tout ce qui était « plus grand » de manière générale, car, comme il le faisait remarquer, « les choses grandes ne vont pas forcément dans les étoiles ».

La mort le préoccupait moins. « Miria est grande et elle n'est pas morte. » « L'agent de police est grand et il n'est pas mort. » Et « le marchand de bonbons est grand et il n'est pas mort ».

Le fait de vivre vraiment, étroitement, avec un autre être humain — et de l'aimer — l'aidait à vaincre toutes ces peurs.

Danny goûtait de plus en plus le monde qui l'entourait. Tous les deux, nous le goûtions. Nous aimions et vivions les choses ensemble.

Nous aimions le soleil, la pluie, le vent, l'air que nous respirions. Nous nous aimions. En m'aimant, Danny se mit à découvrir et à aimer les autres enfants et les adultes.

Je découvris alors que c'était un garçon très imaginatif. Une fois libéré de ses hantises, il put donner libre cours à son imagination.

Cela se manifestait dans sa façon de parler : il ne se contentait plus simplement d'être fasciné par les mots qu'il entendait, mais il les utilisait maintenant d'une manière originale. Dans ses jeux de construction, on ne voyait plus uniquement l'hélicoptère et le cercueil qui, auparavant, dominaient toujours le tableau. La pâte à modeler lui servait à autre chose qu'à faire des boulettes qu'il lançait au plafond en disant que c'était des « étoiles ». Les couleurs et le sujet de ses peintures changeaient [1]. Ainsi, minute par minute, heure par heure, puis jour

---

1. Son évolution se traduisit de manière spectaculaire dans ses dessins. Au début, il dessinait une maison qui n'avait aucun enracinement sur la terre mais se dressait, toute noire et détachée, sur un ciel sombre. Puis, cela devint une maison fermement ancrée sur terre, avec un soleil brillant au-dessus d'elle. Puis, plus tard, un homme portait un bouquet de ballons de toutes les couleurs, une locomotive et une voiture passaient à toute vitesse, avec une telle impression de mouvement qu'on était tenté de s'écarter de leur route. Danny était sur la bonne voie.

après jour, la vie cessa d'être à ses yeux une chose horrible pour devenir quelque chose qu'on devait vivre, apprécier, souffrir et aimer. Et cela aussi aidait Danny à vaincre ses peurs.

Nous avons tous notre Mur des lamentations. Notre mur de chagrin, de fureur, d'espoir et de culpabilité. Notre mur de joie, de bonheur — notre mur à nous.

Nous prions devant lui; nous lui confions nos désirs les plus secrets, les plus profonds, et nos indignations. Nous plaçons dans le creux de ses pierres de petits morceaux de papier sur lesquels nous inscrivons un vœu, un souhait ou une prière, et nous attendons que notre souhait se réalise. Une attente qui, parfois, peut durer l'éternité.

Danny avait un mur chez lui, et un autre à l'école. Rien ni personne n'avait pu le dissuader de les « démolir ». Il nous était difficile de comprendre, et encore plus d'accepter, le trou béant qui, chez lui, s'ouvrait dans « son » mur, et la mise à nu, dans la salle de classe, de l'infrastructure du bâtiment.

Dès son arrivée à l'école, Danny choisit l'un des murs de la classe et commença à s'y attaquer. Pourquoi justement celui-là, personne n'aurait pu le dire. L'enfant mit une semaine à opérer sa sélection; pendant ces huit jours, il s'attaqua aux quatre murs. Il utilisait pour cela un marteau, une chaise, ou bien, la majeure partie du temps, son pied. Chaussé ou non; on aurait dit que cela n'avait pour lui aucune importance.

Au bout d'une semaine, il avait fait son choix. Et il donna des coups de pied dans « son » mur jusqu'à ce qu'apparut un trou béant où seules résistaient les traverses, assez solides pour soutenir cet assaut.

Pendant le week-end, on replâtra le mur. Le lundi ou le mardi, le trou réapparaissait. Il se passait la même chose chez lui.

Nous avons dû renoncer à boucher le trou. Nous n'avions rien compris. Ce mur, celui qu'il avait choisi, remplissait aux yeux de Danny bien des fonctions. Quand on le grondait, il se précipitait vers lui et tapait dedans. Il agissait de même quand il voulait être puni, quand il désirait quelque chose, quand il essayait d'apprendre et de comprendre un nouveau concept que j'étais en train de lui enseigner. Là, près de son mur, il répétait ce que je lui avais dit, sans se lasser, jusqu'à ce qu'il l'ait compris, ou bien assimilé.

La première année, cependant, il se contenta de lancer des coups de pied, avec ou sans chaussures. Parfois, mais très rarement, quand il ne se sentait pas assez fort ou qu'il avait les pieds en sang, il s'aidait d'un marteau. Et l'enfant, son petit visage tout pâle ruisselant de sueur, le corps et les mains agités de tremblements, comme s'il se préparait à une exécution, disait alors d'un air de défi : « Ouais, Danny a démoli le mur. Maintenant Miria va être fâchée. » Et moi, je n'y comprenais rien.

Essayait-il de sortir de sa cage, était-ce dans son propre système de défense qu'il donnait des coups de pied? Étaient-ce les limites que le monde avait imposées à sa liberté d'expression qu'il essayait ainsi de détruire? Avait-il trouvé là un moyen de se faire punir, ou bien de vérifier que nous ne le laisserions pas renverser les barrières, mais que nous empêcherions toute tentative d'effraction contre le moi véritable qu'il avait caché au-delà du mur? (Ainsi il pourrait sortir, se libérer, être lui-même, mais en ayant toujours l'assurance de pouvoir s'arrêter, non de lui-même, mais grâce à l'intervention de quelqu'un d'autre.)

Était-ce parce qu'il craignait qu'une fois sorti de sa cage, il ne se mette à tuer? Était-ce parce qu'il avait peur de sa faiblesse ou de sa force?

Ou bien donnait-il des coups de pied pour sortir de l'hélicoptère, de la forêt, de l'étoile — de toutes ses prisons?

C'était affreux de voir ce petit enfant se dresser là, devant moi, pâle et tremblant, attendant sa punition en disant : « Danny a démoli le mur. Maintenant Miria va être fâchée. » « Miria » ne pouvait absolument rien faire, parce qu'elle ne comprenait pas et ne savait comment agir.

Mais après bien des incidents de ce genre, une première fissure apparut dans notre mur d'incompréhension. Jusqu'ici, Danny « démolissait » son mur sans incitation apparente. Toutefois, un jour, sa violence me parut directement liée à une agression qu'il avait subie de la part d'un autre enfant, Greg. Juste après que Greg l'eut frappé, Danny se rua vers le mur et commença à donner des coups de pied dedans. Je l'interrogeai :

— Pourquoi? Pourquoi le mur?

Puis j'ajoutai :

« Je me demande si Danny n'est pas en train de taper le mur au lieu de taper Greg?

Danny me regarda et dit, terrorisé :

— Danny démolit Gregie. Gregie a démoli Danny.

Puis il ajouta, au cas où je n'aurais pas compris :

« Danny est démoli et Greg est démoli.

Ainsi, toute attaque physique dont il était l'objet semblait le détruire, le « démolir »; et toute idée, tout souhait ou toute tentative de représailles « démolissaient » l'autre personne. Danny n'osait s'attaquer à personne, c'est pourquoi il s'en prenait au mur — ce mur et l'adversaire étaient interchangeables. Mais chaque fois que le mur était « démoli », Danny semblait démoli, lui aussi — ils étaient également interchangeables.

Le meurtrier mourait avec sa victime.

J'expliquai alors à Danny :

— Le mur n'est ni Greg ni Danny. Les murs ne sont que des murs. Et lorsqu'on cogne dessus ou qu'on leur donne des coups de pied, on les démolit. Mais les gens ne sont pas démolis s'ils reçoivent des coups de pied ou des coups de poing. Gregie va bien. Il n'est pas démoli. Danny va bien. Il n'est pas démoli. Regarde.

« Et si les gens se fâchent quand Danny " démolit " le mur, ce n'est pas parce qu'ils sont, eux, " démolis ", ni que Danny est " démoli ", mais parce que le vent va souffler dans la maison, la pluie va entrer et tout le monde s'enrhumera.

Danny semblait comprendre ce que je lui disais. Il me regardait droit dans les yeux pendant que je lui répétais inlassablement cette explication. Au bout d'un moment, il parut rassuré. Et, à partir de ce jour-là, chaque fois qu'il s'attaquait au mur, il courait vers moi, attendant que je lui redise la même chose. Puis, un jour, enfin, alors qu'il venait encore de cogner dessus, je l'entendis se répéter à lui-même, mot pour mot, l'explication que je lui avais donnée. Danny commença alors à faire la différence, au moins verbalement, entre le mur et lui, entre le mur et les autres. Puis il se mit à tenir compte réellement de cette différence, d'abord en frappant les enfants qui l'attaquaient, puis en prenant lui-même l'initiative du combat, ce qui était encore plus audacieux. Ce faisant, il soumettait ses adversaires, le mur et lui-même à l'épreuve de la démolition.

Bientôt je compris que si Danny était le mur, et Greg aussi, je devais également l'être moi-même. Et Maman aussi, et Papa, comme tout et tout le monde sur cette terre.

Le mur était comme un arbre aux multiples branches noueuses, qui s'étendait à travers le monde entier, telle la peste. Et je ne savais pas comment détordre cet arbre, comment lui ôter ses branches une par une.

J'espérais cependant qu'en établissant une différence entre lui et moi, nous arriverions à faire la distinction entre le mur et moi, entre son père et moi, entre sa mère et moi et, par conséquent, entre le mur et nous tous. Alors, dépouillé de son pouvoir magique, le mur resterait là, impuissant, solitaire — ce ne serait plus qu'un simple mur.

Je me rappelle avoir demandé à Danny :

— Tu n'as pas mal au pied, à force de cogner dans le mur et de te faire saigner?

Et le petit Danny leva les yeux vers moi et me répondit, avec un accent de désespoir dans la voix :

— Non. Cela fait mal à Miria?

Non, je ne pense pas qu'il s'agissait seulement d'une symbiose. Je crois que Danny, que ses parents avaient privé d'amour et d'une image positive de lui-même, n'avait pratiquement aucune existence. Son corps ne lui appartenait pas, parce que personne ne lui avait jamais donné l'impression qu'il pouvait avoir une quelconque valeur. Est-ce arrivé avant ou après sa disparition en forêt et la mort de son grand-père? Je l'ignore. Mais le terrain était certainement fragile, et, après avoir subi ces deux traumatismes, l'enfant s'était vraiment perdu. J'en étais convaincue.

Je me rendis compte alors qu'il n'était pas tellement important que je le comprenne intellectuellement, que je l'empêche de détruire et de se détruire : de toute manière, il ne conserverait pas le sentiment de son identité. Je devais lui faire *sentir* qu'il était désiré, aimé; je devais le faire exister. Son corps devait exister, se valoriser, être traité gentiment, avec tendresse, avec amour, parce que, comme l'exprima l'enfant plus tard, « il le fait être ».

(Les suppositoires, les piqûres et les lavements qu'il avait subis avaient violé le faible sentiment qu'il avait encore de son moi; ils l'avaient ensuite détruit, le rendant inexistant.)

Ce qu'il fallait modifier complètement, c'était son besoin de « se démolir », de se détruire, son désespoir, son impuissance, l'habitude qu'il avait de se blesser.

Et c'est ainsi que l'image que j'élaborai de lui naquit du sentiment qu'il m'inspira, du respect que j'eus pour lui. En fin de compte, ce qu'il fallait avant tout, c'est que l'enfant s'accepte tel qu'il était — bon ou méchant. Alors, et alors seulement, il pourrait me faire confiance et démêler avec moi la toile d'araignée.

Pour commencer, nous avons essayé de distinguer Danny et Mira — ce fut très dur pour l'enfant. Chaque fois qu'il « démolissait » le mur, je me désignais du doigt en disant : « C'est Miria, et Miria n'est pas démolie. » Puis je pointais mon doigt vers lui : « C'est Danny, et Danny n'est pas démoli. » Lentement, il apprit à faire la différence entre Danny, Mira et le mur. Bien longtemps après, quand le mur eut été « démoli » bien des fois, on vit enfin Danny se tenir à côté de lui en répétant : « c'est Danny (il se désignait du doigt), et c'est Miria (il me montrait), et c'est le mur (il pointait le doigt vers lui). » Puis il ajoutait : « Je n'ai démoli que le mur. »

Puis nous avons commencé à faire la différence entre Mira et Papa. Un jour où l'enfant venait de faire tomber à coups de pied un gros morceau du mur, je l'entendis qui disait : « C'est Miria et c'est Danny », en nous montrant chacun du doigt. Puis, regardant tout autour de lui d'un air très gêné, il ajouta : « C'est Papa? Papa va être fâché contre Danny. Papa parlera à Danny. Papa tapera Danny avec une brosse à cheveux. » Puis, d'un grand coup de pied, il détacha un autre morceau du mur et se précipita vers moi. Je pensai que le moment était tout indiqué pour lui montrer que ma colère et celle de son père étaient différentes. Je me fâchai très fort et dis à l'enfant :

— Miria est vraiment furieuse.

Je le secouai. Il me regarda, ébahi, comprenant pour la première fois à quel point j'étais en colère.

— Miria est vraiment furieuse, dit-il.

Puis il ajouta, pris de panique :

« Papa est vraiment furieux.

— Non, pas Papa, mais Miria, précisai-je d'un ton ferme.

Il toucha mon visage et continua à geindre :

— Papa l'est, il est fâché.

Il continua à me débiter tout ce dont son père, de toute évidence, devait le menacer chaque fois que l'enfant avait fait quelque chose de « mal ». C'était : « Il aura un accident », « il descendra sur Danny en parachute et le punira », « il le prendra avec lui », etc.

Je refusai de répéter ces menaces. Danny pleurait, hystérique, me suppliant de redire ces phrases. Puis je compris que c'était là la seule forme de colère que l'enfant connaissait et, malgré tout ce qu'elle pouvait avoir d'horrible, au moins elle lui était familière et, par conséquent, moins terrifiante que ma propre colère, qu'il ne connaissait pas. Je répétai donc tout ce qu'il me dictait, mais avant chaque phrase je précisai : « C'est ce que Papa dit, et non pas Miria. »

Je répétai simplement ce que je lui avais déjà dit : « Miria aime beaucoup Danny. Mais maintenant elle est furieuse. » En même temps, je le secouai à nouveau.

Nous avons souvent rejoué cette scène. Danny ne cessait de provoquer chez moi la même réaction pour bien s'assurer que ma colère et celle de son père étaient différentes.

Enfin, après des semaines et des semaines de « démolition » au cours desquelles je réagis toujours de la même manière, j'entendis Danny se redire à lui-même, en protégeant son mur de ses deux bras étendus : « C'est Miria et pas Papa. »

Puis il ajouta, comme s'il était complètement désespéré : « Où est Papa? » Comme si, en acceptant mes propres valeurs, il avait éliminé Papa. Puis, plus tard, je l'entendis affirmer : « Papa est à la maison et Miria à l'école. »

A partir de ce moment-là, il parla davantage, il « démolit » moins son mur, et la panique qu'on lisait dans son regard commença à s'estomper.

Nous fîmes la même chose avec Mira et Maman. Mais ce fut plus facile après que Danny eut réussi à séparer Mira de Papa.

196

Puis il nous fallut faire la différence entre les objets et moi. Si l'enfant recevait une boîte de conserve sur la tête, c'était Miria qui l'avait fait. Et quand il se faisait mal, c'était encore Miria qui l'avait fait. S'il n'arrivait pas à enfoncer une vis, à mettre ses chaussures, c'était toujours la faute de Miria. Et il devait la frapper. Pendant très longtemps, j'essayai de lui expliquer, de toutes les manières possibles, mais en vain : Mira était pour lui une divinité qui dispensait amour et punitions. Il m'aimait et me haïssait, mais il ne me faisait absolument pas confiance. Cependant, petit à petit, cette confiance finit par naître, elle aussi, après que j'eus été mise longtemps à l'épreuve, et que Danny eut longuement délibéré avec son mur.

Ainsi, très lentement, mais d'une manière sûre, le petit garçon traçait les frontières de son moi. Et, cette fois, ce n'était pas en se tenant à l'écart de tout et de tout le monde afin de se protéger, mais par un sentiment positif de n'être pas si mauvais, ni aussi facilement destructible qu'un mur ou une chaise; il n'était ni moi, ni Papa, ni Maman, mais il avait des relations avec moi, et plus tard, dans une certaine mesure, avec Papa, avec Maman et avec les objets.

Moins il se sentait menacé de commettre ou de subir un empiètement, plus il se trouvait en sécurité avec moi, et moins il éprouvait le besoin de détruire son mur. Il montait la garde à côté de lui, et c'est là qu'il se livrait au travail de réflexion que lui imposait toute pensée nouvelle ou embarrassante. Mais il le démolissait moins. Chez lui aussi, il commença à épargner « son » mur, mais ses parents se plaignirent de ce que, maintenant, il brisait les fenêtres. C'était sa nouvelle lubie. Quand je demandais à l'enfant : « Pourquoi? », la seule réponse que j'obtenais, c'était : « Parce que », ou bien : « Danny, parce que. »

Ses parents s'étaient réjouis de constater qu'il ne s'en prenait plus au mur; ils furent désespérés de le voir casser les fenêtres, et les « corrections » recommencèrent. Puis, un jour, sa mère se coupa assez sérieusement en essayant de remettre un carreau — il y eut du sang, des points de suture, des coups. On accusa Danny. Je n'y comprenais rien. L'enfant se mit à tuer des poissons et à souhaiter que nous allions tous les deux sur une étoile « là où vivent Grand-père et les poissons ». C'était l'époque où nous jouions beaucoup à « nous perdre » et à voir l' « hélicoptère »; Danny « s'envolait » avec moi dans son univers imaginaire, pour toujours sortir vainqueur de son combat contre la mort — c'étaient à la fois Danny et son père qui échappaient ainsi à la destruction.

Il me disait souvent : « Si Danny est méchant, Papa s'écrasera et arrivera la nuit en parachute, par la fenêtre, et il punira Danny. » Ou bien : « Il lui coupera la tête. » Une idée me vint alors à l'esprit : puisque Danny réussissait si bien à ne pas « s'écraser » lorsqu'il jouait son propre rôle ou celui de son père (il ne causait pas d'accident à Papa), grâce aux phares et aux projecteurs, il avait probablement décidé d'essayer de voir ce qui arriverait s'il passait par la fenêtre, en étant « Danny » ou « Papa ». Malheureusement, sa tentative avait échoué. Tout ce qu'il en avait tiré, c'était ce qu'il redoutait le plus au monde — une terrible correction de son père. Après cela, Danny renonça à aller « haut, très haut » avec moi; il cessa de jouer à « être retrouvé », « sans avoir d'accident ». Mais il continua à regarder fixement la fenêtre de notre classe. Je compris qu'il lui fallait la briser pour découvrir que ma réaction et celle de Charles, le directeur de l'école (substitut paternel), seraient différentes de celle qu'il avait provoquée chez lui. Je décidai donc d'ignorer ses menaces quand il déclarait : « Danny veut casser la fenêtre. » Cela dura un mois environ. Puis, un jour, il brisa les carreaux.

Il avait terriblement peur.

— Bon, c'est fait. On va la réparer, tu sais. Mais il vaut mieux que tu ailles expliquer tout cela à Charles, lui conseillai-je.

L'enfant était terrorisé, mais il fallait qu'il le fasse. Il courut alors chez le directeur. Il tremblait, il avait les mains glacées, le visage en sueur; il balbutia : « Danny a cassé une fenêtre. » Il s'assit sur une chaise, se cacha le visage dans les mains et attendit son exécution.

Le directeur parla avec beaucoup de calme :

— C'est dommage, parce qu'il pleuvra peut-être cette nuit, et le vitrier n'est pas libre en ce moment.

Puis il sourit à l'enfant et lui dit :

« Tu aurais dû choisir un autre jour.

Et il lui offrit un bonbon.

Danny se détendit. Il regarda le directeur, incrédule, prit au moins cinq bonbons et quitta la pièce en courant. Il se rua vers moi, me serra entre ses bras à m'étouffer, puis il s'assit sur le rebord de la fenêtre cassée. Il ne permit à personne de s'en approcher, à l'exception du directeur et de moi-même. Il ne cessait de refaire le geste de briser les carreaux de cette fenêtre sans vitre, et le directeur et moi devions lui répéter ce que nous lui avions déjà dit. Il nous fut impossible de réparer la fenêtre pendant près d'un mois; Danny nous en empêchait.

Un mois plus tard, je vis l'enfant près de son mur; il se répétait, mot pour mot, tout ce que nous lui avions dit. Il cassa encore des vitres chez lui, mais ses parents, qui avaient compris la situation, réagissaient comme nous l'avions fait, et bientôt Danny renonça à détruire les fenêtres.

Il se remit à jouer à l'« hélicoptère » et à « être retrouvé ». Il cessa de tuer les poissons. Quand il était sur le point de frapper une chaise ou de démolir un mur, il suffisait que je lui dise : « Assurément, absolument, Danny ne va pas... [frapper la chaise, le mur, etc.] », il s'arrêtait immédiatement et répétait : « Assurlument, absérément, Danny ne va pas... » Il commença à dicter des lettres à tous ceux qui le voulaient bien, et à composer des chansons. Il devint très gentil avec un chat de l'école; il lui arrivait très rarement de le mordre. Et il réclama un chien à ses parents.

Il commençait à accepter de mieux en mieux l'image que j'avais de lui, abandonnant celle que ses parents et lui s'étaient forgée. C'était maintenant un garçon très agréable.

On a souvent l'impression qu'un enfant connaît dès sa conception les mystères de la race humaine. C'est encore plus flagrant chez un enfant perturbé, surtout quand il accomplit les rites jusqu'au bout et qu'il les recommence indéfiniment. Les nombres de la Cabale, les guérisseurs, l'exorcisme, l'identification totémique aux animaux, les cercles et les nombres magiques, la magie du ciel, des étoiles, de l'eau... Les enfants semblent connaître déjà tout cela.

Il est probable que Danny commença à avoir peur des bougies le jour où il assista à la veillée funèbre de sa petite amie et qu'il la vit étendue, morte, entourée de cierges.

Depuis que je le connaissais, les bougies semblaient l'un de ses principaux sujets de frayeur. Dès qu'il en apercevait une, il pâlissait et essayait de la détruire, en poussant des gémissements. La vue d'une bougie allumée le plongeait dans une terreur telle qu'on avait l'impression qu'il allait exploser.

Parfois, il emmenait dans un coin une grosse motte d'argile pour modeler des rangées et des rangées de bougies tout en marmonnant : « C'est une bougie ça. » Il fallait donc lui épargner la vue des bougies, du feu, et de tout ce qui pouvait y ressembler. J'ai essayé de comprendre — inutilement. J'ai essayé de l'aider à surmonter sa frayeur — en vain.

Comme je l'ai déjà mentionné, il assimilait le piano à une bougie, et il en avait peur. Chaque fois que quelqu'un s'en approchait, Danny avait une réaction étrange. Il évaluait la distance, comme s'il traçait mentalement une ligne de séparation, et si d'aventure quelqu'un la franchissait, il en était bouleversé.

Puis, un jour, il prit soudain un morceau de craie et commença à tracer des cercles. Il en dessina un autour du piano et l'autre au centre de la pièce. Puis, l'air très affairé mais toujours en silence, il plaça ses bougies d'argile tout autour du cercle central — en marmonnant des choses incompréhensibles. Nous avons tous dû rester à notre place. Lorsqu'un des enfants essaya de franchir le trait de craie, Danny le repoussa violemment, comme s'il craignait quelque chose. Puis il entra dans le cercle et dit : « Danny est mort. » Il s'allongea sur le sol, à l'intérieur du tracé, entouré de toutes ses bougies d'argile. Je regardais la scène, pétrifiée; j'ignorais ce qui allait se passer mais je n'osais pas interrompre l'enfant.

Il ferma les yeux et resta ainsi étendu, sans faire un mouvement, respirant à peine. J'avais terriblement peur qu'il ne détruise sa nouvelle personnalité, si fraîchement acquise. Je compris qu'il fallait que je l'atteigne, d'une manière ou d'une autre. Je ne pouvais pas le laisser trop s'éloigner de moi. Je me rapprochai du cercle, sans toutefois franchir la ligne qu'il avait tracée, et je lui chuchotai : « Danny, Miria t'aime beaucoup », essayant désespérément de garder le contact avec lui, comme si sa vie en dépendait. Danny ne réagit pas. Il respirait lentement, faiblement. Son visage était d'une blancheur de marbre; pas un muscle ne bougeait. Je lui répétai, très doucement : « Miria aime beaucoup Danny. » Je partageais son agonie.

Au bout d'un moment, je vis bouger ses paupières. Il se leva comme s'il sortait d'un profond sommeil. Il ne semblait pas se rendre compte de ce qui s'était passé. Il marcha sur la ligne de son cercle magique; je fis comme lui, et il ne manifesta aucune réaction. Je le serrai dans mes bras et l'embrassai, puis nous sommes sortis manger une glace. Il se livra plusieurs fois à ce rite étrange dont il semblait ensuite ne pas se souvenir; mais à chaque fois, maintenant, il le faisait précéder d'un « concert » bruyant, en tapant des pieds et des mains sur le piano. Quand il renonça à jouer cette scène macabre qui figurait sa propre mort, il commença à allumer des bougies et des feux, pour lesquels, comme n'importe quel autre enfant, il éprouva de la fascination. Il se mit également à jouer du piano et, bien souvent, il se déchargeait sur lui des remontrances que lui avaient faites Papa et Maman.

Danny apprit à se rapprocher des enfants, des adultes et des animaux. Il avait un chat maintenant. Au début, il le mordait souvent; toutefois, ils devinrent amis. Quand l'enfant venait à l'école le visage tout égratigné, il me disait immédiatement : « Danny et son chaton se sont bien battus, mais Danny est griffé; le chaton n'a rien. » Il appela son chat « Bleu », peignit sa chambre en bleu et il aimait porter des vêtements de cette couleur. Il savait maintenant reconnaître ce qu'il aimait et ce qu'il n'aimait pas, et comment l'exprimer. Il commençait à comprendre quelles étaient ses limites et, par exemple, s'il n'arrivait pas à enfoncer une vis jusqu'au bout, il disait : « Danny a besoin d'aide. »

Et c'est ainsi qu'il devint de plus en plus fort; ses frontières se consolidèrent. Je peux dire qu'en même temps il devint plus heureux. Je l'aimais profondément. C'était un enfant plein d'imagination, de vitalité et de créativité, dont j'appréciais beaucoup la conversation et la compagnie.

Son agitation avait presque complètement disparu. Il avait cessé de démolir les murs. Il ne « volait » plus en hélicoptère. Il avait renoncé à détruire et à se détruire. Il n'avait plus peur des étoiles — la lune et le soleil avaient leur place dans sa constellation. Sa peur excessive de la mort s'atténuait; nous grandissions ensemble. Il avait encore besoin de la bascule et de la chanson, mais c'était surtout à titre de souvenir.

Nous avions même modifié ensemble la chanson qui prit un air guilleret grâce aux mots nouveaux que lui ajouta Danny :

> Là-haut, très haut nous allons
> Là où le vent mugit
> Et les oiseaux volent
> Le soleil est doré et réchauffe Danny
> La lune brille et éclaire la nuit
> Les étoiles luisent partout dans le ciel
> Là-haut, très haut,
> Le soleil aime beaucoup Danny
> La lune aime beaucoup Danny
> Les étoiles aiment beaucoup Danny
> Et Miria aime tellement Danny.
> Là-haut, très haut dans le ciel nous allons
> En haut et en bas, en haut et en bas
> Et nous voici en bas — en sécurité.

Il lui arrivait encore de « s'éloigner », de temps en temps; il s'installait dans son rocking-chair, ou bien s'asseyait sur le rebord de la fenêtre, le regard fixe. A ces moments-là, il donnait l'impression d'être totalement inaccessible. Mais les intervalles qui séparaient ces crises étaient beaucoup plus longs, et la période pendant laquelle l'enfant « se retirait » ainsi en lui-même beaucoup plus courte qu'auparavant. Ces « retraites » étaient également d'une qualité différente, et déclenchées par d'autres facteurs : par exemple, la confrontation à une frayeur d'un genre nouveau et la nécessité d'y faire face.

Pendant ces moments-là, on aurait dit qu'il essayait d'intégrer tout ce qu'il avait appris. Au début, quand je voulais mettre fin à son isolement, il me disait : « Danny veut être seul », ou bien « Danny a besoin d'être seul. » J'essayais de faire excuser mon intrusion en expliquant : « Mais je pensais que tu t'étais perdu et j'essayais simplement de te retrouver. » Le regard qu'il me lançait alors disait assez combien je me trompais, combien j'étais insensible à ce qui dictait son attitude.

Je compris ensuite qu'il se retirait parce que cela lui était nécessaire — pour intégrer, pour se rassurer, peut-être même pour revenir quelques pas en arrière afin de pouvoir ensuite continuer sa route. Il était comme un nageur qui retient sa respiration et la laisse échapper lentement — pour apprendre, sans s'asphyxier, à quoi cela ressemble d'être sous l'eau.

Nous étions si proches l'un de l'autre qu'il arrivait parfois à lire mes pensées. Je me souviens du jour où je m'en rendis compte pour la première fois. Il faisait froid et j'allai le chercher pour l'emmener au parc à jeux. Il était assis sur le rebord de la fenêtre. J'allai vers lui et, avant même que j'ouvre la bouche, il me dit : « Non, Danny ne veut pas aller au parc à jeux. » Au début, cela me fit peur. Allais-je devoir surveiller chacune de mes pensées? Mais, au bout d'une semaine, je commençais à trouver cela normal.

Était-ce dû au fait que Danny n'avait pas de frontières? Était-ce à cause de sa très grande sensibilité? Ou peut-être que, face à lui, je renonçais, moi aussi, à mes frontières? Je nous observais tous les deux, très attentivement. Mais non — je conservais mes frontières et Danny était en train de construire les siennes.

L'enfant se développait bien, et nous nous réjouissions tous les deux des progrès qu'il faisait. C'était un garçon profond et sensible; c'est pourquoi, je pense, il était si merveilleusement bien pendant ses moments de répit, et si gravement malade en période de crise.

Ce petit animal sauvage, solitaire, se mit à aimer la vie en société. Il se blottissait contre les autres enfants, jouait avec eux, et il lui arrivait très souvent de deviner leurs besoins (par exemple, il offrait son jouet favori à un enfant qui pleurait).

Son visage rayonnait du bonheur de se sentir appartenir à un groupe, de chaleur, d'amour et, très souvent, de malice. Il avait du respect pour lui-même.

Puis arriva notre deuxième été.

Les parents de Danny avaient beaucoup changé pendant l'évolution de leur fils. Sa mère demanda une psychothérapie pour l'aider à résoudre ses problèmes. Son père me dit :

— L'enfant est agréable et, pourtant, j'ai peur de lui. Que dois-je faire? Qu'est-ce qui ne va pas? Il ne s'agit plus de mon fils. C'est donc moi qui suis en cause.

Et il entra en traitement.

J'aimais Danny plus que jamais. Je me rappelle encore combien je trouvais bizarre de recevoir un salaire pour m'occuper de cet enfant que j'aimais tant. Faire quelque chose qu'on est si heureux de faire et être payé pour cela — je trouvais cela presque indécent. Je passais six heures par jour avec lui à l'école, tous les jours de la semaine sauf le samedi et le dimanche. Et j'allais très souvent le voir pendant le week-end.

Ses parents et sa sœur songèrent à prendre des vacances. Je leur promis de m'occuper de Danny pendant quinze jours. Je pensais que ce serait une partie de plaisir. J'avais tant d'affection pour cet enfant, je me plaisais tant avec lui que j'attendais avec impatience ces deux semaines de vie commune.

Ce fut en effet très amusant, mais aussi très dur, beaucoup plus dur que je ne me le serais imaginé.

J'étais seule avec l'enfant vingt-quatre heures sur vingt-quatre. Totalement seule, sans personne pour m'aider, pour me soulager. Certes, Danny était heureux d'être avec moi, il m'aimait, mais son foyer lui manquait. Ses parents, sa sœur, la routine habituelle, lui manquaient. Et ce n'était pas la même chose de l'avoir six heures par jour à l'école et de m'en occuper vingt-quatre heures sur vingt-quatre. Nous étions tout le temps ensemble. Quand il était fatigué, il devenait capricieux. Quand il en avait assez de me voir, il n'y avait personne pour me relayer. Je devais pouvoir faire preuve à tout instant de sensibilité, de vigilance, de force et d'endurance.

Je ne pouvais même pas aller mettre toute seule une lettre à la poste. Danny ne voulait pas me quitter d'une semelle. Sa mère découvrit alors qu'elle devait subir une intervention chirurgicale, et je gardai Danny chez moi quinze jours de plus.

C'est là que j'appris à respecter les parents de ce genre d'enfant. On ne peut imaginer ce que cela veut dire, parfois, de vivre en permanence avec un enfant perturbé. C'est une véritable épreuve d'endurance. Il arrive qu'on ne puisse plus tenir le coup, et que les nerfs lâchent.

C'est là que j'appris, au moins en partie, ce que subissent les parents de ces enfants.

Ce que cela veut dire de n'avoir aucune vie personnelle.

J'appris à ne pas juger si facilement et à ne pas accuser si hâtivement, avec tant d'incompréhension.

J'appris à avoir de la compassion pour les familles. J'appris l'humilité.

Et j'en serai toujours profondément reconnaissante à Danny et à ses parents.

Ce fut un mois terrible — et pourtant Danny n'était pas mon fils. Ce fut aussi un mois merveilleux — peut-être parce qu'il n'était pas mon fils.

Je me souviens d'un certain voyage en métro. A cette époque, Danny était fasciné par les bijoux en strass, qui étaient alors à la mode. « La dame a des diamants, de beaux diamants » dit-il en aparté en montrant du doigt les boucles d'oreilles d'une dame assise de l'autre côté de l'allée. Flattée, celle-ci insista pour que ce charmant petit garçon vienne s'asseoir sur ses genoux. Après tout, un diamant est toujours un diamant, qu'il soit vrai ou faux. Danny toucha les boucles d'oreilles, l'une après l'autre, puis, sans crier gare, il embrassa la dame sur la joue. Mais pour lui, baiser et morsure étaient encore parfois interchangeables, et il mordit la dame. Ce fut la panique. Heureusement, la rame arrivait à la station suivante. Jamais un enfant ne quitta aussi rapidement une voiture de métro!

La mère de Danny avait subi une opération des ovaires. L'enfant l'avait entendue me raconter qu'on lui avait ôté un kyste de la taille d'un gros bouton; quelques jours plus tard, il commença à s'emparer de tous les boutons qu'il trouvait. Sa collection grossit de jour en jour. Dans ma penderie, il n'y avait plus un seul bouton à mes vêtements. Les parents de Danny connurent la même mésaventure quand l'enfant rentra chez lui.

Pour Danny, son séjour chez moi se solda par un grand succès. C'était la première fois qu'il quittait son foyer et il avait brillamment passé l'épreuve. Il continuait de faire des progrès. Il grandissait.

A l'automne, tout le monde fut surpris du changement qui s'était opéré dans l'enfant. Le psychiatre et le directeur pensèrent qu'il était prêt à passer dans une classe supérieure regroupant des enfants moins perturbés, capables de suivre un enseignement scolaire. Danny devenait plus sociable et commençait à se lier à certains adultes de l'école. Il avait parmi eux un préféré, qui devint son professeur.

Au début, il resta avec moi à mi-temps, pour que son sevrage soit progressif. Mon travail était fini. Du moins était-ce l'avis des autorités.

Tout au fond de moi, je ne souhaitais pas que Danny change déjà de groupe. Il n'était pas prêt. Il me demanda une fois : « Miria sera toujours avec Danny? » et il fit lui-même la réponse : « Miria *sera* toujours avec Danny. » Mais je me méfiais de mes réactions. Peut-être étais-je comme ces mères qui essaient de retenir leur enfant parce qu'elles n'acceptent pas de s'en séparer?

Car ce petit garçon représentait beaucoup pour moi.

Il était Danny, mais il était aussi une partie de moi-même, perdue quelque part, que j'essayais désespérément de trouver. Il était l'enfant que je n'avais pas. Il était ma sœur, mon frère, que je connaissais à peine. Il était toutes les blessures et toutes les joies que j'avais vécues. Tous les enfants que j'avais connus. Il était moi; il était Danny; il était tout. Et l'on allait me le prendre.

Comment pouvais-je être juge? Comment pouvais-je savoir s'il s'agissait de lui ou de moi?

C'est pourquoi entre les impulsions du cœur et les conseils de la raison, je choisis d'écouter la raison et acceptai le transfert de Danny.

Dans son nouveau groupe, Danny — qui était furieux contre moi — devint pire de jour en jour. Lui qui avait fait tant de progrès, régressait maintenant. Ses accès de colère revinrent; il arrachait sans cesse des boutons; et il se remit à tout démolir : les murs, les fenêtres. Il avait les pieds en sang; il retourna dans son rocking-chair, reparla des étoiles, de se perdre et de s'écraser au sol. Tout recommençait comme avant. Je demandai qu'on me le confie à nouveau, mais on me répondit qu'il s'agissait seulement d'une phase que l'enfant devait traverser avec son nouveau professeur; si j'interférais maintenant dans le processus, Danny ne pourrait jamais mener à bien cette adaptation.

La déception éprouvée par les parents de Danny fut trop grande. Ils étaient fatigués. Il leur fut impossible de supporter à nouveau l'épreuve qu'ils avaient déjà subie. Ils entendirent parler d'un nouveau service que l'on était en train de créer dans un hôpital d'État; ils voulurent y placer Danny.

Ils ne pouvaient plus garder l'enfant chez eux. Je les suppliai : « Ne l'envoyez pas là-bas. Ne le faites pas hospitaliser. » Ils me répondaient alors : « S'il s'agissait de votre fils, Mira, que feriez-vous? » et « N'avons-nous pas le droit de vivre, nous aussi? Et nos autres enfants? » Que pouvais-je leur répondre — de quel droit dicterait-on aux gens ce qu'ils doivent faire? Il s'agissait de leur enfant, mais aussi de leur vie. Ils le firent entrer à l'hôpital.

De quel droit peut-on dire à quelqu'un combien de temps il doit porter sa croix, et comment?

De quel droit? Surtout quand on sait que l'on ne peut promettre que ce calvaire prendra fin un jour.

C'était un chemin interminable, vide, aride, sans issue. Et la tragédie a bien des visages. Quelle que soit leur décision, les parents de Danny vivraient de toute façon une tragédie. Leur fils serait toujours avec eux, à chaque minute de leur existence. Parce qu'il était leur fils.

Mais il était aussi le mien.

Non, Danny, je ne t'ai pas retrouvé quand tu t'es « perdu ». J'ai échoué.

Je n'ai pas pu tenir ma promesse. Je suis allée à l'hôpital bien des fois. Nous nous asseyions sur les marches de l'escalier ou dans le parloir et je chantais à Danny toutes les chansons qu'il aimait tant :

Les cheveux de Danny sont comme le soleil
Les yeux de Danny sont comme le ciel.

Il avait alors un petit sourire désespéré et ne voulait pas me laisser partir. Il suppliait qu'on me permette de l'emmener.

Non, Danny, je ne t'ai pas retrouvé « quand tu t'es perdu » — « petit » ou « grand » — parce que je n'ai pas su trouver le chemin qui conduisait vers toi.

Et je ne suis plus jamais retournée à l'hôpital parce que j'étais terrifiée de mon impuissance, et que la faiblesse est un sentiment accablant. Pendant longtemps, bien longtemps, on se déchire le cœur, puis il vient un moment où l'on ne peut plus.

Non, Danny, je n'ai pas su te retrouver quand tu t'es perdu. Pardonne-moi.

Winthrop et les autres

Winthrop a neuf ans. C'est un petit schizophrène, coupé de la réalité et des autres enfants. Il se replie sur lui-même, ne parle à personne et vit dans le monde imaginaire qu'il s'est forgé : les ennemis contre lesquels il se bat, les voix auxquelles il répond, les malheurs qui le font pleurer sont tous le fruit de son imagination.

C'est un enfant assez laid, doux, avec de grands yeux noirs et toujours la goutte au nez. Ses lacets perpétuellement dénoués, il ne porte parfois qu'une chaussette. Son manteau est rarement bien mis; il le boutonne de la manière la plus fantaisiste. Il possède quelques trésors sur lesquels il veille jalousement. Il tient beaucoup à son calepin dans lequel il écrit toutes sortes de textes qui restent secrets. Il adore son « journal » auquel il confie dans les moindres détails tout ce qu'il a fait et tout ce qui s'est passé dans la journée. Mais son bien le plus précieux, c'est une boîte pleine de capsules de bouteilles. C'est son trésor. Il les considère comme ses amies, ses seules amies. Quand il arrive en classe, il s'installe à une table, étale toutes ses capsules et commence à leur parler. Elles, au moins, ne lui font pas peur. Il n'a rien à redouter de leur part : ni souffrance, ni haine, ni danger. Il en possède plus de cent, et chacune a un nom, une identité, une personnalité propres. Winthrop engage avec chacune d'entre elles une bagarre ou une partie de jeu. Parfois, il les répartit en deux camps. Il devient alors le général en chef, et c'est lui qui dirige les opérations.

Un jour, il les peignit, les unes en vert, les autres en jaune ou en blanc. Il en fit trois camps. Et lui se tint au milieu : il était l'ami, le roi, Dieu, leur créateur.

Elles se livrèrent bataille. Le combat me semblait un peu confus; mais ce n'était pas l'avis de Winthrop. Il les faisait toutes gagner. Puis un jour, en arrivant en classe, je vis que les capsules n'étaient plus là. Elles n'étaient pas sur la table ni dans leur boîte ni sur le sol. Le bureau auquel était assis Winthrop était nu, vide. Les « amies » avaient disparu. C'était bizarre. Je pris peur. Je savais par expérience le drame que déclenchait la disparition d'une des capsules. Je savais aussi combien les autres enfants détestaient Winthrop; ils le taquinaient parfois en lui en cachant quelques-unes. Mais jamais ils ne lui avaient pris toutes ses capsules à la fois. Peut-être avais-je peur parce que je pressentais que quelque chose était arrivé à Winthrop. Tout changement, même s'il est bénéfique, a quelque chose d'effrayant.

Je regardai par la fenêtre et là, dans une petite mare, je vis flotter les capsules. Les vertes, les jaunes, les blanches, et les grises. Certaines étaient abîmées, d'autres étaient sales, et il y en avait qui restaient là, immobiles. Toutes ses amies avaient échoué dans une mare. Avec leurs noms, leurs histoires, les cicatrices de leurs combats. Elles qui avaient été l'objet de tant de soins, être traitées ainsi, avec tant de mépris! Toutes les compagnes de jeu de Winthrop. Je me retournai et dis à l'enfant d'une voix légèrement altérée :

— Où sont tes capsules, Winthrop?

— Je ne sais pas. Elles sont parties, me répondit-il avec calme, l'air désinvolte.

— Quelqu'un les aurait-il jetées? continuai-je, stoïque.

— Je ne sais pas. Peut-être. Mais elles sont parties et je n'en veux plus.

Puis, pour la première fois depuis que je le connaissais, il me regarda en face, puis tourna les yeux vers les enfants et, d'une voix timide, il ajouta :

— C'est moi qui l'ai fait.

Il marqua une pause, puis reprit, avec un accent de désespoir :

« J'aime mieux jouer avec des enfants. De vrais enfants, dit-il, hésitant, et il ajouta doucement : je crois.

Et, tout gêné, il sortit de la classe en courant.

Il revint avec un seau d'eau qu'il posa au milieu de la pièce.

210

« J'ai apporté cela pour la classe. Pour tout le monde, pour tous les enfants, dit-il les yeux brillants, des tremblements dans la voix.

Les enfants acceptèrent le cadeau sans faire de commentaire; le silence régnait dans la classe. Winthrop sortit alors de mon tiroir tous les crayons qui s'y trouvaient et se mit à les tailler. Dès qu'il en avait terminé un, il disait :

« Je fais cela pour tout le monde. Pour toute la classe.

Puis il regardait ceux qui restaient et disait doucement, l'air timide :

« Et je ne veux rien en échange.

Il existait entre les enfants une telle proximité qu'ils devinaient toujours quand il se passait quelque chose d'important. Winthrop revenait de loin — ils le savaient. Et, bien qu'il ait souvent fait les frais de leurs plaisanteries cruelles, ils étaient prêts à l'aider.

A midi, j'apportai un gâteau et en donnai une tranche à Winthrop. Il resta debout au milieu de la pièce, la main tendue, prêt à partager son morceau avec tout le monde. Nous savions tous combien il était gourmand. Mais, je l'ai dit, il se passait quelque chose chez les enfants. L'un d'eux donna à Winthrop la moitié de son gâteau. Alors, un autre s'approcha et fit la même chose. Puis un autre. Encore un autre. Les joues de Winthrop devinrent cramoisies de plaisir. Il avait la bouche pleine de gâteau. Avec son nez qui coulait, sa veste boutonnée de travers et ses lacets dénoués, il valait vraiment le coup d'œil. Mais il était heureux et les autres enfants avaient l'air de l'aimer.

Lancelot. Il avait cinq ans. Son affreux petit visage sale, couvert de morve, était si repoussant que l'enfant restait toujours tout seul dans son coin.

Lancelot, auquel sa mère avait donné ce nom en pensant au glorieux chevalier de la Table ronde, était si petit, si rabougri, si gauche, que la déception fut trop forte, et sa mère se sentit incapable de l'aimer.

Je l'appelai Lance — il fallait lui redonner sa vraie dimension. Il passait sa vie dans le bac à sable qui était devenu son univers.

211

Pendant des heures, il construisait des châteaux de sable très compliqués. Ils étaient si petits que, pour les voir, il fallait se mettre tout près. Mais dès qu'on s'en approchait, Lancelot les détruisait. Pour qu'ils ne soient pas souillés; pour que son univers ne soit pas souillé.

Ces châteaux étaient beaux et puissants. Ils avaient des fossés, un pont-levis, et de hautes murailles épaisses — ils étaient inaccessibles. Ils protégeaient l'enfant du monde extérieur et le gardaient en sécurité dans son propre univers. Ses châteaux étaient à lui, et à lui seul.

Je m'asseyais à bonne distance de lui, sur une branche, et je le regardais faire. Il essayait de me chasser, mais je ne partais pas. Il se faisait encore plus laid, mais je ne détournais pas la tête.

Un jour, il oublia la muraille et permit à un autre être humain de pénétrer dans son monde jusque-là solitaire. Il me laissa construire avec lui. Lance laissa entrer l'amour. Il se rétablit. Et il devint encore plus beau que ne le fut jamais Lancelot du Lac.

Les jeunes délinquantes de Katy Kill Falls trouvèrent un jour un lapin. Nous étions en train de travailler près du transformateur; nous peignions des chaises. Une fille, Gertie, qui avait terminé sa tâche, jouait toute seule au ballon contre le mur du transformateur. Elle le fit tomber sur le toit. Elle essaya de grimper pour aller le chercher, mais le mur était trop lisse. Gertie vint chercher du renfort. Bonnie et Cybelle essayèrent de l'aider, mais sans résultat.

Je leur suggérai :

— Allez à la salle de gym et revenez avec le moniteur. Il est grand.

Elles partirent, et revinrent escortées de Leona, qui est de petite taille. Tout le monde disparut derrière le transformateur; elles voulaient faire une pyramide humaine pour escalader le mur. Soudain, j'entendis des cris. Je crus que le bâtiment s'était écroulé sur leurs têtes. Je me précipitai, essayant de comprendre quelques mots saisis au vol : « Un lapin! », « Nous avons trouvé un lapin! », « Il est à nous », criaient-elles toutes en même temps. Je courus vers elles. Bonnie tenait dans ses bras un gros lapin noir qui remuait le nez et fixait les yeux sur quelque chose — quoi? Personne n'aurait pu le dire. Très fière, malgré sa frayeur, Bonnie hurla :

— C'est notre lapin, maintenant.

Les hurlements de Gertie frisaient l'hystérie :

— Personne ne nous l'enlèvera. Vous entendez? Nous allons le garder!

Moi aussi, je me sentais excitée. C'était un joli petit animal. Puis je regardai les filles, les « dures » de l'établissement, des criminelles endurcies. Celles que tout le monde appelait des putains. Leur visage avait pris une expression que j'avais rarement vue. Elles se serraient les unes contre les autres comme si elles voulaient protéger le lapin contre une attaque extérieure. Elles avaient l'air effrayées, douces et vulnérables. En montant la garde autour de leur lapin, elles devenaient tendres et craintives. Leur tentative d'intimidation à mon égard fut de courte durée, remplacée bientôt par l'ardeur et la supplication que je lisais dans leurs yeux.

Je les rassurai :

— Bien sûr que vous pouvez le garder. Il est si mignon.

Toute expression de ressentiment, d'amertume et de souffrance disparut de leurs visages.

Bonnie dit alors :

— Vous savez, je vais vous dire une chose. C'est la première fois que je tiens quelque chose de vivant dans mes bras. Il est petit, tout chaud, et il respire. Il est à moi.

« Vous savez, je ne l'ai pas attrapé. Il est venu à moi », murmurait la délinquante de Katy Kill, la dure, la coriace, « il est venu tout seul dans mes bras. Oh, que je l'aime. On dirait un bébé.

— Ouais, tout seul, dit Belle.

Et toutes répétaient en écho : « Tout seul », « Tout seul. » Et je pensai : merci, mon Dieu, pour ce petit lapin.

Les cinq filles, l'une après l'autre, touchèrent doucement l'animal, très émues, et toutes avouèrent leur amour et leur faiblesse devant ce petit être. Gertie confessa :

— Vous savez, il m'effraie vraiment. J'ai peur de le toucher.

Gertie n'admettait jamais qu'elle puisse avoir peur de quelqu'un ou de quelque chose.

Prise de pitié, Bonnie mit l'animal dans les bras de Gertie — Bonnie, qui se battait au couteau, qui griffait et arrachait les cils à la moindre provocation. Gertie, visiblement terrorisée, prit le lapin. Quelque chose, alors, se produisit en elle. Elle se détendit, sa peur s'envola, et, tendrement, elle posa sa tête contre celle de l'animal et l'embrassa sur le nez. Le lapin éternua. Ce fut un éclat de rire général.

Le lendemain, un homme se présenta et emmena le lapin. Il était à lui.

J'essayai de le lui acheter; il refusa. Je proposai aux filles d'acheter un autre lapin. Elles ne voulurent pas. Elles avaient repris leurs masques et redevinrent les putains de Katy Kill.

Et puis il y avait Maria, la muette, rapide, gracieuse, insaisissable. Irréelle. Silencieuse et douce. Elle est là, et soudain, elle a disparu! Si vous la poursuivez, vous ne pouvez pas l'attraper. Si vous l'attrapez, vous ne pouvez pas la garder. Il n'y avait rien à faire.

Et puis, soudain, vous trouviez la solution. Une chanson. Dès qu'elle entendait chanter, Maria sortait de sa cachette; où qu'elle fût. Elle s'arrêtait net dans sa course et revenait vers vous. C'était la seule faille de l'épaisse muraille défensive qu'elle avait bâtie autour d'elle. La seule faille qu'elle ne comblait pas avec la peur et la souffrance dont elle s'était servie pour construire sa forteresse. Elle dressait ces murs pour se mettre à l'abri, se tenir à distance et se protéger de la vie.

Une chanson. Une combinaison de notes et de mots. Cela suffisait à faire naître un sourire sur le visage de Maria; elle était vaincue. Plus tard, beaucoup plus tard, elle avait si bien pris goût aux chansons que finalement elle se joignait à vous pour chanter et commençait à vous aimer et à vous faire confiance à travers la mélodie. Et Maria, avec sa jolie petite voix argentine, toute craintive, chantait avec vous, utilisant les mêmes mots que vous.

Plus tard, beaucoup plus tard encore, Maria apprit à demander ce qu'elle voulait — en chantant. Les chansons lui permettaient de tout exprimer : ses chagrins, ses déceptions, ses colères aussi. Il fallait lui répondre de la même manière. Car si la mélodie s'interrompait, Maria cessait de vivre. Ce n'est que longtemps, bien longtemps après, lorsqu'elle eut grandi et que sa confiance en elle et dans le monde qui l'entourait fut devenue plus solide, qu'elle cessa de chanter et se mit à parler. Elle devint alors comme vous et moi — en mieux.

Kate. La grosse, l'énorme, l'horrible Kate. Toujours en colère. Si maladroite, si stupide. Torturée par la culpabilité. Sans espoir.

Elle regardait sans voir, aveuglée par la peur. Elle parlait sans dire un mot, rendue muette par la souffrance; elle écoutait sans entendre, assourdie par l'horreur.

Un jour, me voyant danser, elle se joignit à moi. Au bout de quelque temps, elle commença à sortir de sa forteresse. Petit à petit. Mais seulement quand elle dansait. Quand elle dansait avec moi et pour moi. A travers cette danse, elle me « parlait », elle me racontait toute son histoire.

Et, à force de « parler », d'être écoutée et parfois même comprise, elle commença à oublier sa peur, et ses mouvements devinrent plus libres, plus gracieux. Son histoire n'était que violence, brutalité et rejet; mais, à mesure que le temps passait, elle fit place à la tendresse, à la douceur et à l'amour.

La métamorphose de cette enfant offrait un spectacle étrange. Elle ne s'opérait qu'à travers le mouvement. Comme elle savait faire parler son corps! Et comme son corps changeait! Elle dansait avec un total abandon, une sensibilité et une grâce extraordinaires. La grosse, l'énorme, l'horrible Kate dansait pour sortir de son cocon et se métamorphoser en papillon, le plus beau qui soit au monde.

Cela prit un certain temps.

Jimmy. C'était un petit garçon de six ans, adopté quelques jours après sa naissance. Un bel enfant, sensible et doux. Une fois, il essaya de faire flamber un de ses camarades, « pour voir à quoi ressemblait la chair brûlée ». Il avait des cheveux dorés, un visage de chérubin, et tant d'amour en lui qu'il devait tuer : vous, les oiseaux, les chats, les autres enfants... De peur que ce ne soit votre amour qui le tue.

Pour Jimmy, l'amour et la mort se confondaient. On ferme les yeux, on serre les dents, on attaque et l'on donne la mort. On pousse alors un cri de plaisir et l'on se sent soulagé. Il faut tuer. Un oiseau, un chat, un poisson, n'importe quoi — on peut aussi essayer de tuer un enfant, ou un adulte. Quel soulagement on éprouve ensuite! Le besoin de tuer est si impérieux.

Mais après, on se fait punir. Pourquoi? Il faut prendre l'air coupable; la punition sera moins sévère. Mais, en réalité, vous n'êtes absolument pas coupable. Vous deviez faire ce qui était pour vous le plus logique. Les grandes personnes ne comprennent rien à cela et déclarent que vous êtes coupable. Et vous vous comportez en coupable. Vous avez peur. S'il n'y a pas de véritable culpabilité, la terreur de la punition, elle, est bien réelle. « Tuons. Tuons l'oiseau. Comme cela on pourra voir ses entrailles » : c'est l'excuse qu'on choisit. Les adultes comprennent mieux cet argument — mieux que si vous leur dites que vous devez tuer l'oiseau parce que vous l'aimez. Mais après, de toute façon, la peur vous envahit, que vous tuiez ou non. La terreur vous change.

Avec elle naît la colère. Contre ceux qui font peur. Alors, le corps de Jimmy se modifie, comme s'il était habité par autre chose. Comme dit l'enfant, « les diables vivent là ». Il se raidit, tendu comme un ressort bien bandé. Puis il commence à se secouer et à se balancer. Les bras écartés, il agite les mains comme s'il battait des ailes. Ses pieds bondissent, ne touchant plus le sol que de la pointe des orteils. Puis il se penche en avant, comme un oiseau prêt à s'envoler. Mais Jimmy ne peut pas voler; il n'est qu'un petit garçon. Il reste au sol, battant inutilement des ailes, impuissant, désespéré. Le visage rouge, grimaçant, les veines du cou saillantes, il reste seul avec sa peur, seul avec ses efforts perdus, incapable de s'envoler.

Jimmy est un enfant très intelligent. Il connaît parfaitement le corps humain et tous ses organes. Surtout les organes reproducteurs. Il sait tout sur les trompes de Fallope, les ovaires, les utérus et les vagins. Il connaît aussi les pénis et les scrotums.

La vie, la mort, l'amour, la naissance. Où commence la naissance? Pour Jimmy, le monde est une mère, une immense matrice — une mère qui le rejette. Ses parents sont convaincus qu'il ignore tout de son adoption. Personne n'en parle jamais. Peu de gens sont au courant. C'est l'enfant qui m'en a informée.

Un jour, Jimmy grimpa dans un gros carton d'emballage; il se coucha au fond, referma le couvercle au-dessus de sa tête et dit :

— Mira, c'est la boîte où ma vraie Maman m'a laissé, sur le pas de votre porte. Maintenant, vous ouvrez la porte et vous trouvez la boîte. Alors, vous ouvrez la boîte et vous voyez un bébé. Suis-je un beau bébé?

— Oui, tu es un très beau bébé.

— Très bien, emmenez-moi chez vous. Vous m'avez trouvé et maintenant je suis à vous. Adoptez-moi.

Jimmy commence à geindre comme un bébé.

« Prenez-moi dans vos bras, portez-moi. Vous ne voyez pas que c'est pour cela que je pleure?

Je vois. Je le prends dans mes bras comme s'il était un tout petit enfant. Il gazouille.

« Maintenant, nourrissez-moi comme un bébé, avec du lait.

Je fais ce qu'il demande. Dans mes bras, Jimmy se détend et sourit, l'air béat. (Il semble même plus détendu et plus heureux qu'après l'un de ses meurtres.)

Cela dura des heures et des heures. Puis, soudain, brusquement, il sauta de mes genoux et se mit à me frapper, pris d'une crise de rage :

« Mais pourquoi m'a-t-elle abandonné? Pourquoi ne m'aimait-elle pas? J'étais un vilain bébé. C'était une vilaine Maman.

Pendant des mois et des mois, tous les jours, je « découvrais » sur le pas de ma porte la boîte qui contenait le « bébé » Jimmy. Puis il se remit à tuer les oiseaux, les poissons, les chats. Car l'amour et la mort se confondaient. Jimmy mit huit ans à les démêler. Mais, maintenant, il va bien, et il berce dans ses bras son bébé à lui.

Matthew, mon petit Matthew. Après avoir travaillé un an avec lui, je découvris que son sourire lui creusait deux fossettes. Jusque-là, Matthew n'avait pas éprouvé le besoin de sourire. Pour lui, le monde était quelque chose dont il fallait se tenir à l'écart, avoir peur et rester l'ennemi. Il attendait tant de ce monde, et obtenait si peu. Ses cicatrices physiques et psychologiques étaient si nombreuses qu'il était difficile de les différencier. Matthew considérait tout contact physique comme une attaque; un sourire ou un mot gentil constituaient une agression. Une étreinte ou un baiser devenaient un viol. C'était un écorché vif, qui se sentait vulnérable, exposé à tous les dangers.

Depuis des mois et des mois, il portait, enfoncé jusqu'aux yeux, un chapeau dont les pattes lui recouvraient les oreilles; il avait un cache-nez autour du cou, des caoutchoucs par-dessus ses chaussures, et un manteau de laine boutonné jusqu'au col. Il s'accoutrait de cette manière en toute saison, été comme hiver; il se sentait rassuré, ainsi protégé du monde extérieur. Sans cet équipement, Matthew avait l'impression d'être nu, exposé, vulnérable. Son besoin, sa peur, sa souffrance, son amour risquaient d'être blessés. Il devait donc revêtir une cuirasse, au propre comme au figuré. Quand la confiance commença à naître en lui, il se risqua à ôter quelques éléments de sa carapace. Il se débarrassa des oreillons de son chapeau, ce qui lui permit d'entendre. Il releva le bord du chapeau, et put ainsi voir. Il retira ses caoutchoucs, et commença à sentir le sol sous ses pieds. Il enleva son cache-nez, exposant ainsi son cou aux pires dangers, au meurtre peut-être — dont il avait si peur. Enfin, il quitta son manteau. « Ne me regardez pas, disait-il, vous voyez bien que je suis tout nu. »

Puis, beaucoup plus tard, quand il eut pris l'habitude d'exprimer ses sentiments, je me souviens avoir écouté avec lui l'*Intermezzo* de Brahms. Une émotion intense le submergea. Il vit que je le regardais et me cria, au milieu de ses larmes : « Cessez de me regarder. Je n'ai plus de peau » — tant il avait l'impression d'être nu. Je me rappelle la première semaine où nous avons travaillé ensemble. Je m'étais penchée sur lui et l'avais embrassé sur les cheveux; alors, Matthew, pris de peur, hurla avec sauvagerie : « D'accord, maintenant vous vous baissez, et je vous punirai aussi. » Et il m'embrassa sur les cheveux. Quelques semaines plus tard, voyant que je marchais derrière lui, il m'avertit : « Ne me touchez pas, même pas légèrement. »

Puis, plusieurs mois après, Matthew sanglotait : « Je ne veux pas que vous m'aimiez tant, Mira. Je ne veux pas que vous m'aimiez. » Il ajouta ensuite dans un murmure : « Peut-être un tout petit peu seulement. »

Matthew mit des années à faire confiance à mon amour pour lui et à l'accepter sans réticence. A me laisser le toucher, le porter et l'embrasser. Avant, je ne pouvais le faire que par l'intermédiaire d'autres enfants ou par une communication non verbale. Je n'ai jamais franchi les limites imposées par sa frayeur, avant que lui-même ne m'ait invitée à le faire.

Et je revois Matthew à la plage. Il n'avait rien sur le dos, à l'exception de son slip qu'il avait gardé à contrecœur. Il se roulait dans le sable, heureux de ce contact et de sentir sur sa peau la chaleur du soleil. Il me chatouillait la plante des pieds et celles des autres enfants et, au milieu de ses cris de joie, il répétait sans cesse : « Que c'est drôle, que c'est drôle. »

Et puis, il y avait tous les autres. Les Bobby. Les Franky. Les Andy.

Tous ces enfants, avec leurs désirs, leurs besoins. Il y avait ceux qui osaient mettre un pied dans notre monde, qui osaient sortir de leur coquille. Et puis, il y avait ceux qui n'osaient pas.

Billy. Il avait huit ans. Je ne l'aimais pas; il ne m'aimait pas non plus. Nous étions dans la même école depuis deux ans mais nous nous évitions soigneusement, comme mus par un accord tacite ou une répulsion physique réciproque. J'avais mon groupe d'enfants; lui avait son professeur.

Au cours de ces deux années, il vint une seule fois dans ma classe. Il portait ses excréments dans une boîte — comme s'il s'agissait d'un trésor — et vint les déposer sur mon bureau pour que je les lui surveille. Et j'ai veillé sur le « trésor » toute la journée, car je savais que c'était de la part de Billy une grande marque de confiance. Puis l'enfant vint reprendre sa boîte. C'est ainsi que s'acheva cet étrange contact silencieux.

Billy avait cessé de parler à quatre ans. Depuis, il n'avait plus jamais prononcé un mot. Toutefois, le surveillant de son immeuble affirmait que l'enfant lui avait parlé plusieurs fois, en cachette, et sa mère disait que la femme de ménage avait entendu Billy parler dans son sommeil. Mais nous ne l'avions jamais constaté nous-mêmes.

Il s'exprimait par la pantomime: il bougeait les lèvres, mimait ce qu'il voulait dire, ou bien il utilisait des marionnettes. Il avait recours à chacun de ces moyens d'expression séparément, ou bien il les combinait.

Cette méthode lui permettait d'exercer un contrôle sur nous tous, sur le monde entier. Tout s'arrêtait quand Billy essayait de nous « dire » quelque chose, car il fallait être très attentif à ses gestes si on voulait le comprendre. Je supportais mal cette contrainte; un tel abus de pouvoir me semblait inadmissible.

C'était un enfant assez monstrueux : perpétuellement en colère, de mauvaise humeur, obstiné, il cherchait toujours à faire mal. Il passait son temps à imaginer les tortures qu'il allait infliger aux autres enfants. Il aimait recourir aux méthodes les plus compliquées. Mais il ne se faisait jamais prendre sur le fait; on n'arrivait jamais à le confondre. S'il n'obtenait pas ce qu'il voulait, il s'enfuyait et se jetait sous une voiture, s'accrochait derrière un autobus, dévalait l'escalier de secours d'un immeuble de dix étages, ou bien il sautait par la fenêtre. (Il adorait capter l'attention de tout le monde, être au centre des préoccupations de chacun.)

Il construisait des cages avec de gros blocs de pierre et s'y enfermait, ou bien il y poussait des camarades. Il aimait les prendre au piège, les observer quand ils essayaient de sortir, et les en empêcher. Ils étaient en prison, comme lui.

Il fabriquait des breuvages infâmes, en utilisant souvent des substances toxiques, et incitait les autres enfants à les boire.

Ensuite, l'air ravi, il observait leurs malaises.

Il mourait tous les jours. Il avait construit tout seul un simulacre de chaise électrique et, chaque jour, il s' « électrocutait ». Il restait là, « mort », jusqu'à ce que nous le ressuscitions.

Sa blessure était trop profonde, sa haine trop forte et sa colère contre la vie, trop grande.

Jusqu'au jour où...

Un jour, par une fenêtre du troisième étage, il lança un poids en fer sur la tête de l'un de mes enfants. Il s'était montré très habile. Il avait attaché au poids un mince fil métallique et, dès qu'il eut atteint la tête de l'enfant, il remonta rapidement le poids. Personne n'avait rien vu. Si ce n'est le sang jaillissant de la tête de la victime.

Cela me prit un moment, mais après vingt et un points de suture, je compris. La partie avait commencé.

Billy était incapable d'exprimer sa colère par une attaque directe. Le caractère incertain de la confrontation avait pour lui quelque chose de terrifiant. Il lui fallait toujours garder le contrôle de toute manifestation de fureur, qu'il s'agisse de la sienne ou de celle de quelqu'un d'autre. Il ne pouvait supporter de devenir la cible de la colère d'autrui.

C'est pourquoi j'eus l'idée que le seul moyen d'atteindre cet enfant était de l'amener à un état tel qu'il se trouverait obligé d'exprimer directement sa fureur et d'essuyer celle d'une autre personne. Il se retrouverait nu et sans défense. Je voulais l'aider ainsi à faire face à sa colère, son impuissance et sa faiblesse; lui montrer qu'il pouvait être protégé; qu'il pouvait apprendre à maîtriser sa fureur.

Il avait droit à la dignité. Ses manières furtives, ses complots, ses machinations... Il avait le droit de vivre sa fureur, sa souffrance, sa faiblesse et sa solitude avec dignité.

J'organisai la scène. Je me servirais de chaises. J'allais défendre l'enfant que Billy avait blessé.

J'empoignai une chaise, la lançai sur le plancher en direction de Billy et dis :

— Je suis furieuse contre Billy à cause de ce qu'il a fait.

Il se tenait à l'autre bout de la pièce. Il eut un léger sourire de satisfaction parce qu'il avait réussi à attirer mon attention sur lui. Mais son visage exprimait une certaine crainte car il ne savait pas comment faire face à mon attaque. Alors il tenta de me désarmer en commençant une pantomime. Je lui répétai que j'étais furieuse contre lui et je lançai d'autres chaises dans sa direction.

Je commençai un long monologue. Je lui dis que j'étais en

colère et que je savais que lui aussi était en colère; je n'allais pas lui faire de mal, mais je devais donner libre cours à ma fureur pour me sentir mieux; s'il faisait comme moi, lui aussi, il se sentirait mieux. On pouvait se battre, et même tout envoyer balader, sans blesser la personne qui vous avait mis en colère. A chacune de ces phrases, je lui lançais une chaise et il se jetait de côté pour l'éviter. Le son monotone de ma voix et le rythme des chaises glissant sur le plancher commençaient à hypnotiser l'enfant. Finalement, toutes les chaises se trouvèrent de son côté et comme je n'en avais plus à lancer, Billy fut contraint de m'en renvoyer une.

Lentement, au début, puis un peu plus vite ensuite, il commença à jeter les chaises dans ma direction. Plus il en lançait, plus il y mettait de violence. Sa fureur monta; il envoya les chaises de toutes ses forces. Je les lui relançai à mon tour.

Le combat dura trois heures, jusqu'au moment où, tout en sueur, épuisé mais soulagé, l'enfant s'affaissa sur lui-même et se mit à pleurer. Il avait l'air faible et minuscule. Je ne le touchai pas. Je le laissai résoudre tout cela lui-même. Il n'avait pas besoin de moi.

Le lendemain, j'emmenai ma classe au bord de la mer. Malgré sa peur de l'eau, Billy nous suivit docilement. Maintenant que sa méchanceté et sa fureur l'avaient quitté, il semblait vidé; on aurait dit une marionnette. Quand nous fûmes installés sur la couverture, j'entendis des sons étranges, gutturaux, comme si quelqu'un s'étranglait; on aurait dit que ces sons essayaient de franchir une barrière tenace. C'est alors que je vis Billy, penché au-dessus de l'eau, comme s'il essayait de vomir ses entrailles. Il avait le visage rouge, décomposé. Ce qu'il essayait de vomir, c'était des mots. Soudain, je me rendis compte que non seulement je ne l'avais jamais entendu parler, mais qu'il n'émettait jamais aucun son. Il riait en silence, pleurait en silence, hurlait en silence.

D'un geste instinctif, je lui pris la tête dans mes mains, comme lorsqu'on veut aider un enfant qui vomit. Sa voix, qui n'avait pas l'habitude de servir, ne répondait pas. Mais, dans un effort désespéré qui le fit grimacer et devenir écarlate, il réussit à émettre quelques sons humains. Cela tenait davantage du coassement que du langage proprement dit. Mais, après quatre années de silence, ce coassement avait quelque chose de mélodieux. Billy renouvela sa tentative, au milieu de mille contorsions, comme s'il souffrait atrocement. J'essayais de toutes mes forces de comprendre. Lui essayait de toutes ses forces de me faire comprendre. Finalement, nous avons réussi :

— L'appareil de photo ne fonctionne pas. Il est cassé, ne cessait-il de répéter.

Avait-il vu quelque chose de défendu et, terrorisé, l'avait-il alors enfoui tout au fond de lui? Est-ce pour cela qu'il avait « cassé » la parole, sa parole (l' « appareil de photo »), afin de ne pas avoir à reproduire ce qu'il avait vu? Ou bien quelqu'un lui avait-il dit un jour que la voix fonctionnait comme un appareil photographique? De toutes ces interprétations possibles, quelle était la bonne?

— Ne t'inquiète pas, Billy, je vais le réparer, promis-je à l'enfant.

Il toucha doucement ma main et s'enfuit en courant.

Le lendemain, nous retournâmes au bord de la mer. Mais cette fois, nous étions seuls, Billy et moi. J'entrai dans l'eau, tandis qu'il restait sur le bord. Je commençai à nager, convaincue que la mer l'aiderait à parler. C'est ce qui arriva.

— Mira, où êtes-vous?

J'entendis cet appel lancé par une voix d'enfant argentine, mélodieuse. Il me regardait bien en face, mais, de toute évidence, il ne me voyait pas. Mon Dieu! Avait-il retrouvé sa voix pour perdre la vue? (Était-ce là son pacte avec le diable?) Je commençai à sortir lentement de l'eau. Quand j'arrivai sur le bord, Billy vint à ma rencontre. Il avait sur le visage une expression tendre, chaleureuse; il me regardait, les mains pleines d'algues. (Peut-être que la cécité qui l'avait frappé quelques instants plus tôt n'était pas vraiment de la cécité, mais une réaction due à la peur, au choc et à l'étonnement de découvrir cette voix toute nouvelle pour lui.)

Il prit les algues et m'en orna; il en mit dans mes cheveux, sur mon maillot de bain et sur mes bras. Quand il eut fini, il m'embrassa, pour la première fois. Puis il m'entraîna dans l'eau, où il entra avec moi. Nous nagions en silence; je perdais les algues dont il m'avait parée, et il me les ramassait. Puis il s'arrêta et dit :

« Amie. Vous êtes mon amie.

Puis il se mit à parler de l'eau, du ciel, de sa souffrance, de sa peur et, pour finir, de la scène dont il avait été le témoin et qu'il avait prise pour un meurtre; c'était peut-être en fait un acte sexuel. Ou bien vraiment un meurtre. Un spectacle terrible qui l'avait rendu muet pour toujours. Puis il sourit et me dit :

« Vous voyez, vous avez réparé l'appareil de photo.

Nous, nous disons : « Poussière, tu n'es que et poussière tu redeviendras poussière. » Pour Billy, c'était différent : « Sorti de la mer, tu retourneras à la mer. » Toujours la mer. Un jour, il nous avait fallu le rendre à cette mer.

C'est grâce à elle que nous avons pu nous rapprocher tous les deux, évoluer. C'est grâce à elle que Billy retrouva le langage, l'amour, et qu'il se retrouva lui-même.

Je me suis toujours demandé quel conte imaginaire avait vécu cet enfant après s'être exclu lui-même de notre monde. Pourquoi moi? Qu'étais-je pour lui? Puis, un jour où nous faisions une promenade en barque à Prospect Park, il arrêta le bateau et nous avons marché sur une île. Il me dit :

« Vous êtes Vendredi et moi je suis Robinson Crusoé. Je vous ai attendue et cherchée toute ma vie. Maintenant je vous ai trouvée. Et maintenant je ne serai jamais, plus jamais seul.

Comme pris sous le charme, il continua :

« Regardez les saules pleureurs qui versent des larmes dans le lac.

C'était le monde entier qu'il exprimait maintenant à travers les mots.

Je pourrais compter sur les doigts de la main les moments que j'ai passés avec Billy. A chaque fois, c'était plus émouvant, plus enrichissant pour nous deux. Cela se passait toujours au bord de l'eau. Je me souviens d'un jour où nous nous déshabillions pour entrer dans la mer. Billy sortit de sa poche l'*Arlequin* de Picasso. On aurait dit qu'il le gardait sur lui depuis toujours.

— C'est un clown, il rit. Et il fait rire les gens. Mais en réalité il est triste. Très triste, Mira. Pourquoi?

— Peut-être parce qu'il a beaucoup vécu et qu'il sait beaucoup de choses, lui répondis-je.

Alors Billy me dit dans un sourire :

— C'est dur, Mira, d'en savoir tant, n'est-ce pas?

Je me souviens aussi d'un jour où nous étions assis, près de la mer, en train de nous sécher. Ce furent ses derniers mots, alors que nous allions, l'été étant fini, nous séparer et suivre chacun notre route :

« Vous serez toujours avec moi.

Bien longtemps après, les paroles de Billy m'obsédaient encore : « C'est dur, Mira, d'en savoir tant, n'est-ce pas? »

Pourquoi? Parce que c'est difficile de trouver ses mots? De dire tout ce qu'on sait? Les gens ignorent combien un enfant peut savoir de choses. Ou peut-être est-ce parce que les adultes n'écoutent pas les enfants, ni même les autres adultes? Parce qu'ils n'ont pas envie d'apprendre autre chose que ce qu'ils savent déjà? Ou bien parce qu'ils ne peuvent pas, qu'ils ne comprennent pas? Peut-être aussi parce qu'ils ne croient que ce que leurs propres expériences leur ont appris?

Billy et l'eau. Que s'était-il passé? Une représentation inconsciente des premiers instants vécus par l'enfant dans l'eau de la matrice maternelle? La réactivation du processus évolutif? Un souvenir de l'ancêtre-poisson? Ou bien peut-être avais-je assisté à la naissance de Vénus, qui sortit de la mer dans son plein épanouissement, sans connaître les étapes qui permettent à l'enfant de devenir adulte.

Peter

L'antilope, le daim et la gazelle jouent dans l'herbe haute. Le petit chimpanzé, du haut de son arbre, parcourt tout le territoire d'un œil envieux et curieux.

L'herbe haute se balance sous le souffle de la brise. Au-dessus, les oiseaux décrivent des cercles en jetant leurs cris mélodieux.

Le poulain qui vient de naître essaye la force de ses jambes — il reste encore près de sa mère, mais il attend déjà avec impatience le moment où il pourra goûter à la liberté.

Peter n'a jamais connu la liberté.

C'était un petit garçon parfaitement capable de marcher, de parler, de rire et de pleurer, et doté d'une forme de génie qui nous dépassait.

Mais...

C'était un petit garçon qui avait une peur affreuse de la destruction. Et comme il avait l'impression qu'elle le menaçait de partout, il s'était bâti un univers où, devenu le maître et le créateur du monde, il exerçait seul un pouvoir absolu, empêchant ainsi sa destruction finale.

Son monde était un monde étrange, dur et cruel, fait de solitude et de peur. Et Peter devint un enfant très étrange.

Pour apaiser les dieux de la destruction qui se tenaient toujours à l'affût, prêts à lui ôter la vie, il se faisait lui-même l'artisan de sa propre destruction. Mais il n'allait jamais jusqu'à l'anéantissement total, comme les dieux l'auraient souhaité, car, quoi qu'il fasse, il ne pourrait pas disparaître tant qu'il se cramponnerait à sa clef magique.

227

Grâce à toutes sortes de méthodes secrètes, de magies et de rites étranges, il savait comment ressusciter. Mais, malheur à lui s'il lui arrivait un jour d'oublier un seul détail de ses rites de protection. Car, alors, il serait détruit à jamais.

Dans son univers, le souvenir des jours passés, des années et des choses disparues, pendait comme des fruits aux branches tordues d'arbres desséchés.

Des fragments de mélodies, des morceaux de quelque chose qui avait existé un jour ou qui existait encore, déroulaient leur ennuyeuse musique, monotone, poussiéreuse, mortelle.

Dans les rues marchaient des corps disloqués. Bras, jambes, têtes et troncs bougeaient en tous sens, l'air affairé, avec des gestes grotesques, comme si chacun avait son autonomie.

Une foule innombrable de gens dont l'identité était assez vague, mais qui possédaient tous un nom, une adresse, une date de naissance et un numéro de téléphone, s'agitaient sans but; chacun emportait avec lui un morceau de Peter.

C'était un monde peuplé de tombes et de cimetières, où les morts revenaient à la vie et s'animaient.

Un monde de poussière et de chaleur dans lequel on avait du mal à respirer. Un monde de larmes et de frayeur.

Un monde de fantômes.

Où les chats hurlaient, criaient, griffaient, bondissaient, pleuraient, tuaient et mouraient. Où les chats régnaient en maîtres suprêmes — eux qui sont dotés de neuf vies.

Dans l'univers de Peter, les nombres avaient une vie propre, une indépendance, et un pouvoir magique inégalable.

C'était un monde de silence, si l'on exceptait les chats. Quelquefois, cependant, le calme était rompu par des cris de terreur déchirants et des supplications; on voyait alors un petit enfant, dévoré par le besoin de se joindre à quelqu'un ou à quelque chose, courir de tous les côtés, allant d'un objet à l'autre, d'une personne à l'autre, d'un chat à l'autre, dans l'espoir d'accéder à la fusion totale.

C'était un monde très compliqué, bien organisé, où tout était catalogué. Il fallait que l'organisation intérieure en soit parfaite pour que Peter retrouve le chemin qui le ramènerait à la vie. Mais en dépit de l'extraordinaire contrôle exercé par l'enfant, il subissait néanmoins le joug de la peur et de la destruction qui régnaient sur lui en souveraines absolues, monstrueuses.

Tout était marqué et numéroté, de peur qu'il n'aille en territoire interdit, dans des zones dangereuses. Les tombes, les cimetières, les routes et les rues avaient des noms, des panneaux et des numéros. Si un panneau indiquait « sortie interdite » ou « voie sans issue », Peter n'y allait pas, car il risquait de pénétrer dans une zone tabou, et il perdrait alors la vie. Sa mémoire extraordinaire lui permettait de rester en lieu sûr.

Et c'est ainsi que Peter régnait, solitaire, marchant avec précaution dans un monde d'horreur, hanté par la peur d'oublier l'un de ses points de repère et de payer de sa vie cette erreur.

Comme la solitude signifiait pour lui la destruction, il essayait désespérément d'y échapper en recherchant la fusion, l'union, avec tout ce qui l'entourait. Mais cette fusion le plongeait ensuite dans la terreur, car il craignait de perdre son identité. Il essayait de sortir du labyrinthe, mais il se faisait toujours prendre au piège. Il ne pouvait pas rester seul : c'était trop douloureux, trop effrayant. Mais il ne pouvait pas non plus se joindre à quelqu'un ou à quelque chose, car il risquait alors de disparaître. Pourtant, il lui fallait choisir entre ces deux solutions, les seules qu'il connaissait, les seules qui lui étaient offertes. Toutes deux aboutissaient au désastre, à la peur, à la souffrance. Aussi, pour survivre, Peter devait-il courir de l'une à l'autre, coincé dans son affreux labyrinthe.

Alors, comme la destruction le menaçait de partout, il se bâtit son propre univers.

Les moyens qu'il avait choisis pour échapper à son anéantissement étaient souvent aussi terrifiants que ce qu'il essayait tellement d'éviter. Quand il fuyait la solitude, c'était pour se jeter sur quelqu'un ou quelque chose qui allait le submerger. Il frappait à des portes fermées, suppliait qu'on l'aide à sortir du labyrinthe qu'il avait lui-même bâti avec tant de soins; et cependant il n'osait pas sortir et ne savait où aller.

Il resterait pris au piège jusqu'à ce qu'incapable de supporter tout cela plus longtemps, il recherche l'oubli — la mort. C'est ce qu'il redoutait le plus. Car il devait sentir quelque part que, dans cette dernière fusion, il vaincrait tout et se dresserait, ressuscité, libre, sans crainte.

Comme Peter mobilisait la plus grande partie de son énergie à éviter sa destruction, tout en s'interdisant de mener une existence véritable, il n'était guère disponible pour autre chose; et l'enfant passait pour être faible d'esprit.

Mais il avait un don exceptionnel pour manipuler les chiffres.

Dès l'âge de deux ans, il était capable d'additionner, de soustraire, de multiplier et de diviser des nombres astronomiques. Cela semblait ne lui réclamer aucun effort; il donnait le résultat en un clin d'œil, sans avoir besoin, apparemment, de passer par toutes les opérations habituelles.

Quand je rencontrai Peter, il mémorisait et additionnait des nombres écrits en colonnes, horizontalement, ou même simplement énoncés. Il avait une méthode mnémonique originale, non verbale, mystérieuse, connue de lui seul (si toutefois il la connaissait).

Il jetait un coup d'œil sur une poignée de pièces de monnaie de toutes valeurs et vous en donnait immédiatement la somme.

Il était capable d'épeler n'importe quel mot.

A sept ans, il savait faire tous les mots croisés publiés par le *New York Times.*

Il avait une mémoire fantastique qui lui permettait de se rappeler les moindres détails de son existence passée, comme s'ils venaient juste de se produire. Il enregistrait tout ce qui lui était arrivé, à condition qu'il s'agisse d'éléments nécessaires à son combat contre la mort. Tous les événements de sa vie passée et présente gisaient au fond de son extraordinaire mémoire sélective. Il était capable de se rappeler heure par heure, jour par jour, mois par mois, année par année, tous les individus et tous les objets qui avaient traversé son univers, même ceux qui, à nous, nous semblent peu importants.

Il avait une connaissance parfaite de la ville de New York : il en connaissait chaque rue, le sens de circulation de chaque artère et le moyen de se rendre dans n'importe quel endroit, quel que soit le moyen de locomotion choisi.

Il lui fallait savoir à quel moment précis s'était produit chaque

événement de la journée; il avait une conscience aiguë de chacune des secondes, des minutes et des heures qui passaient
— sans avoir besoin de regarder l'heure sur une montre ou une
pendule.

Quand on lui indiquait une date, n'importe laquelle — qu'il
s'agisse du passé le plus lointain ou des siècles à venir —, il
pouvait en préciser le jour de la semaine.

Mais tous ces dons exceptionnels semblaient n'avoir aucun
rapport avec l'autre aspect de Peter; ils étaient inutiles, sans
objet, non pertinents. Et cette contradiction se traduisait par la
diversité des descriptions du « cas de Peter » : « schizophrénie
infantile accompagnée d'un syndrome de symbiose », « débile-
savant », « lésion cérébrale », « retard mental », etc.

Et pendant qu'on discutait (on en discute encore) de son cas,
Peter poursuivait son douloureux chemin : à force de ruses, de
louvoiements et de surveillance, il arrivait à circonvenir sa destruction finale.

Il faisait penser à un funambule solitaire dansant sur une
corde raide : il vacille, mais cherche à maintenir à tout prix son
équilibre. Il ne regarde rien autour de lui, ni au-dessus, ni
au-dessous, de peur de glisser. Ses contorsions offrent un spectacle bizarre à tous ceux qui l'entourent; mais elles lui permettent de survivre. Il est sur une corde raide très étroite. Il
ne faut pas se laisser distraire, ni gaspiller la moindre parcelle
d'énergie à autre chose qu'à poursuivre cette longue danse
terrifiante.

Et la danse continuait. Le funambule était le seul à connaître
la magie qui l'empêchait de tomber.

C'était un enfant très malheureux. Sa souffrance, sa peur,
ses exigences, son idiotie et son génie créaient en moi un tel
sentiment de terreur, de haine et de dégoût que, pendant près
de deux ans, je m'en suis tenue à l'écart, jusqu'au jour où, enfin,
j'ai osé affronter ce que je voyais en lui, et également en moi-
même; j'ai pu alors travailler avec Peter.

Un enfant étrange, mi-génie, mi-débile, aussi seul dans son
égarement que dans ses dons exceptionnels.

Son univers de génie me serait toujours fermé : je ne m'en

occupai donc pas. Mais j'essayai de comprendre sa folie, et laissai le petit garçon m'y conduire.

Je travaillai avec lui près de sept ans, après avoir passé deux années à l'observer très attentivement, comme s'il s'agissait d'un ennemi. Il avait neuf ans et demi quand nous avons commencé réellement à travailler ensemble. Au début, nous avons suivi un rythme intensif : près de cinq à six heures de travail par jour. Ensuite, nos rencontres s'espacèrent; mais nous continuions à apprendre tous les deux à comprendre la vie et à la vivre.

Je vis Peter pour la première fois en 1953, par une belle et chaude journée de printemps, dans une nouvelle école de Brooklyn qui accueillait des enfants gravement perturbés. J'eus l'impression d'être entraînée par quelque chose d'une force inouïe. Cela tenait de l'explosion volcanique, ou des sables mouvants; plutôt des deux à la fois. Je me sentis submergée, engloutie, traînée de force vers des profondeurs inconnues, sans que je puisse résister à cette puissance qui s'imposait à moi, sans me toucher, sans m'approcher, mais que je sentais toujours présente à mes côtés, devant, derrière, partout ; elle ne me quittait pas un seul instant.

« Où habite cette dame? » « Comment s'appelle cette dame? » « A quel numéro habite cette madame Mira? » « Dans quelle rue? » « Quelle est la date d'anniversaire de Mira? » « Quel mois est-elle née? » « Quel jour? » « Oh, alors son anniversaire sera un vendredi cette année. » « Mira est-elle mariée? » « Combien a-t-elle d'enfants? »

Et l'interrogatoire continuait, sans que rien puisse y mettre fin. Chaque réponse amenait une nouvelle question. C'était un bombardement ininterrompu. Ne s'arrêterait-il donc jamais? Et ces yeux qui plongeaient dans les miens, ils avaient une expression tendue, fiévreuse, due à l'excès de souffrance, au besoin d'oublier ou de se libérer. J'avais l'impression que si cela durait une minute de plus, il ne resterait plus de moi qu'une coquille vide.

Je fis une longue promenade au bord de l'océan pour essayer de me débarrasser de la présence obsédante de Peter et me retrouver moi-même. Je pris une décision. Je voulais bien travailler dans cette école, mais jamais, au grand jamais, je ne m'occuperais de cet enfant. Seigneur, protégez-moi de la tentation, protégez-moi de cet enfant. Il ne peut que m'engloutir ou s'incruster en moi. Dans les deux cas, le résultat sera le même. Je le pris en haine, j'avais peur de lui et, pendant deux ans, je me tins à l'écart. Je me rappelle quelques incidents qui se sont produits pendant cette période. Le professeur qui s'occupait de Peter se lia d'amitié avec moi et, de temps en temps, il nous arrivait de réunir nos deux groupes pour partir en excursion. Je me souviens d'une promenade que nous avons faite par une belle journée ensoleillée. Les enfants se sentaient bien. Sur une colline herbeuse, il y avait un petit pont sous lequel passait le métro. Nous nous sommes arrêtés pour nous reposer un peu. C'était un endroit ravissant, tout feuillu; les enfants s'amusaient des jeux de l'ombre et du soleil. Je les regardais et, poussée par une vieille habitude, je commençai à les compter. Il en manquait un. C'était lui. Peter. Il se déplaçait avec lenteur et maladresse, comme dans un rêve; il se dirigeait vers les rails.

Le train venait-il juste de passer, ou bien allait-il arriver?
— Comme le danger peut vous rendre froid, rationnel.

Le temps que je rejoigne Peter, il avait déjà réussi à atteindre les rails. J'ignore encore si la rame est passée avant, après ou pendant que nous quittions la voie ferrée. Peter avait sur le visage son expression habituelle. Il ne manifestait aucune frayeur, aucun remords; il semblait ne pas comprendre ce qu'il avait fait. Comme si cela ne le concernait pas. Mais il avait toujours ce même besoin ardent de... de quoi? D'atteindre une certaine forme d'union avec tout ce qui l'entourait.

Un peu plus loin, Peter recommença, il s'éloigna et, « inconscient », il se jeta presque sous les roues d'un camion qui passait à toute vitesse...

Je me souviens aussi de Peter à Prospect Park. Nous avions encore fait une sortie en groupe. C'était une journée de printemps. L'air était doux, l'herbe pointait et les arbres se couvraient de feuilles toutes neuves, d'un vert léger.

Nous avons choisi de nous arrêter près d'un ruisseau bordé de gros rochers qui se rejoignaient à deux mètres cinquante au-dessus de l'eau. C'était un endroit idéal pour faire de l'escalade. Peter grimpa sur les rochers et se mit à parler tout seul : sans doute comptait-il ses rues, ses numéros ou ses chats. Il semblait totalement indifférent à tout ce qui se passait autour de lui. Le petit Robie grimpa à son tour et s'installa près de lui. Il se passa alors une chose étrange. Une main, qui semblait appartenir à Peter, s'approcha lentement, posément, de Robie et le poussa dans le vide; l'enfant tomba dans l'eau. Peter, lui, comme s'il ne s'était pas rendu compte de ce qu'avait fait sa main, continuait à marmonner et à parler tout seul, conservant toujours la même position; il n'avait fait aucun mouvement, si ce n'est que sa main était revenue lentement à sa position originale et pendait maintenant mollement à son côté.

Je regardai la scène, médusée. Ce qui me paraissait le plus effrayant, c'était la totale inconscience avec laquelle l'enfant avait accompli son acte. On aurait dit que la main qui avait agi était dotée d'une vie propre, qu'elle échappait au contrôle de l'enfant. Je sortis de mon hébétement juste à temps pour assister au sauvetage de Robie. J'eus alors l'intuition que Peter n'avait pas agi dans la passivité, mais qu'il suivait une méthode particulière, propre à sa folie, et que je ne comprenais pas encore. Bien que ses actes aient l'air d'être involontaires, j'étais convaincue qu'il agissait en toute connaissance de cause. Quelque part au fond de lui-même, l'enfant savait très bien ce qu'il faisait; son comportement avait un but, aussi obscur fût-il. Pour consolider ma découverte et la faire partager à Peter — pour bien lui faire comprendre que désormais il porterait la responsabilité de ses actes —, je lui administrai une magnifique paire de gifles. Je ne me laisserais plus prendre au piège de sa « faiblesse » et de son « idiotie », mais, dorénavant, je le tiendrais pour responsable de toutes les mauvaises actions qu'il serait tenté de commettre sous le couvert de son inconscience.

Peter se montrait parfois odieux en persécutant tout son entourage avec cette question, toujours la même : « Combien y a-t-il de chats? » Il s'agissait de chats imaginaires, mais dotés pour l'enfant d'une telle réalité que si, par malheur, on ne devinait pas le nombre exact, Peter fondait en larmes.

Je me rappelle ses chats, ses miaulements, et les moments où lui-même se métamorphosait en chat. Il n'arrêtait pas de parler de ces animaux et de les chercher. Je me souviens de la lueur qui brillait dans ses yeux dès qu'il en apercevait un; il se précipitait vers lui pour l'attraper. Je sentais qu'il ne faisait plus qu'un avec le chat, et cette union, cette « félinité », le comblait, le satisfaisait et l'excitait terriblement. Et j'avais un mouvement de recul, j'étais effrayée, parce que je ne comprenais pas.

Bien sûr, je me souviens aussi de Peter tel que l'ont vu tous ceux qui l'ont approché à cette époque : un enfant tenant à la main une feuille de papier, qui entraînait tous ceux qu'il voyait dans la vérification de sa liste infernale. « Peter veut savoir comment vous épelez... », alors que, de toute évidence, il connaissait la réponse mieux que quiconque.

Mais, parmi tous ses talents, il en était un qui fascinait particulièrement son entourage, car il semblait sortir du domaine des simples capacités humaines et relever davantage de la magie. Il suffisait que Peter vous demande la date de votre anniversaire, ou de tout autre événement qui vous intéresse, et il vous en disait le jour pour n'importe quelle année passée ou à venir.

Mais j'avais l'impression qu'il utilisait ses dons beaucoup moins pour en faire profiter ceux qu'il interrogeait que pour exercer sur eux une contrainte, une forme de corruption. Je me souviens de la rage que j'éprouvais en constatant à quel point les gens se laissaient fasciner par cet enfant et devenaient facilement dupes de ses manœuvres.

Il passait son temps à vous harceler pour obtenir votre adresse, votre numéro de téléphone, votre date d'anniversaire, la couleur de la robe que vous portiez la veille, le nom de tous les gens que vous connaissiez.

Je me rappelle aussi ses peurs paniques et les cris perçants que l'enfant poussait tout à coup, comme s'il souffrait et qu'il était terrorisé, alors qu'apparemment il ne s'était rien produit de particulier.

A mesure que le temps passait, je commençais à mieux voir l'enfant qui se cachait derrière un masque si compliqué, si déroutant. Le mur que Peter avait dressé tout autour de lui devint un peu plus transparent pour moi. Je voyais un enfant apeuré, solitaire, affamé de chaleur. Sa muraille était d'une logique étonnante. Ce qui m'avait si longtemps effrayée en lui commençait à me sembler intéressant. Je comprenais enfin l'admirable symétrie et la logique de son système de défense. Ma peur se transforma en colère à l'idée que je puisse me laisser berner; en même temps, j'admirais l'ingénieuse structure qu'il avait imaginée pour se défendre — les nombres, la mémoire, l'« inconscience » de ses actes — et j'en vins à admirer et à respecter l'enfant capable de mettre au point un tel système de protection. J'éprouvai alors le besoin de mettre à nu ce système, de connaître la vérité au sujet de Peter et de la lui révéler. Je voulais le libérer.

Je me sentais aussi maintenant une certaine attirance pour cet enfant qui aurait tant voulu se rapprocher des autres, mais qui ne pouvait s'empêcher de les repousser, de faire le vide autour de lui et de s'isoler du reste du monde.

C'est ainsi qu'en 1955 je demandai au directeur de l'école de m'occuper de Peter.

Qu'est-ce qui avait modifié mon attitude? Qu'est-ce qui m'avait amenée à vouloir travailler avec lui? En réalité, je ne sais pas.

Jusqu'à présent, cet idiot si génial, qui savait faire tant de choses, et pourtant si peu, avait pour moi le mystère d'un livre fermé, et il me semblait à la fois si attirant et si haïssable, si effrayant et si douloureux et, surtout, si familier, qu'il me fallait absolument le fuir : c'était pour moi une question de survie.

Mais, tout en l'évitant, je l'observais sans cesse, d'un œil impitoyable. Et je le traquais. Non pas comme un chasseur guette sa proie, car il peut avoir pour elle de l'admiration, et même de l'amour. Tandis que moi, j'étais sans pitié; j'avais l'impression d'avoir affaire à un ennemi et que ma vie dépendait de l'issue du combat.

Je ne saurais dire quand exactement j'ai changé d'attitude à l'égard de l'enfant. Mais au bout de ces deux années, j'ai commencé à voir sa souffrance, à comprendre ses besoins et à le prendre en pitié. Je décidai de ne pas le laisser me berner, me dominer, me séduire ou m'insulter. Et de ne pas non plus lui laisser croire qu'il était si puissant que le monde entier devait se plier à ses moindres désirs.

Je voulais comprendre le monde imaginaire derrière lequel l'enfant se cachait, arriver jusqu'à lui et le sortir de son bourbier.

Pendant deux ans, je l'ai traqué sans pitié. Jusqu'au jour où je perdis ma hargne et joignis mes forces aux siennes pour donner la chasse, non plus à l'enfant, mais au mystère de ses symboles.

Quand je commençai à travailler avec Peter, il avait neuf ans et demi; quand on l'examinait attentivement, il donnait l'impression d'être bien développé physiquement, pour son âge. Mais ce garçon aux yeux bruns, sans cesse tourmenté par la peur et l'insatisfaction, faisait penser à une flaque de boue ou à une vague de l'océan.

Sa substance corporelle m'intriguait toujours. Bien qu'il soit fait de chair et d'os comme tout le monde, on avait l'impression qu'il ne connaissait aucune barrière physique. Il « débordait » littéralement.

Il se déplaçait comme dans un rêve, d'une démarche molle et souple qui rappelait celle d'un nageur sous-marin. On aurait dit qu'une force extérieure le propulsait. Perché sur la pointe des pieds, le corps incliné en avant, il avait l'air d'être suspendu entre ciel et terre, insouciant du sol qu'il foulait, de l'air qu'il respirait et du monde dans lequel il vivait.

Son corps était comme disloqué : il semblait se disperser en tous sens, le pied d'un côté, la jambe de l'autre, les bras ici, la tête ailleurs... Et pourtant, on aurait dit que cet éparpillement suivait un rythme, comme s'il répondait à un objectif bien précis — cette fluidité était si bien organisée qu'elle en devenait effrayante.

Il disait, en parlant de lui : « Peter n'a pas tous ses morceaux. » Et c'est bien l'impression qu'il donnait.

Quand il s'habillait, ses vêtements traduisaient tout à fait l'idée qu'il se faisait de lui-même. Généralement, sa chemise sortait à moitié de son pantalon; il se boutonnait de travers, et son pantalon ne semblait tenir que par miracle. Sa veste tombait en arrière et son chapeau lui couvrait le visage.

Sa voix était monotone; elle ordonnait, exigeait, sans aucune autre inflexion qu'un ton hargneux. Les mots se suivaient, sans discontinuité; malgré cela, ils étaient débités lentement, posément.

Peter parlait à la troisième personne, qu'il s'agisse de lui ou de son interlocuteur; ainsi, il les dépersonnalisait tous deux (« Il veut que Mira lui dise combien de chats... »). Ou bien, à la deuxième personne : « Vous devez savoir » (c'est-à-dire : lui — *il* doit savoir), mêlant ainsi votre identité à la sienne, ou bien vous abandonnant la sienne.

Tout ce qu'il disait semblait n'avoir aucun rapport avec la situation présente, mais se référer seulement à son étrange univers.

Comme il n'avait pas de bonne relation avec le monde qui l'entourait, il avait peur des contacts avec autrui. Pour les éviter, il faisait le mort. Mais comme, en même temps, il avait besoin de ces contacts, il essayait de les contrôler.

C'est pourquoi sa voix exprimait toujours une obstination mystérieuse, mais implacable, qui donnait envie de fuir. C'était une voix qui semblait s'étouffer dans l'intention précise de chasser les gens, sauf quand Peter avait besoin, pour une raison ou une autre, de « savoir »; ou bien, lorsqu'il n'avait reçu « aucune réponse », ou « la mauvaise réponse ». Sa voix subissait alors une modification totale. Elle devenait fiévreuse; son diapason montait; elle abandonnait son débit lent, posé, et Peter hurlait ses questions. Le besoin de « connaître les réponses » effaçait toute prudence et la voix calme du chasseur faisait place au cri désespéré de la proie.

Il avait des dents saillantes, et, en prononçant « w » tous les « l », il ne faisait qu'accentuer sa manie carnivore d'engloutir le monde qui l'entourait. Toutefois, à sa manière, c'était un beau petit garçon. Ses grands yeux expressifs avaient beaucoup de chaleur, à condition que l'inquiétude, la peur et le désespoir veuillent bien les quitter quelques instants.

Parfois, il arrivait qu'on surprenne chez lui une grâce, une coordination et une énergie physique que l'on n'aurait jamais soupçonnées de la part du Peter que l'on connaissait. A ces moments-là, ses mouvements rappelaient ceux d'un matou. Le rôdeur de la nuit : solitaire, il marche sur une palissade et traque sa proie en se demandant comment il va l'attraper, déjouer ses manœuvres et survivre.

Peter était pour moi une énigme. Si j'essayais de faire une analyse logique de son comportement, je n'y comprenais à peu près rien. J'étais incapable de traduire mes impressions par des pensées ou des mots précis. Aussi, à part quelques règles simples que j'avais données à l'enfant, je me contentais d'être là et de l'observer de très près. J'espérais ainsi comprendre un peu mieux ce puzzle qui avait nom Peter.

Peter était assez incompréhensible. Et ses journées, qui se ressemblaient toutes, n'avaient aucun sens.

« Peter n'a pas tous ses morceaux », disait-il, puis il ajoutait : « Il y a dix-sept chats sur la palissade. De quelles couleurs sont-ils? » Un petit visage aux yeux suppliants guettait la réponse. Si vous répondiez : « Je ne sais pas », il se mettait à hurler en protestant « Il faut, mais il faut que Peter sache. » Comme si le fait de savoir allait sauver son univers.

Ensuite :

« Peter doit avoir un chat, il doit trouver un chat. »

Il pousse un cri angoissé :

« Où est le chat? »

Puis :

« Dites Rugby Road.

« Dites 711 Westchester Road.

« Dites Bedford Avenue.

« Dites...

Il vous suit partout, ses yeux fiévreux plantés au fond des vôtres, et vous « dites », pour éviter que l'enfant ne soit pris d'une peur panique.

« Qui est Monsieur Kimmel? Où vit-il? Quel est son numéro de téléphone?

A cela aussi, il faut répondre. Et bien sûr, vous en êtes incapable. Et votre ignorance déclenche des cris perçants.

« Quelles sont les couleurs qui manquent? Peter doit savoir.

Vous ne savez pas la réponse, pas plus que vous ne savez de quelles couleurs il parle, mais pour éviter une crise de larmes, vous essayez de deviner :

— Le rouge.

La réponse est rarement la bonne, alors vous essayez encore de trouver. Mais Peter ne se calme pas et il continue de crier, de crier, sans s'arrêter.

— Joe [le chauffeur du car scolaire] a brûlé un feu.

Peter éclate de rire.

« Il a brûlé un feu rouge.

Il n'attend aucune réponse.

« C'était une voie sans issue.

Il commence à s'agiter.

« Une voie sans issue. Il y a un panneau indiquant " Sortie interdite ". Nous ne devrions pas y aller.

Sa voix monte. Sa bouche s'agite curieusement, comme celle d'un poisson qui suffoque.

« Où est la voie sans issue? Il ne faut pas y aller.

Son agitation augmente.

« Il y a un " Stop "! Le feu est vert!

Il hurle de toutes ses forces :

« Un panneau " Sortie interdite ". Vous ne devez pas y aller!

La peur, les larmes; et une étrange excitation due à la terreur.

Si un étranger entre dans la pièce, Peter démarre immédiatement :

— Comment vous appelez-vous? Où habitez-vous? Quel est votre numéro de téléphone? Quelle est votre date d'anniversaire? Êtes-vous marié? Avez-vous votre père?... votre mère?

Il bombarde de questions le nouveau venu jusqu'à ce que celui-ci, n'y tenant plus, s'en aille. Alors, épuisé et heureux, il se rappelle soudain qu'il a oublié de demander : « Quand est votre...? », et il se met à pleurer de désespoir.

Puis il reprend son débit monotone :

« La boîte à ordures, 8176, 7168423, et dix *cents*...

« Comment épelez-vous...?

« Hier, Maman a fait 10 km 500 en voiture; le litre d'essence vaut... dollars. Combien a-t-elle dépensé?

Évidemment, il donne lui-même la réponse et éclate de rire.

« Maintenant, il est onze heures vingt-sept minutes et un tiers de seconde.

Tout cela en l'espace d'un quart d'heure, débité d'un ton continu, implacable.

Sa conversation était totalement décousue, incohérente, sans aucun rapport avec la situation présente. Chaque mot pris séparément avait un sens, mais leur enchaînement donnait une phrase incompréhensible. Et là encore, j'avais le sentiment que Peter, lui, en comprenait la signification, que cet assemblage absurde de mots sans suite avait un but et une organisation propres.

Mais lesquels? Qu'est-ce que l'enfant essayait de communiquer? Que cherchait-il?

Je me creusais la tête pour essayer de comprendre ce que signifiait son utilisation de la troisième personne. Il ne disait jamais « je » quand il parlait de lui-même, mais toujours « Peter ». Comme s'il parlait à la place de quelqu'un d'autre. Comme si lui-même ne prenait aucune part à tout cela. Et, pourtant, je sentais que son « je » était là. Il se cachait au milieu de ce fatras de mots incompréhensibles, et c'est lui qui dirigeait toute l'opération. Ce manque de logique apparent lui servait à décrire ce que son « je » faisait, désirait, demandait et disait.

Et la question était non seulement de savoir ce que le « je » voulait, mais aussi de connaître la raison pour laquelle il avait si peur d'exprimer directement son désir, de dire tout simplement : « Je voudrais. »

Peter était un sujet d'étude inépuisable pour tous les psychologues et les psychiatres, qui s'interrogeaient sur ses dons exceptionnels et ses troubles. Cette dualité déconcertait tout le monde. Les gens s'intéressaient beaucoup plus à ses mystérieuses capacités qu'à sa souffrance.

La manière dont Peter manipulait des nombres astronomiques était stupéfiante. Il était capable de résoudre mentalement des opérations très compliquées et d'additionner, soustraire, multiplier et diviser instantanément les nombres qu'on écrivait devant lui.

Tout le monde voulait connaître sa méthode — découvrir comment il arrivait à de telles performances. Peter étonnait

241

alors son entourage en précisant le jour où tomberait telle ou telle date, pour n'importe quelle année passée ou à venir. Là encore, les scientifiques étudiaient le problème avec passion, espérant découvrir sa méthode — alors que lui-même, j'en suis persuadée, n'en avait pas vraiment une conscience précise.

On étudiait aussi sa mémoire phénoménale. Il se rappelait absolument tout et ne faisait jamais aucune erreur, qu'il s'agisse de se souvenir d'une couleur, d'une date, du tracé d'une ville, d'une adresse, d'un numéro de téléphone — il n'oubliait jamais rien. Et cela aussi intriguait les gens.

Mais je me rendis compte qu'il parlait rarement des impressions particulières qui accompagnaient ces souvenirs. Il évoquait surtout des faits concrets. Cependant, je commençais à soupçonner qu'il avait des repères, qui lui rappelaient des sommes d'impressions et des séries entières d'événements. Il utilisait un mot, une phrase ou un souvenir particuliers pour récapituler une foule d'émotions et d'incidents.

« Le 11 décembre 1944, Peter a pris l'ascenseur à Kings Country. »

« Le D^r X était le premier dentiste de Peter. »

« Mira portait une robe jaune le 26 septembre 1953. » (Le jour où nous nous sommes vus pour la première fois à l'école.)

« Il y avait une voie sans issue à... »

Dieu seul sait ce que Peter récapitulait dans chacune de ces phrases. Mais j'étais convaincue qu'il exprimait autre chose que ces simples faits.

Ce qui me semblait important, c'était moins le fait qu'il ait de tels dons, mais la manière dont il les utilisait. S'il existait une logique cachée dans ses prouesses mathématiques et mnémoniques et si nous n'en connaissions que le résultat final, peut-être existait-il aussi dans d'autres domaines de sa vie le même *type* de fonctionnement logique et, là aussi, nous ne pouvions voir que le résultat.

La phrase « voie sans issue », par exemple, résumait-elle une multitude de sentiments, dont lui, et lui seul, connaissait parfaitement la nature?

Voulait-elle dire pour lui la même chose que pour nous, c'est-à-dire l'extrémité d'une rue, interdite à la circulation? Ou bien signifiait-elle tout autre chose, peut-être la fin de la vie, la fin de l'espoir, la fin de l'épreuve?

Ce qui me semblait important aussi, c'est que les seuls moments où Peter établissait un contact avec quelqu'un d'autre étaient ceux où il étalait ses talents divers. Là, il répondait directement aux questions.

Il savait tirer parti de ses dons. Ils lui permettaient d'attirer l'attention des gens et, en même temps, de les repousser. On s'intéressait à lui parce qu'on le trouvait fascinant, mais on le fuyait parce que, au bout de quelque temps, on ne pouvait plus supporter ses exigences.

On le trouvait devant une feuille de papier couverte de nombres extravagants qu'il avait inscrits de son écriture brisée. Il vous en donnait la somme et réclamait une vérification parfaitement inutile.

Parfois, il répétait des totaux qu'il avait surpris au cours d'une conversation, et il vous en donnait le total. Ou bien, il avait envie de soustraire et vous suppliait d'écrire pour lui des nombres sur lesquels il ferait ses opérations (alors qu'il était parfaitement capable de manipuler des chiffres sans qu'il soit besoin de les écrire!) Jamais il ne montrait ce qu'il faisait ni comment, mais il vous donnait le résultat avec la rapidité d'un ordinateur — c'était inimaginable. Et il n'y avait jamais d'erreur. Si, par malheur, vous ne lui répondiez pas assez vite, il piquait une colère et se mettait à crier et à pleurer jusqu'à ce qu'on s'exécute. Mais alors, il était trop tard, et Peter ne se calmait que lorsqu'il était fatigué de crier.

Il vous suivait, vous rejoignait, vous heurtait (il était impossible de lui échapper), parlant sans cesse de ses rues, de ses voies sans issue et de ses chats. Ou bien il vous posait des questions.

Parfois, il s'asseyait tranquillement près de la fenêtre et parlait tout seul de ses chats, des voies sans issue, des rues, ou des nombres, ou des feux de circulation, ou bien il énumérait les rues que Joe, le chauffeur du car, avait suivies. Quelquefois, il se mettait à rire tout bas et à s'agiter; c'était signe qu'il parlait des feux et, plus précisément, de quelqu'un qui, au volant, avait brûlé un feu rouge.

Il lui arrivait aussi de s'asseoir et de remuer les lèvres en silence, comme s'il priait tout bas; en s'approchant tout près de lui, on l'entendait compter, depuis le chiffre un jusqu'à... l'infini. (Je me rappelle une fois l'avoir entendu dire « trois » et, un peu plus tard, « soixante et onze mille »; et, à coup sûr, il n'avait pas sauté un seul nombre entre les deux. Jamais Peter ne se le serait permis.)

Quelquefois, il se jetait par terre et se roulait sur le sol en hurlant : « Où sont les morceaux? Où sont les couleurs? Où sont les nombres? » Puis, tout à coup, il me regardait, ou bien il se tournait vers un autre enfant, et commençait à crier : « Allez, ouste, va-t'en, chat », puis il se mettait à miauler — il était devenu lui-même un chat.

Les promenades avec Peter étaient un vrai cauchemar. Prenant la main inerte du petit garçon dans la mienne, je partais tranquillement avec lui et deux autres enfants de mon groupe — jusqu'au moment où, soudain, Peter disparaissait.

Il s'évanouissait dans des caves, des immeubles, des escaliers, à la poursuite de ses chats et d'une « cachette ».

Il se précipitait dans une cabine téléphonique, où vous le retrouviez plongé dans les annuaires : il était en train de lire toutes les adresses et les numéros de téléphone.

Il entrait dans les agences immobilières et s'absorbait dans la lecture des annonces.

Il se ruait dans les commissariats de police et se mettait à fouiller dans les dossiers sous l'œil ahuri des policiers qui, paralysés d'étonnement devant cette apparition fébrile, ne songeaient même pas à intervenir.

Parfois, il jetait ses bras autour du cou d'un inconnu et se mettait à l'agresser avec ses « Comment vous appelez-vous? », etc.

On le trouva un jour à la porte d'une pauvre femme sans défiance, en train de tirer sur la sonnette comme un forcené et de hurler : « Où est votre petit chat? » Il cherchait un chaton qu'il avait aperçu à la fenêtre de cette dame. La malheureuse, affolée, appelait : « Au secours! »

Il s'élançait aussi à la poursuite d'un camion ou d'une voiture. On pouvait le retrouver absolument n'importe où!

Une fois qu'on l'avait récupéré et qu'on s'était excusé, on

repartait, avec la même mollesse. Jusqu'à ce qu'il disparaisse de nouveau.

Ou jusqu'à ce qu'il aperçoive un autobus. Alors, Peter fermait les yeux, paralysé de terreur, et se mettait à crier : « C'est un car, un car scolaire! » Je devais le guider, frappé soudain de cécité, hurlant toujours, jusqu'à ce qu'il soit bien convaincu que le bus avait disparu à l'horizon.

S'il voyait un chat, il lui donnait la chasse, l'attrapait et essayait de l'emmener avec lui.

Nous formions tous deux un étrange tableau dans la rue, moi tenant la main de l'enfant et lui me suivant de sa démarche molle. Puis, tout à coup, avec une parfaite coordination qui semblait n'avoir aucun rapport avec son état de dislocation antérieur, mais qui répondait à son besoin du moment, il disparaissait. Je le cherchais partout. Quand je l'avais enfin retrouvé, nous reprenions notre promenade. En fait, nous n'étions pas du tout ensemble. Mais il me laissait le conduire, car cela faisait son affaire.

Quand nous allions au parc à jeux, Peter s'écroulait sur une balançoire et regardait dans le vague. Il était incapable de jouer avec les autres enfants, de lancer ou d'attraper un ballon, de courir, de sauter ou de s'amuser à quoi que ce soit. Soudain, sans faire de bruit, il sautait rapidement de sa balançoire, et se mettait à persécuter tous ceux qui avaient le malheur d'être près de lui, en leur demandant : « Où habites-tu? Dans quelle rue? Comment t'appelles-tu? » etc.

Avec son visage tendu et son bombardement de questions, il effrayait les gens, qui préféraient prendre la fuite.

Il lui arrivait aussi d'apercevoir quelqu'un en train de lire un livre, un journal ou une revue. Alors il lui arrachait sa lecture des mains et vérifiait le nombre de pages, l'auteur, la date de parution de l'ouvrage, et combien la personne avait encore de pages à lire avant d'arriver à la fin. Puis, satisfait, il retournait à sa balançoire et plongeait à nouveau dans son cauchemar, le regard fixe.

Inutile de préciser qu'au parc à jeux, nous faisions rapidement le vide autour de nous.

Parfois, Peter faisait des dessins et des constructions.

Mais quand il dessinait une personne ou un objet, il traçait toujours une forme disloquée, dont les morceaux s'éparpillaient sur toute la page.

Quand il construisait quelque chose, c'était toujours avec des cubes, et toujours la même structure fermée, rappelant la forme d'une boîte.

Au déjeuner, il ne mangeait que des ailes de poulet ou des œufs mollets dans lesquels il trempait des mouillettes. Il n'acceptait rien d'autre. Jamais il ne se servait d'aucun ustensile.

Après le repas, parfois en plein milieu, il se précipitait aux toilettes. Dès qu'il y était, on l'entendait pousser des cris terrifiés : « Ça ne sort pas. Ça reste collé. Mira doit le faire sortir! »

Il passait le reste du temps à « faire un calendrier », à « additionner des colonnes de nombres », à épeler des listes de mots interminables, à « lire des livres » et à faire les mots croisés du *New York Times*.

C'était là son train-train quotidien. Il avait besoin d'organiser ses journées en suivant un plan rigide qui lui permettait de rendre compte et de prévoir chacun de ses actes, minute par minute. Si l'un des éléments du programme venait à manquer, le monde fragile, mais bien organisé, de Peter s'écroulait, et l'enfant se mettait à pleurer, et à crier en se roulant par terre jusqu'à ce que les choses reprennent leur cours normal et que tout se déroule comme prévu.

Je ne comprenais rien à tout cela; pourtant je savais que, quelque part, tout au fond de lui, la réponse existait. A cette époque (deux ou trois mois après que nous eûmes commencé à travailler ensemble), Peter ignorait cette réponse et j'étais, moi, incapable de comprendre ses symboles. Je décidai de ne pas attendre d'avoir fait une analyse rationnelle de cette énigme, mais de suivre mon instinct et mes impressions, que je ne comprenais pas davantage.

Mais il y avait une chose que je savais : on décrivait souvent Peter comme un « enfant symbiotique ». Il vivait toute relation dans l'abandon de son identité et la fusion avec l'autre personne. Il essayait d'obtenir de son partenaire qu'il en fasse autant. C'était la relation qu'il avait avec sa mère — chacun faisait partie intégrante de l'autre et semblait incapable d'exister sans lui — et la seule qu'il ait jamais connue. Au point que le mot « je » n'existait pas dans le vocabulaire de Peter — « je » était toujours « tu ».

D'après ce que j'avais pu observer, ce type de relation offrait bien des avantages à l'enfant. Il n'était pas responsable de ses actes et se sentait protégé par la puissance émanant de l'autre. Car s'il *était* cette autre personne, il pouvait s'emparer de sa force par un quelconque procédé magique, ou par osmose; et il serait protégé, car l'autre ne voudrait jamais lui faire de mal, pour ne pas risquer de se blesser lui-même.

Toutefois, une relation symbiotique présente aussi un certain danger, car chacun des membres de cette unité doit abandonner une grande partie de son identité et devenir dépendant de l'autre. Peter n'aimait pas tellement cela. C'est pourquoi l'amour et le besoin qui le poussaient vers cette union se mêlaient aussi de haine et de rancune. Et la haine s'accompagne toujours d'un sentiment de peur. Peter avait peur — peur de se faire dévorer et de dévorer l'autre. Il avait peur de se trouver ainsi à la merci de l'autre, peur d'avoir mal en déplaisant à l'autre ou bien en le trouvant, lui, déplaisant. Alors, il avait isolé une partie de lui-même et l'avait cachée tout au fond de sa coquille; et c'était cette partie, dissimulée aux yeux de tous, qui dirigeait ses actions.

Je voulais la découvrir et la révéler à Peter. Je voulais qu'elle soit enfin reconnue, rendue consciente et responsable; je voulais que Peter retrouve le moi dont il s'était séparé.

Je savais que, pour l'aider, je devais atteindre le Peter dissimulé au fond de sa coquille ou de sa « cachette », comme il disait — et là, il me faudrait prendre soin de l'enfant et guérir ses plaies.

Mais comme il ne communiquait qu'à travers ces curieux symboles qui lui servaient de système de défense, sa coquille interne — son monde imaginaire — était difficile à atteindre. L'attaque devait porter non seulement sur ses symboles, qui n'étaient que les symptômes de sa peur et de sa blessure, mais aussi sur sa peur et sa blessure elles-mêmes.

Je devais tout d'abord lui apprendre un nouveau type de relation, lui apprendre à être. Il lui fallait renoncer à fusionner, et reconnaître son individualité.

Je le laisserais m'utiliser; je serais à la fois sa force, sa volonté et son guide, aussi longtemps qu'il en aurait besoin, mais uniquement pour l'aider à recouvrer la santé, jamais pour flatter sa maladie. Je l'empêcherais de faire du mal, à lui comme aux autres. Je le protégerais contre ses terreurs. J'établirais les règles du jeu et prendrais les décisions pour lui. Je l'aiderais à sortir de son labyrinthe. Mais jamais je ne le laisserais se servir de moi pour m'entraîner dans sa folie.

Quelles que soient sa souffrance ou sa peur, jamais je n'accepterais de me fondre en lui. Je voulais me tenir à l'écart, garder mon identité.

Il me faudrait traiter avec ce qu'il y avait en lui de plus sain et le rendre conscient et responsable de ses actes; nous n'aborderions son monde imaginaire, aussi fascinant qu'il soit, que pour aider l'enfant à retrouver son équilibre.

Je décidai de restreindre l'univers de Peter en éliminant de notre relation toute prouesse mathématique et toute activité d'épellation — deux terrains où il avait l'habitude d'entraîner les gens, car ils n'exigeaient de sa part aucun investissement affectif.

Je lui dis que j'étais nulle en mathématiques, que les chiffres m'ennuyaient beaucoup, et qu'il perdait son temps avec moi dans ce domaine. Et, comme j'étais étrangère, je ne pourrais jamais rivaliser avec lui en matière d'orthographe; de toute façon, ajoutai-je, cela ne m'intéressait pas, car les jeux étaient faits dès le départ.

En resserrant ainsi l'univers de Peter, je l'obligeais à faire front.

Je lui annonçai que, puisque j'étais là pour l'aider et non pour me laisser fasciner par son génie, il nous faudrait travailler étroitement tous les deux et il devrait m'aider à l'aider. Quand il commença à me dire : « Mais Peter doit... », je lui répondis : « Mais il y a des tas de choses qu'à partir de maintenant " Peter doit... ", et ce sera beaucoup plus facile pour toi si tu les comprends. »

Je lui dis que, désormais, il pourrait utiliser ma force et ma volonté, mais uniquement quand il voudrait les joindre à ce qu'il avait de plus sain en lui. Il pourrait se servir de moi quand il se sentirait incapable de s'en sortir tout seul, quand il voudrait lutter contre ses peurs et comprendre son monde imaginaire. Mais jamais je ne montrerais de complaisance à l'égard de sa maladie. Je lui dis que je connaissais son désespoir, sa solitude et sa souffrance, mais que jamais je ne me laisserais dévorer par cela.

Les jours, les semaines, s'écoulaient. Peter ne m'était d'aucune aide. Il ne cessait de mettre à l'épreuve les limites que je lui avais imposées; parfois, je ne pouvais plus supporter cette situation. Il ne communiquait toujours que par des symboles — les rues, les chats, les couleurs, etc. — qui n'avaient pour moi aucune signification. Jusqu'au moment où j'appris à écouter plus attentivement; où Peter apprit à m'aider à comprendre.

Un jour, alors que Peter recommençait à pleurer et à se rouler par terre en criant qu' « il n'y avait pas toutes les couleurs, il n'y avait pas tous les morceaux », et qu'il ajoutait : « Peter doit les avoir, ils sont à Peter », je compris soudain qu'il était peut-être en train de parler de l'éparpillement de son corps ou de son esprit. Je lui demandai alors si c'étaient des morceaux à lui qui lui manquaient; il me répondit, soulagé : « Oui. »

Horrifiée, je compris ce que ce petit garçon devait ressentir : il avait l'impression d'être écartelé, disloqué. Était-ce de sa part une réaction émotionnelle, ou bien éprouvait-il vraiment une douleur physique (ou les deux à la fois), j'aurais été bien incapable de le dire. Mais, quoi qu'il en soit, la terreur et l'angoisse que vivait cet enfant me dépassaient. Puis il me vint un soupçon : Peter était sans doute lui-même l'auteur de cette mutilation. Pour quelque raison qui me demeurait obscure, il se disloquait volontairement, il s'infligeait cette souffrance et cette peur pour éviter quelque chose d'encore plus horrible : sa destruction totale.

Je le relevai, le pris sur mes genoux et le serrai très fort contre moi. Je lui répétai inlassablement : « Peter a tous ses morceaux; Peter a tous ses morceaux. » Ses sanglots et ses cris

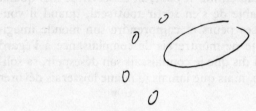

L'autobus roule et il est morcelé
(« va en morceaux »).

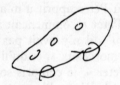

L'autobus roule
et il est en un seul morceau.

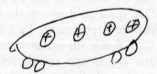

Puis il a dessiné l'autobus
de cette manière.

s'apaisèrent. Il se détendit. C'était comme si, en le prenant dans mes bras, j'avais créé une frontière autour de lui qui l'empêchait de se disperser en tous sens.

Ensuite, chaque fois qu'il était saisi de panique, je le prenais sur mes genoux, le serrais dans mes bras et le rassurais en lui répétant qu'il était là, tout entier. Nous restions ainsi, serrés l'un contre l'autre, très, très longtemps, plusieurs fois par jour : chaque fois qu'il avait l'impression d'avoir perdu un morceau de lui-même.

Au bout d'un certain temps, dès que Peter sentait revenir en lui cette impression, il se ruait sur mes genoux, me regardait sans rien dire et se mettait à pleurer. Et moi, les bras serrés autour de lui, je l'empêchais de se disloquer.

Cela dura plus de six mois. Ensuite, il suffisait que nous l'exprimions à haute voix : « Peter a tous ses morceaux. » Jusqu'à ce qu'enfin l'enfant décide un jour qu'il était capable de maintenir son intégrité : « Peter a tous ses morceaux », déclarat-il, puis il ajouta tranquillement : « Le car scolaire aussi. » Je compris alors que, non seulement il avait peur de sa propre dislocation, que le car lui rappelait d'une manière ou d'une autre, mais qu'il redoutait aussi son désir ou sa « faculté » de disperser ou de détruire ce car.

A partir de ce moment, il s'opéra un changement très net chez l'enfant. C'est ainsi que, par exemple, il ne jouait plus à l'aveugle dans la rue, même s'il voyait un autobus. (Toutefois, les difficultés n'avaient pas totalement disparu. Son visage exprimait souvent la terreur tandis qu'il se forçait à regarder l'autobus. Il étouffait un cri de frayeur, et semblait soulagé dès qu'il constatait à voix basse : « Il est tout entier. ») Il n'était plus pris de panique à propos des couleurs ou des morceaux « qui manquent ».

Ses dessins aussi se modifièrent. Les corps démembrés commencèrent à recevoir une tête, puis des jambes, et des mains. Ce n'étaient plus des éléments isolés, mais la représentation d'un corps achevé, complet. Cette évolution suivit celle de l'idée qu'il avait de lui-même : il ne se voyait plus comme un être brisé, mais comme quelqu'un qui possédait une véritable unité.

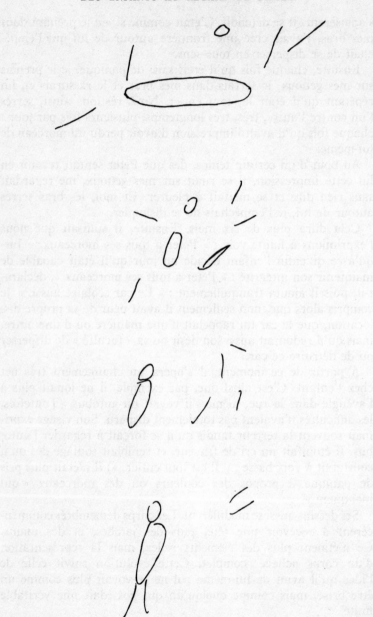

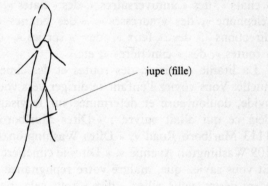

jupe (fille)

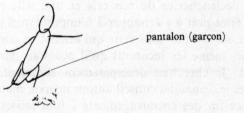

pantalon (garçon)

cheveux

oreilles

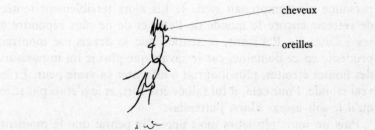

Peter n'était pas pour autant libéré de son sentiment de désintégration; mais il savait maintenant qu'il était capable de « rassembler ses morceaux ». Ensemble, nous commencions à déchiffrer le puzzle. En unissant nos efforts, nous quitterions le chaos pour atteindre une certaine maîtrise.

Autrement, rien n'avait changé. C'était toujours le même besoin de dévorer, de contraindre son entourage, le même désespoir et la même peur (sauf que ses sujets de frayeur étaient moins nombreux). Il continuait à harceler tout le monde (excepté moi) avec ses nombres, ses mots à épeler, etc. Il parlait toujours des « chats », des « anniversaires », des « dates », des « numéros de téléphone », des « adresses », « des bonnes et des mauvaises directions », des « feux », des « sorties », des « rues », des « routes », des « cimetières », etc.

La litanie des rues, des routes et des cimetières était continuelle. Vous voyiez l'enfant se diriger vers vous, une expression avide, douloureuse et déterminée sur le visage, et vous saviez déjà ce qui allait suivre : « Dites Marlboro Road », « Dites 1113 Marlboro Road », « Dites Washington Avenue », « Dites 409 Washington Avenue », « Dites le cimetière du Mont Sinaï. » Et vous saviez que, malgré votre répugnance à vous plier ainsi à ses désirs, vous alliez « dire » tout cela, parce qu'autrement vous déclencheriez de tels cris et une telle peur panique que vous étiez prêt à y échapper à n'importe quel prix. Je « disais », moi aussi, comme tous ceux qui étaient en contact avec Peter à l'école; même les inconnus qu'il accostait dans la rue s'exécutaient. Je cherchais désespérément comment attaquer le problème; je demandai conseil autour de moi; mais tout ce que j'obtins, ce fut des encouragements à tout laisser tomber, puisque personne n'y comprenait rien. Je fus alors terriblement tentée de rétrécir encore le monde de Peter et de ne plus répondre à ses « Dites... » Pourtant, je sentais que je devais me montrer prudente en ce domaine, car je savais que plus je lui imposerais des limites étroites, plus il aurait à affronter sa vraie peur. Et le vrai monde. Pour cela, il lui fallait être fort, et je n'étais pas sûre qu'il le soit assez. Alors, j'attendais.

Puis un jour, plusieurs mois après, je pensai que le moment

était venu. Comme mon attente n'avait rien donné, je dis à Peter :

— Ne me parle plus de rues, de routes ou de cimetières.

Et je me préparai à supporter ce qui allait suivre. Le choc fut terrible pour l'enfant. Il me regarda, incrédule. Puis, terrifié, furieux, il commença à hurler :

— Peter doit, Peter doit.

Puis il s'approcha de moi et se mit à répéter :

« Allez, ouste, ouste, Mira, va-t'en, chat. »

Il se métamorphosait en chat et voulait aussi que j'en devienne un. Mais j'établissais la règle du jeu, et il ne pouvait plus user de son pouvoir sur moi. Ses cris, ses hurlements, ses plaintes et ses supplications ne servaient à rien. Je me contentais de lui répondre :

— Nous devons comprendre ce que tu dis quand tu dis cela. Nous devons savoir ce que cela signifie.

Sa seule réaction était de « faire » le chat. Cela dura près d'un mois (la moitié du personnel commençait à me considérer comme une tortionnaire).

Puis un jour, dans le parc, ce fut le déclic.

Je vis soudain l'enfant courir vers moi comme s'il était poursuivi par une meute de loups. Il hurlait. Quand il m'eut enfin rejointe, il se jeta sur moi, en pleurant à chaudes larmes. Puis, tout en se frottant le visage et en tirant sur mes bras tour à tour, il se mit à crier :

— Mira, dites Cortelyou Road. 711 Cortelyou Road. Cimetière. Cimetière.

Il ne cessait de battre des paupières. Il était évident que quelque chose le tourmentait. Aussi, poussée par un désir irrésistible de lui venir en aide, je criai à mon tour :

— Comment puis-je t'aider, si je ne sais pas ce qui t'ennuie et si tu ne me le dis pas?

Stupéfait, Peter s'arrêta de hurler et me dit :

— Mira, enlevez ce qu'il y a dans votre [mon] œil; cela fait mal.

C'était la première fois que je l'entendais parler d'une douleur physique précise.

Pourquoi Peter avait-il recours à des symboles aussi impersonnels, aussi neutres, qu'une rue et un numéro pour traduire une expérience émotionnelle désagréable? Cela restera toujours pour moi un mystère. (La référence au cimetière était plus facile à comprendre, car une blessure peut vous y conduire.) Ensuite, chaque fois qu'il commençait avec ses rues, routes et cimetières, je lui demandais :

— Où as-tu mal?

Souvent, après avoir longtemps tourné autour du pot (comme si le fait de reconnaître sa souffrance pouvait présenter quelque danger), il me répondait. Il évoquait alors aussi bien une douleur physique qu'une souffrance émotionnelle. Mais il lui arrivait aussi très souvent de ne pas me répondre.

Sa manie de toujours poser des questions rendait encore plus difficile la compréhension de son besoin véritable. Là encore, la curiosité et la fascination que les gens éprouvent pour l'inexplicable et mon propre malaise devant le mystère entraient en jeu.

Comme je l'ai déjà dit, Peter bombardait tout le monde de questions, que ce soit en classe, dans la rue, dans le parc, dans les magasins, chez lui. Très souvent, il ne tenait aucun compte du fait qu'il avait déjà vu sa « victime » maintes et maintes fois et qu'il lui avait soutiré toutes les informations possibles (or, il n'oubliait jamais rien).

La manière dont il posait ses questions était ahurissante : il s'approchait de sa victime, les yeux plongés dans les siens; parfois, il exerçait sur elle une pression physique — en la tenant par ses vêtements, par le cou, par n'importe quoi, donnant parfois l'illusion de se laisser aller à un geste d'affection — et il commençait à réclamer les « réponses ». C'était effrayant. Mais les gens étaient prêts à supporter cela pour être témoins des dons exceptionnels de Peter. Et lui les comblait en faisant étalage de ses prouesses.

Ses dons *étaient* exceptionnels. Sans un battement de ril, de sa voix toujours aussi monotone, il annonçait le jour où tomberait votre date d'anniversaire telle ou telle année, par exemple. Cela me mettait mal à l'aise et me donnait toujours l'impression d'avoir pénétré sur un territoire où je n'avais rien à faire. Par ailleurs, j'essayais de traiter cela à la légère et de l'ignorer, comme s'il s'agissait d'une vulgaire supercherie utilisée par cet enfant intelligent et manipulateur pour plier tout le monde à ses désirs [1].

Une fois de plus, il me fallut admettre qu'il y aurait toujours en Peter quelque chose qui m'échapperait. Parce que je n'avais pas ses dons, une partie de son univers me resterait toujours fermée. Mais je comprenais aussi que le processus logique qui lui permettait de résoudre des problèmes d'année, de mois et de jour, devait également lui servir dans le monde compliqué qu'il avait élaboré. Si ses dons restaient pour nous un mystère, il en serait de même pour le reste.

Ensuite, je compris que ce n'était pas les talents exceptionnels de Peter qui m'irritaient, mais la manière dont il les utilisait. Grâce à eux, il pouvait contraindre son entourage à lui donner l'« information » dont il avait besoin; c'est lui qui posait les conditions de ses relations avec autrui. Mais il le payait cher. Se sentir aussi puissant quand, en réalité, on est si faible a quelque chose d'effrayant pour un enfant. Un tel manque de respect et de confiance envers la compréhension dont les autres sont capables de faire preuve peut devenir écrasant. Si tout le monde vient renforcer votre « monde imaginaire », c'est dangereux. Se sentir observé et admiré par tous, et en même temps détesté (bien qu'on essaie de vous le cacher), est sûrement très pénible, même si cela pouvait avoir, aux yeux de Peter, un aspect rassurant. Après avoir passé ainsi un an et demi sans rien faire pour l'empêcher d'assaillir les gens, le moment semblait venu de passer à l'action.

Notre relation paraissait suffisamment forte pour supporter bien des chocs. Peter s'appuyait sur moi et souvent il faisait siennes mes propres paroles.

Je pris donc la décision suivante : désormais, il n'agresserait plus personne dans le parc, dans la rue ou au jardin public — tant

---

1. Je me rappelle avoir trouvé un jour une affiche de théâtre datant du XIXᵉ siècle sur laquelle figurait la date de la « première », y compris le jour. Je demandai alors à Peter quel jour tombait le 15 janvier 1875, persuadée que cela m'éclairerait sur les dons de l'enfant et dissiperait mon malaise. Peter, très surpris et très déçu que je me laisse prendre, moi aussi, à ses manœuvres, me répondit avec calme : « Un jeudi. » Et c'était bien un jeudi. L'affiche en faisait foi. Cette expérience me fut salutaire. Plus jamais je ne lui reposai ce genre de question, mais plus jamais non plus je n'ai douté de ses capacités mystérieuses.

pis si cela devait déclencher des crises de rage. S'il enfreignait ma règle, nous ne sortirions plus, lui annonçai-je, sachant combien il était important pour lui d'aller dehors pour avoir l'occasion de rencontrer « ses chats ».

Après m'avoir souvent mise à l'épreuve, Peter accepta la nouvelle situation. A l'école, je le laissais encore persécuter son entourage, car, lorsque j'essayais de l'en empêcher, il avait l'air si terrifié que je ne me sentais pas le droit de lui infliger cette nouvelle contrainte.

Bien sûr, la signification de son comportement m'échappait encore complètement. Parfois, je m'imaginais que s'il interrogeait les gens, c'était pour être plus proche d'eux, pour se faire aimer, se rassurer; mais cela sonnait faux. Car il y avait aussi en cet acte autre chose, destinée autant à repousser les gens qu'à les attirer. L'avidité et le désespoir avec lesquels il exigeait de « savoir » traduisaient une frayeur et une haine pour cet interlocuteur dont il aurait voulu s'emparer et dont il était si dépendant.

Puis, un jour, à l'école, Peter « oublia » d'agresser quelqu'un avec ses questions. C'était la première fois que cela arrivait depuis que je le connaissais. J'eus alors une idée, et j'établis une nouvelle règle : je lui permis d'interroger simplement cinq personnes. A la sixième, il devait s'arrêter. Puis, il n'eut le droit de questionner que quatre personnes, puis trois, etc. Mes nouvelles règles furent accueillies par des hurlements. Mais comme ils me laissaient de marbre, Peter devint « rationnel » et plaida sa cause :

— Mais Peter doit savoir, disait-il.

— Pourquoi?

— Parce qu'il doit.

— Pourquoi? Je ne « demande » pas, personne ne « demande ».

— Cela lui fait du bien. Il se sent apaisé; cela lui calme les nerfs.

Il pleurait à chaudes larmes et se cramponnait à mes bras comme s'ils pouvaient changer quelque chose à sa situation.

Mais il ne répondait toujours pas à mon « pourquoi ». Aussi, malgré ses supplications, je maintenais la nouvelle règle et, chaque fois qu'il me disait « Peter doit... », je lui demandais : « Pourquoi? » C'était assez éprouvant nerveusement pour nous deux, mais au bout d'un an, Peter se décida soudain à me répondre. A l'un de mes « pourquoi », il répondit :

— Parce que ce sont des inconnus.

Comme je le pressais de questions, il ajouta :

« Peter a peur d'eux.

Quelques jours plus tard, il dit encore :

« Ces personnes ont certains morceaux de Peter.

Tout s'éclairait soudain.

J'interrogeai l'enfant :

— Si tu sais qui ils sont et où ils vivent, gardent-ils encore tes morceaux?

— Oui. Mais Peter sait alors où les trouver.

Je commençais à comprendre pourquoi Peter avait tant « besoin de savoir ». Pour quelque raison obscure, ce malheureux petit garçon devait se disloquer et cacher ou abandonner ses morceaux. Toute personne avec laquelle il entrait en contact en possédait quelques-uns. Et pour ne pas perdre de vue les éléments qui lui manquaient, Peter devait savoir à tout moment où se trouvaient ces personnes.

Il n'avait aucun ami, aucune relation, mais il se souvenait de tous ceux qu'il avait rencontrés un jour. Car c'étaient des ennemis; ils possédaient des morceaux de lui-même. Ce type de solitude est assez terrifiant. Si Peter interrogeait ainsi les gens, s'il leur demandait leur nom, leur adresse, leur numéro de téléphone, leur date d'anniversaire, etc., ce n'était pas pour se rapprocher d'eux, pour mieux les connaître, mais pour mieux s'en protéger.

A partir de ce jour-là, quand quelqu'un entrait dans la pièce, je devançais les questions de Peter en le rassurant :

— Il n'a pas tes morceaux. Il a les siens, et toi, tu as les tiens.

Parfois cela marchait, mais c'était assez rare. Ma méthode n'était efficace que si Peter connaissait déjà le nom, l'adresse, etc., du visiteur. Mais s'il ignorait tous ces renseignements, il les « demandait » au nouveau venu.

Puis, Peter ne parla plus de « morceaux », au pluriel, comme il avait fait jusqu'alors, mais d'un seul « morceau ». J'eus l'impression que cela était dû au fait qu'il commençait à se sentir plus complet.

Maintenant, quand un étranger entrait, Peter se précipitait aux toilettes. Un jour, nous avons eu la visite d'un homme qui s'appelait Dick. Immédiatement, Peter se mit à l'accabler de questions sur son nom, son adresse, etc.

Comme j'essayais de convaincre l'enfant que Dick et lui avaient chacun leurs propres morceaux, Peter me dit d'un ton sans réplique :

— Non.

— A ton avis, quel morceau Dick t'a-t-il pris? lui demandai-je.

— La jambe.

Je lui conseillai alors de toucher sa jambe et celle de Dick pour voir la différence. Il s'exécuta, puis me dit :

« Non, pas la jambe.

Et il se rua, effrayé, vers la porte et se mit à crier :

« Peter doit aller aux toilettes.

— Pourquoi?

— Il doit, dit-il d'un ton sec.

— Crois-tu par hasard que Dick a ton pénis?

Peter se mit alors à sauter de joie et, tout excité, il cria, l'air soulagé :

— Oui!

Je lui dis d'aller aux toilettes et de vérifier. Quand il revint, il annonça :

— Peter a le sien.

Sa coordination s'améliora; il se risquait sur les balançoires, il courait plus vite, marchait plus droit, grimpait aux barres. Il acceptait même de goûter de nouveaux plats. Et il donnait l'impression d'être moins dissocié. Il parlait plus nettement et se contrôlait mieux.

Pendant longtemps, il continua à bombarder les gens de questions. Mais elles n'avaient plus ce ton pressant, désespéré, qu'il leur donnait avant; et ses motifs avaient changé. Maintenant, s'il interrogeait quelqu'un, c'était pour établir un contact avec lui, avoir un sujet de conversation. Il le disait lui-même :

— De quoi Peter doit-il parler avec les gens? Peter ne sait pas ce qui les intéresse.

Quand il reprenait ses interrogatoires, c'était aussi pour voir si j'allais m'y opposer et vérifier que je m'intéressais toujours à lui, surtout quand les choses n'allaient pas très bien entre nous. Il agissait ainsi pour « rétablir » le contact avec moi, pour que je me sente « concernée » par son problème.

Un jour, environ deux ans après que nous eûmes commencé à travailler ensemble, il se passa une chose étrange.

J'étais allongée par terre, à plat ventre, en train de faire un puzzle avec un enfant de mon groupe. Peter était devant le chevalet; il peignait des chats. Soudain, je sentis une tête se poser sur mon postérieur. Je continuai mon puzzle, sans me retourner, car je ne voulais pas déranger l'enfant qui essayait de trouver auprès de moi un certain bien-être; puis je compris que c'était Peter. Il semblait très calme, mais il laissait échapper des petits bruits curieux. Avant que j'eus le temps de lui demander ce qui n'allait pas, Peter tortilla sa tête le long de mes jambes, se leva et me regarda avec une expression bizarre où se mêlaient le souvenir de la concentration et de l'effort passés, et le début d'un apaisement.

— Peter est sorti, dit-il.

Je le regardai, sans comprendre. Alors, il précisa :

« Peter est sorti de Mira.

Puis il ajouta :

« Comme de Maman. Il est né.

Et il retourna à sa peinture.

Après cet incident, Peter se montra plus coopératif et légèrement plus indépendant. Il me laissait toujours lui dire ce qu'il fallait faire; je le guidais comme s'il était aveugle, faible et dépendant; il s'appuyait encore sur ma volonté et ma force; mais, maintenant, il disait que cette force était à lui. Et je sentais qu'il commençait à avoir une certaine confiance en moi, et non plus seulement le besoin effréné de se servir de moi comme cachette. Il n'avait plus cette frénésie de l'homme qui se noie et qui essaie d'entraîner son sauveteur avec lui au fond de l'eau. Je n'appréciais pas tellement cet excès de confiance et cet excès de responsabilité. Je veux bien mettre en ordre le chaos. Ou bien transformer l'ordre en chaos. Mais passer de l'ordre au chaos et du chaos à l'ordre, c'est une responsabilité trop lourde pour moi.

Il parlait toujours autant des « sorties interdites », des « voies sans issue », des « feux de circulation », des « mauvaises directions », etc. Mais c'était maintenant beaucoup plus lié, semblait-il, à l'intérêt que Peter manifestait pour les « cimetières ». Là, ce fut l'enfant lui-même qui essaya de comprendre ce que tout cela signifiait.

Il avait l'air obsédé par le besoin de savoir si une rue était « à sens unique » ou non. Était-ce une « voie sans issue »? Avait-elle un panneau « sortie interdite »? Le « conducteur respecte-t-il les feux » ou non? C'était là des sujets de préoccupation constante qui plongeaient Peter tour à tour dans l'inquiétude et la joie, la terreur et le soulagement; parfois, on aurait dit que c'était pour lui une question de vie ou de mort. Chaque fois que Peter en parlait ou qu'il posait ses questions, j'avais l'impression qu'en réalité il ne s'adressait qu'à lui-même; c'était comme s'il partageait avec lui-même quelque horrible secret.

Puis, un jour où nous nous balancions tous les deux sur les balançoires d'un parc à jeux, Peter, qui s'amusait beaucoup, se tourna soudain vers moi et me dit :

— Sans sortie.

Comme d'habitude, je n'y prêtai pas attention, pensant qu'il essayait encore de m'entraîner dans son univers. Peter continuait de se balancer.

« C'est une route ronde, dit-il. Vous tournez, vous tournez, et il n'y a pas de sortie.

Je levai les yeux, comprenant que l'enfant essayait de m'expliquer quelque chose.

Il ajouta ensuite avec un rire :

« Alors, vous êtes *mishuga*.

C'est un mot yiddish qui signifie « fou », « dément », « délirant ».

— Ah?, fis-je.

— Sûr. Vous tournez, vous tournez, et il n'y a pas de sortie; alors vous devenez *mishuga*.

Je comprenais ce qu'il voulait me dire. Quand la folie vous gagne, vous tournez, tournez dans votre tête, et n'arrivez nulle part. La confusion entraîne la peur, ou bien la peur entraîne la confusion. Ou bien s'agissait-il de la peur de la confusion?

Quoi qu'il en soit, Peter semblait se rendre compte du moment où il sombrait dans la folie. Il ne comprenait pas ce qui le terrifiait et, pour éviter d'avoir à y faire face, il choisissait la démence. Mais il savait très bien ce qui se passait; il était parfaitement capable d'expliquer la signification de ses points de repère.

Je l'interrogeai :

— La mauvaise direction? C'est celle qui mène à la « sortie interdite »?

— Oui, répondit-il en tremblant. Il ne faut pas la prendre, parce qu'alors on ne peut plus sortir.

Sa voix montait de plus en plus, dans le feu de l'excitation. Je continuai prudemment, en essayant de ne pas l'effaroucher :

— Et les voies sans issue, et les feux de circulation?

— Alors, il y a le cimetière.

— Quoi donc? demandai-je, essayant d'en savoir plus.

— C'est tout, dit-il d'un ton ferme.

Et il quitta la balançoire.

C'était tout. Il m'avait raconté toute son histoire : ce qui le terrifiait, c'était sa destruction, sa mort. A la fin de notre route à tous, il y a la mort, le cimetière. C'était la même chose pour Peter, mais lui en avait une conscience plus nette que la plupart d'entre nous; et sa terreur n'était pas comparable à la nôtre.

Après cela, chaque fois que le petit garçon était saisi de panique et commençait à crier : « Sortie interdite », « Mauvaise direction », j'intervenais en lui disant :

— Regarde, Peter, il y a une sortie. Je vais te la montrer. Tu n'as qu'à la suivre et tu quitteras cette route.

Alors Peter s'apaisait et « quittait » sa route dangereuse : qu'elle mène à la folie et donc à la mort, ou bien qu'elle le conduise directement vers sa destruction finale, de toute manière elle était dangereuse. Peter sentait que si, pour une raison ou une autre, la folie le gagnait, il pourrait oublier le rite magique qui le protégeait : il irait alors droit à la mort — c'est-à-dire au « cimetière ».

Bien souvent, je l'ai sorti de sa route dangereuse. Puis le

moment vint où il fut capable de venir me trouver en me disant simplement, avec beaucoup de calme :

— Peter a pris la « mauvaise direction »; les feux ne marchaient pas. Mira doit lui montrer la sortie.

Il finit par ne plus jamais me parler de ses rues, ou seulement pour évoquer le passé :

— Vous vous souvenez de l'époque où Peter avait peur des « sorties interdites »?

Mais tout cela n'arriva que beaucoup plus tard.

Il était capable de compter sans s'arrêter, pendant des heures. Il commençait : « Un, deux, trois, quatre... », et continuait, infatigable, jusqu'à des nombres astronomiques.

— Peter, à quoi cela te sert-il? lui demandais-je. Pourquoi comptes-tu? Es-tu heureux? Es-tu malheureux?

Je tâtonnais. J'aurais voulu comprendre.

Mais il continuait à marmonner tout bas.

— Peter doit, parce que Peter doit, me répondait-il d'une voix quasi inaudible.

Les nombres ont un pouvoir magique.

Il avait une manière de compter tout à la fois effrayante et envoûtante. Combien de fois me suis-je assise à côté de lui, balançant la tête au rythme des nombres qu'il débitait de sa voix monotone. Je subissais une sorte d'hypnose : j'avais l'impression d'être happée dans un vide d'où les notions de temps et d'espace étaient totalement absentes. Je devais faire appel à toute ma volonté pour sortir de ce rêve, Dieu seul sait au bout de combien de temps.

Peter comptait, et je n'y pouvais rien. L'enfant semblait comprendre ma défaite; il disait alors, comme pour m'apaiser :

— D'accord, c'est fini de compter.

Mais c'était plus fort que lui; on aurait dit que ses lèvres avaient leur vie propre. Elles continuaient à bouger et, si je les regardais très attentivement, je lisais : 17 101, 17 102...

Deux ans après avoir commencé à travailler avec Peter, je me trouvais un jour à la plage avec lui et deux autres enfants du groupe. Les vagues étaient très fortes et la mer nous rejoignait à tout moment. Tandis que les deux autres enfants et moi reculions et nous amusions de ces éclaboussures, Peter se mit à compter. Nous reculâmes encore. Peter comptait toujours. Nous nous levâmes pour changer de place une nouvelle fois. Peter en était à 2 000. Il semblait rivé sur place, incapable de bouger, et j'ai dû l'entraîner presque de force avec nous. Soudain, il se mit à hurler :

— Mira et Peter doivent rentrer! Les vagues sont trop voraces et elles font trop de bruit. Cela lui fait peur.

Il se remit à compter.

Je lui demandai alors s'il comptait pour me dire qu'il avait peur, ou bien pour chasser la peur, ou encore pour éloigner ce qui lui faisait peur.

— Cela chasse la panique, me répondit-il. Ça la chasse, et comme ça elle ne fait plus peur à Peter.

Après cet éclaircissement, dès qu'il commençait à compter, sa mère ou moi lui demandions ce qui l'effrayait et, à force d'explications, nous arrivions à le rassurer et à mettre fin à son comptage.

Autant que je puisse m'en souvenir, j'ai toujours éprouvé une certaine attirance pour les chats. Un chien peut se plier à certaines règles, pas un chat. Cela correspond assez bien à ma sensibilité, qui n'observe aucune règle et ne se permet pas de porter de jugement. Un chat n'a ni tort ni raison; il *est*, c'est tout. Une énigme. Quelque chose qui dépasse mon entendement. Quelque chose de magique. (Peut-être qu'un de mes ancêtres s'est livré au culte du chat et que j'ai gardé en moi quelques traces de cette adoration.)

Peter éprouvait un besoin irrésistible de connaître des chats, d'en avoir, d'en tenir dans les bras, de communiquer avec eux, de devenir un chat lui-même. Pendant les quatre premières années où je l'ai connu, il passa à peu près la moitié de son temps (de nuit comme de jour) à la recherche de ces animaux. Sa quête l'entraînait partout : dans les caves, les ruelles, les escaliers, les toits, les balcons, les maisons et les cours des voisins, etc. Si un chat se trouvait à portée de sa main, il l'attrapait, le serrait dans ses bras et l'emportait. Il voyait ces animaux partout, même quand il n'y en avait pas. C'était devenu chez lui une véritable obsession : il parlait chat, mangeait chat, dormait chat. Ils étaient de toutes les formes et de toutes les couleurs. Il en dessinait, en modelait avec de l'argile, ou bien il en découpait dans les magazines. Il cherchait des chats dans sa « cachette », qu'il passait son temps à essayer de découvrir, parce qu'il savait que ses chats « spéciaux » s'y trouvaient.

Quand il voyait l'un de ces animaux, il devenait très excité. Ses yeux commençaient à briller et il se mettait à poursuivre le chat, comme s'il y était poussé ou contraint par quelque chose. Vous pouviez essayer de lui parler, ou même de crier : il ne vous entendait pas. Tout ce qu'il voyait, c'était le chat. Quand il réussissait à s'en emparer, son visage avait une expression étrange, faite d'un mélange d'excitation, de terreur, de plaisir et de colère. Il serrait très fort l'animal contre lui, comme s'il avait peur qu'il ne s'échappe; on aurait dit qu'il avait enfin trouvé quelque chose qu'il avait perdu depuis longtemps et qu'il ne voulait plus faire qu'un avec lui. En même temps, on avait l'impression qu'il voulait le détruire et peut-être se faire détruire par lui, se laisser absorber, se fondre en lui.

Il avait la même réaction en voyant simplement des photos de chats. S'il n'y avait aucun de ces animaux en vue (réel ou sur le papier), il en faisait surgir de son imagination, il évoquait ses souvenirs et insistait pour que les personnes qui étaient alors avec lui lui parlent de la couleur de ces chats imaginaires, de leur nombre et de leur taille. « Combien y avait-il de chats chez le cordonnier? » « De quelle couleur étaient les chats de la page 63 dans cette revue? » « Combien y avait-il de chats sur la palissade? » Et si la bonne réponse ne venait pas, c'était toujours le même affolement, la peur panique et les hurlements.

Quand il était fâché contre moi (ou n'importe qui d'autre), il commençait à gémir : « Miaou, miaou, tu n'auras pas de poisson », comme si lui, le chat, privait l'autre chat (moi) de son mets favori.

Quand Peter se mit à donner à sa colère une expression plus directe, il adopta des gestes félins : il montrait les dents, ses yeux brillaient, ses doigts devenaient des griffes, et il semblait prêt à bondir. Mais, en même temps, il s'arrêtait net, incapable de faire un mouvement. Finalement, il se contentait de faire « miaou, miaou ».

Quand il commença à aller mieux, il se mit à différencier les chats sexuellement. Il m'expliqua qu'il y avait les « chats avec des queues, c'étaient les garçons, et des petits chats avec des bouches ouvertes, c'étaient les filles — n'importe quel genre de bouche ». Il frissonnait d'horreur et, de toute évidence, semblait à la fois terrifié et ravi en pensant à cette bouche. Vers cette même époque, il me dit qu'il aimerait toucher mes dents. Je le lui permis, mais il n'osait pas et ne cessait de me demander : « Mira va mordre? Mira va miauler? » Enfin, il se décida à passer à l'acte et put constater, profondément surpris : « Mira ne mord pas. » Il commença alors à dessiner des chats auxquels il donnait des noms : « Mira la Chatte », « Peter le Chat », « Matthew Chaton et Robie Chaton ». J'étais la « Maman chatte » et ils étaient « les trois petits chats ». Je commençai alors à comprendre que la seule relation « sûre » que Peter avait connue jusqu'à ce que j'entre en scène, c'était celle qu'il avait avec les chats; non pas parce qu'ils sont immortels, mais parce que c'était la seule relation sans danger (non symbiotique) qu'il ait jamais eue. Le chat représentait sa mère rassurante, l'intermédiaire rassurant entre lui et le monde qui l'entoure — la vie.

Dans l'espoir de tirer de Peter quelques réponses, j'élaborai un « test » en dessinant des chats. Grâce à cette méthode (et à elle seule), nous avons pu comprendre un peu mieux comment l'enfant s'était identifié à ces animaux. Je dessinais des chats dans différentes positions, avec des expressions variées, dont je pensais qu'elles pouvaient avoir pour Peter une certaine signification. Il y avait des situations violentes, d'autres plus douces; certaines étaient sanglantes, d'autres pleines de tendresse; certains dessins étaient en noir et blanc, d'autres en couleurs. Il y avait toutes sortes de chats : des chats qui attaquaient, des chats qui tuaient, des chats vivants, des chats morts. Des mamans chattes, des papas chats...

Un jour, après avoir regardé l'un de mes dessins, Peter me dit que le sang du chat avait une odeur. Il aimait bien cette odeur — elle était agréable. J'interrogeai sa mère pour savoir s'il ne s'était pas passé un événement particulier à propos d'un chat. Voici ce qu'elle me répondit :

— Nous avions un chien, Tippy. Il était très gentil, mais dès

qu'il voyait un chat, il devenait fou, et Peter l'a vu en tuer deux.
— Comment étaient ces chats? lui demandai-je.
— Comme des furies, eux aussi.

Elle me demanda alors si je pensais que Peter s'était identifié aux chats que Tippy avait attaqués. Je pensais que c'était possible, mais qu'à certains moments, il pouvait aussi être Tippy. J'interrogeai Peter sur ses chats. Il se contenta de me répondre :
— Les chats ne meurent pas. Ils ont neuf vies.

Ils étaient pour lui une garantie d'immortalité. Ils faisaient disparaître la menace de la mort. Car si Peter devenait un chat, il bénéficierait du pouvoir magique de ces animaux — il aurait leur force. Une partie de leur puissance tenait au fait qu'ils avaient neuf vies. Ils avaient vaincu la mort. Pour s'en assurer, Peter passait son temps à les chercher. Mais il lui fallait surtout retrouver vivants ses deux chats tués par Tippy, car ainsi il serait certain qu'ils possédaient bien plusieurs vies. Je compris alors que ses quêtes incessantes dans les caves, les ruelles et les escaliers répondaient à son besoin de retrouver ses deux animaux disparus. Quand il cherchait la « cachette », c'était sans doute son moi caché qu'il cherchait, mais aussi l'endroit où vivaient les victimes de Tippy. Quand Peter mentionna pour la première fois le frère qu'il avait perdu, Matthew, ce fût pour dire qu'il était avec les chats dans la « cachette ». Quand je lui demandai s'ils étaient tous morts, Peter nia violemment et déclara que « les chats et Matthew étaient vivants ». Je lui demandai également si un morceau de lui-même se trouvait avec eux dans la « cachette »; il me répondit : « Oui, mais seulement quand Peter était petit. »

Voilà tout ce que j'ai pu tirer de Peter. C'est tout ce que j'ai obtenu. Voici comment je me représentais les choses :

La « cachette », c'était l'endroit où il retrouverait vivants tous les chats morts et son frère Matthew. Il cherchait cette cachette au fond des caves, sous des escaliers, sur les toits dans des lieux isolés, généralement déserts. Peut-être était-ce pour lui un synonyme de la tombe. Ou bien peut-être une façon de rejeter la réalité de la tombe, l'échéance finale.

Parce que si la tombe n'est pas une tombe — si elle est vide — il n'y a pas de mort.

Le frère de Peter, Matthew, un débile mental, mourut accidentellement. D'après Peter, sa mère l'aurait poussé dans les
escaliers. Une autre version veut que ce soit Peter le responsable. Peter avait cinq ans à la mort de Matthew. Il vit le corps
et passa la nuit à côté de lui. Pour lui, cette mort était à la
fois incompréhensible et bien réelle. Je ne sais pas si c'est à ce
moment-là que le symbole du « cimetière » s'imposa à lui, mais
je suis sûre que le fait d'avoir été témoin ou acteur d'une
scène de violence tient une large part dans sa peur de la
mort.

Bien que Peter ait renoncé à vivre bien avant l'accident sur-
venu à son frère, car le monde le terrifiait, je pense qu'il s'est
également identifié au petit mort et qu'il a eu l'impression
qu'on l'« enterrait » en même temps que son frère (peut-être
même dans son frère). Alors, son moi caché s'est réfugié dans
la « cachette », replié dans sa coquille; c'était le moi qu'il
protégeait contre les dangers du monde, qu'il tenait prudemment à l'écart des menaces. Quand il se mettait en quête
de la « cachette », c'était comme s'il était attiré par un
aimant, comme s'il devait *trouver* cette « cachette » et tout
ce qui s'y terrait : son moi, son frère, les chats, la vie elle-
même.

Un peu plus tard, quand il alla mieux, Peter me raconta une
histoire sur son chien :
— J'avais un chien qui s'appelait Tippy. Tippy pourchassait
les chats. Il aimait leur faire du mal. Tippy dormait dans sa
chambre. Puis, un jour, Maman s'est débarrassée de Tippy — il
est mort. Et alors, *vous* n'aviez plus de chien, mais *vous* avez
dormi dans la chambre de Maman. Et les chats. Maman s'en
est débarrassée aussi.
Il est intéressant de noter que Peter commence son récit en
disant « je ». Quand il avait un chien, il osait affirmer sa propre
identité. Quand Tippy a disparu, Peter, d'une certaine façon,
est devenu « vous ». Il a parlé de lui à la deuxième personne et
son identité s'est éparpillée — encore un peu plus.
Comme il s'avérait dangereux d'être un garçon ou un chien
(les deux meurent), Peter s'est transformé en chat. Car les chats

ne meurent pas — même si vous vous en débarrassez. Même si on les détruit, ils ne meurent pas vraiment, puisqu'ils ont des vies de rechange.

Maman a tué le chien et les deux chats, puis elle a pris Peter dans sa chambre, ce qui veut dire qu'elle peut le tuer, lui aussi. La situation est dangereuse. Et « je » devient « vous ».

Après avoir travaillé deux ans avec l'enfant, j'ai commencé à restreindre ses discours sur les chats.

C'est à peu près vers la même époque qu'il accepta de porter un appareil correctif pour ses dents. En même temps, comme si cet appareil le protégeait aussi de sa voracité et de ses dents de félin, il se mit à manger davantage comme un petit garçon, et non plus comme un chat.

Au bout de deux ans et demi, il vint m'annoncer que « Peter décidait de ne plus jamais parler des chats ». Cela traduisait moins une réalité qu'un souhait.

Après trois années de travail en commun, sa relation avec les chats se modifia. Il n'avait plus autant besoin d'eux; il ne semblait plus les craindre, les aimer et les haïr comme avant. Il aimait bien en avoir près de lui, mais il ne les attrapait plus de la même façon : il manifestait moins de joie et d'excitation. Cependant, il existait toujours entre eux et lui une relation profonde, une sorte de compréhension muette.

Je me rappelle une scène qui s'est passée vers cette époque.

Peter était dans un camp de vacances, et j'étais venue lui rendre visite. La pluie avait cessé depuis peu. Une odeur de champignons et de pins flottait dans l'air. Un petit garçon s'avançait vers moi en se faufilant à travers les arbres. Il portait un imperméable et un chapeau de pluie jaunes et des bottes noires. Autour du cou, il avait un col de fourrure noire qu'il tripotait sans arrêt. La beauté et l'aspect incongru du tableau m'amusèrent : un imperméable orné de fourrure en plein été...

L'enfant s'approcha et je me penchai pour l'embrasser. Soudain, le morceau de fourrure sortit de sa satisfaction béate pour allonger un coup de patte à l'intruse qui osait ainsi le déranger.

Peter portait un chat autour du cou.

Je me souviens de la cérémonie d'initiation [1] de Peter.

Il restait l'unique enfant vivant de ses parents. Un enfant perturbé, malade, pitoyable. Mais, pour eux, il fallait qu'il se soumette aux rites de passage. Pour qu'ils caressent l'illusion d'avoir un fils comme tout le monde. Et ce fils deviendrait un homme. La synagogue était grande, et pleine à craquer. Le rabbin était un sage vieillard. Grâce à son extraordinaire mémoire, Peter avait appris par cœur tout ce qu'il devait dire. J'avais peur pour lui. Peur de l'émotion de ses parents. Peur de moi.

Peter, vêtu d'un costume neuf, avait l'air terrifié; il y avait bien longtemps que je ne l'avais vu si mal en point. Je m'étais mise sur mon trente et un : chapeau, talons hauts, robe neuve, etc. J'essayais de me cacher au dernier rang.

Peter s'avança vers l'autel, ouvrit le livre des prières et commença à lire. Soudain, il se tourna vers le rabbin, lui mit les bras autour du cou, plongea son regard au fond du sien et commença à geindre : « Combien y a-t-il de chats sur le mur de la synagogue? Peter doit savoir, Peter doit. » Le pauvre rabbin essaya de se dégager de l'étreinte de l'enfant et se mit à appeler à l'aide. Ce fut la panique générale. Je remontai l'allée en faisant claquer mes hauts talons, je rassurai l'enfant, délivrai le rabbin et emmenai Peter dehors pour chercher « combien de chats il y avait... »

Plus tard, Peter me raconta qu'il fallait qu'il sache, pour les chats, parce qu'il avait peur de tous ces gens qui le regardaient.

« Il n'y a que les chats qui font du bien à Peter... Et Mira était trop loin.

Je me souviens aussi qu'au cours d'une promenade à Brooklyn Heights, Peter m'expliqua comme il ferait pour trouver une femme :

— Peter ira dans une maison de chats. Là, il y a un tas de petites chattes. Il en prendra une et l'épousera.

Comme j'avais l'air surprise de cette idée, il ajouta :

---

1. Il s'agit de la cérémonie appelée *Bar-mitzva* dans la religion judaïque. C'est une profession de foi que les garçons prononcent à treize ans, et les filles à douze ans *(NdT)*.

« L'ami de Papa l'a dit à Peter. C'est un ami, il doit savoir. Quand un bébé naît, il n'a aucune relation avec le monde si ce n'est par l'intermédiaire de sa mère. Si l'enfant est laissé à lui-même, s'il est privé de cet intermédiaire — la mère —, sa relation avec le monde est complètement désorganisée, ce qui entraîne des conséquences catastrophiques pour le bébé. Pour une raison quelconque, la mère de Peter avait elle-même avec le monde une relation très perturbée — elle était donc incapable de jouer pour son fils le rôle d'intermédiaire. Elle ne pouvait lui apporter aucun bien-être (un de mes collègues, Kurt Goldstein [1], utilisait le mot de « contentement »), et cette incapacité avait créé chez Peter un profond désordre et un sentiment de terreur.

Le seul intermédiaire entre lui et le monde, c'était le chat. Le « contentement » que sa mère ne pouvait lui donner, il le trouvait auprès de cet animal. Mais quand sa mère tua les chats (et prit Peter avec elle), les intermédiaires de l'enfant disparurent, et il fut alors amené à les immortaliser. Et depuis, il passait son temps à les chercher.

Dans ses dessins datant de la plus mauvaise période, lorsque tout et tout le monde s'éparpillaient en tous sens, la seule chose qu'il dessinait intégralement, c'étaient les chats. Jamais il n'en représenta un sous une forme disloquée. Plus tard, quand je devins un intermédiaire, le chat perdit un peu de son pouvoir.

Cependant, longtemps après qu'il eut renoncé, semblait-il, à ses étranges relations avec les chats, il se mit à s'intéresser aux chiens. Quelle que soit leur taille, il essayait de se faire mordre

---

1. Kurt Goldstein, neuropsychiatre, me fut d'une aide inestimable dans mon travail avec Peter.

par eux. Tout excité, il plongeait la main dans leur gueule; parfois, il voulait même y enfourner la tête.

Jusqu'en février 1956, Peter resta toujours tout seul à l'école. C'était un animal solitaire. Il n'avait pas d'ami, pas de relations. Il n'avait aucun contact avec les autres enfants. Il était totalement dépendant de moi. Puis un garçon qui s'appelait Matthew vint dans notre groupe. Peter s'intéressa à lui. Lentement, une amitié se noua entre les deux enfants. Au début, cela se limitait à une simple interrogation de la part de Peter : « Où est Matthew? » Mais, plus tard, ils se donnaient la main dans la rue, partageaient la même bascule, se pelotonnaient parfois l'un contre l'autre, ou bien ils se lançaient dans une lutte corps à corps. C'était curieux de voir Peter attendre Matthew à la porte de l'école. Quand l'enfant arrivait, ils se prenaient par la main et entraient ainsi en classe. Quand Peter parlait à Matthew, il était toujours en prise directe avec la réalité. Il renonçait à ses symboles et parlait rarement des rues et des nombres. C'était étonnant de voir ces deux êtres étranges, solitaires, se prendre soudain de sympathie l'un pour l'autre. Matthew était toujours prêt à passer à l'attaque; Peter émergeait d'un monde où tout n'était que dislocation et écrasement. Ensemble, ils ont réussi à construire une maison en cubes.

Leur amitié dura longtemps. Ils s'appelaient au téléphone, se rendaient visite et, parfois, allaient ensemble au cinéma. Mais le plus curieux, c'est que tous les deux, si peu sûrs de leur identité, si ignorants de leurs frontières, restaient toujours bien séparés l'un de l'autre. Quand ils étaient ensemble, Matthew, qui aurait voulu devenir n'importe quel enfant pour ne pas être *lui,* était toujours lui-même avec Peter. Et Peter, perpétuellement torturé par le besoin de fusionner avec tout et tout le monde, gardait son identité quand il était avec Matthew. Lorsque Peter réclamait parfois : « Dis les rues », Matthew lui répondait le plus sérieusement du monde : « Qu'est-ce que tu dis, Peter? Je ne comprends pas. » Peter ajoutait alors : « Peter veut seulement se serrer contre Matthew sur le tapis. »

J'ai souvent pensé qu'il ne fallait pas voir seulement une simple coïncidence dans le fait que la première et la seule

273

amitié que Peter ait jamais nouée avec un autre enfant se soit portée sur un garçon dont le nom et l'âge étaient ceux du frère qu'il avait perdu.

Au début de notre relation, Peter se montrait rarement agressif, sauf lorsque, de temps en temps, il se débarrassait de ce qui l'ennuyait, comme lorsqu'il avait fait tomber Robie dans l'eau, du haut des rochers. Cependant, jamais il n'aurait commis un geste de colère consciemment. Quand notre relation commença à se consolider, pour me montrer qu'il était fâché contre moi, Peter se métamorphosait en chat et hurlait : « Miaou, miaou, vous n'aurez pas de poisson. » (Il me transformait aussi en chat.)

A mesure qu'il s'attachait davantage à moi, il s'enhardissait et exprimait maintenant sa colère verbalement, à la manière non plus d'un chat mais d'un petit garçon. Il me disait :

— Peter veut que Mira avale un rasoir. Peter veut que Mira avale un rasoir rouillé.

— Pourquoi rouillé? lui demandais-je.

— Parce qu'elle s'infectera et qu'elle mourra sûrement.

Plus tard, il ajoutait :

— Peter veut mettre Mira dans une poubelle.

Mais jamais il n'aurait frappé quelqu'un. Non seulement il ne donnait pas de coups mais il ne savait pas non plus comment se blottir contre vous, comme si cette forme d'expression physique, quoique positive, était malgré tout dangereuse. Aussi avons-nous commencé par apprendre à nous blottir l'un contre l'autre; ensuite je lui ai appris comment frapper et donner des coups de pied. Ce fut long à venir; Peter était terrifié. Mais il réussit finalement à tirer parti de mes leçons — aux dépens de mes tibias.

Tout en développant le sentiment de son identité, il acquérait une meilleure coordination corporelle. Il arrivait à se maîtriser suffisamment longtemps pour pouvoir donner des coups de pied, pousser et même frapper. Au bout de quelque temps, Peter se mit à exprimer sa colère, son agressivité et à libérer son énergie en me serrant violemment contre lui, en me poussant, me bousculant et me frappant (surtout après qu'on lui eut posé un appareil dentaire). Je me rappelle encore comment, tout à coup, je compris et me mis à craindre sa force physique, le jour où il m'annonça qu'il allait me pousser en bas de l'escalier, et joignit l'acte à la parole. Quand je me plaignis auprès du Dr Goldstein d'avoir construit un Frankenstein, il me répondit : « Vous avez libéré son énergie, vous trouverez un moyen pour l'aider à la maîtriser. » (— Si je vis assez longtemps, pensai-je en mon for intérieur.)

Grâce à cette énergie qu'il venait de découvrir, Peter commençait à patiner assez bien, à monter à bicyclette, à lutter avec son père. Le plus curieux, c'est qu'il n'a pas appris à patiner, à faire du vélo, etc., comme le font généralement les enfants : lui, il réussissait du premier coup. Au bout de quelque temps, j'ai essayé de canaliser cette force pour améliorer sa façon de parler et de lire, et lui donner de la vitalité. Pendant des semaines, j'ai corrigé son expression orale, en lui demandant de mettre dans sa voix un peu plus d'énergie — « Pour être vivant quand tu parles », lui expliquais-je.

Je sentais qu'il restait sourd à mes conseils; aussi, j'essayai la même technique avec la lecture :

— Allez, Peter, lis cette histoire comme si elle avait vraiment un sens pour toi. Ne marmonne pas les mots; lis-la d'une façon vivante.

Quelque chose dans mes propos avait dû le toucher. Je reçus un coup de pied dans les tibias. J'attrapai sa jambe et, pour bien me faire comprendre, je lui dis :

« Cette force, cette énergie dont tu te sers pour me donner des coups de pied, mets-la dans ta voix, dans ta manière de lire. Finalement, excédé, Peter se mit à lire comme il frappait — avec énergie et vitalité.

Un jour, il me lut une histoire avec une force et une animation que je lui avais rarement vues auparavant. Je m'exclamai :

— C'est formidable, c'est ça que je voulais dire!

Soudain, il leva les yeux vers moi, terrifié. Sidérée par l'expression que je lisais sur son visage, je balbutiai :

« Qu'y a-t-il, Peter?

Il hurla :

— Parce qu'après, il y a le cimetière!

— Après quoi?

— Quand vous êtes bien. Alors, après, il y a une voie sans issue et un cimetière.

Je pensai qu'il voulait peut-être dire que c'est après avoir connu la vie qu'il faut mourir. Je lui fis part de cette idée. Il se mit à trembler et à transpirer. Puis il courut à la fenêtre, se fit tout mou, se replia sur lui-même comme s'il se desséchait et commença à compter — ce qu'il n'avait plus fait depuis très, très longtemps. Inutile de dire que sa manière de parler et de lire redevint plus monotone que jamais.

Après cet épisode, Peter essaya de m'éviter. Il dit à sa mère qu'il « ne voulait pas que [je lui] parle », et quand on lui demanda pourquoi, il répondit : « Mira dira à Maman, et alors Peter ne peut plus embêter Maman. » A moi, il disait : « Peter ne veut pas que vous alliez avec lui chez le Dr Goldstein. » Quand je lui en demandais la raison, il me répondait seulement : « Parce que Mira dira au Dr Goldstein. » Je l'interrogeais : « Dire quoi? »; il me répliquait invariablement : « Parce que Mira sait », ou bien « La vérité. »

Nous n'étions plus aussi proches l'un de l'autre comme nous l'avions été avant cet incident. Nous avons ainsi fait marche arrière pendant près de six mois.

Cependant, comme le temps passait et que je perçais chaque jour davantage les défenses de Peter, tandis qu'il découvrait bien des voies nouvelles pour sortir de son labyrinthe, je sentis qu'on pouvait reprendre le « travail scolaire » qu'il attendait avec tant d'impatience : la lecture, l'écriture et l'arithmétique.

Et nous nous sommes remis au travail. Son écriture, bien que plus lisible, était encore hachée; on aurait dit que ses lettres étaient faites de brindilles cassées, toutes tordues; les mots se chevauchaient. Son orthographe était bien meilleure que celle des enfants de son âge. Sa maîtrise de l'arithmétique était exceptionnelle, et sa lecture parfaite. L'enfant qui, à sept ans, faisait les mots croisés du *New York Times* n'avait guère besoin de mon aide.

Cependant, le rite du « travail scolaire » permettait de mieux cerner ses problèmes psychologiques. Je l'empêchais d'éviter les relations humaines ou de les contrôler en séduisant tout son entourage par son génie; je voulais l'amener à utiliser son moi tout entier — le persuader de vivre —, au moins quand il lisait.

Et, lentement, je découvrais et comprenais davantage cet enfant.

Sa carapace extérieure était faite de crises de panique, de défenses et de rites. C'étaient là simplement les symptômes de ses frayeurs, tout comme les petits boutons rouges sont les symptômes de la rougeole. Peter les extériorisait dès qu'il avait peur, mais il était très rare qu'il se rende vraiment compte de ce qui l'effrayait. Et nous qui le connaissions, nous les remarquions la plupart du temps et, souvent, nous étions fascinés par la manière dont il s'en servait.

J'avais l'impression très nette qu'il existait dans le système de Peter un conglomérat de peurs fondées soit sur des réalités passées, soit sur des interprétations erronées de la réalité; et ces peurs, il les transformait, les dissimulait ou les contrait par des fables ou des contes imaginaires qu'il inventait. J'ai toujours été étonnée par l'extraordinaire organisation de son système de défense et par la façon dont il l'utilisait; j'y voyais une preuve de son énergie et de son intelligence. Pour qui savait voir au-delà de ces défenses, elles devenaient des signaux, de grands signaux lumineux qui indiquaient à quel point il avait peur. Quant à ceux que ces symptômes effrayaient, arrêtaient et troublaient, c'était un moyen de les repousser et de les tenir à une distance suffisante pour neutraliser le danger qu'ils représentaient.

Quand je fus à la fois moins effrayée et moins fascinée par les symptômes de Peter, je commençai à chercher quelle peur véritable se cachait derrière eux. Peter avait changé, c'était indéniable. Mais quelle était l'ampleur réelle de ce changement? Je crus pouvoir trouver une réponse en observant ses relations avec moi, avec le monde et avec lui-même.

Tout d'abord, j'ai examiné sa relation avec moi et celle que j'avais avec lui. Au début, j'étais sa force, sa santé, son contact avec la réalité, son créateur et son sauveur. C'était moi qui distribuais les permissions et les interdits. Je chassais la peur et la souffrance; je le protégeais contre ses mauvais génies; je montais la garde. Il était vis-à-vis de moi dans un état de profonde et totale dépendance, non parce qu'il croyait que c'était bien, mais parce que c'était la seule chose qu'il savait faire. Il essayait perpétuellement de franchir mes frontières. Je lui donnais mon énergie et le laissais dépendre de moi et se nourrir de ma force. Je restreignais ses crises de panique ou ses rituels (dont je refusais certains). Je ramassais ses morceaux éparpillés et les rassemblais pour lui. Je l'éloignais de la route « sans issue » et le conduisais vers la sortie. Je devais soutenir, soutenir, sans arrêt, imposer des limites et permettre.

Mon travail consistait à lui faire quitter la « voie sans issue », à mettre fin à son obsession des chats, à lui dire le nombre et la couleur de ses chats imaginaires, à lui dire de regarder, de manger, d'aller aux toilettes, de ne pas avoir peur. De vivre.

— Combien y a-t-il de chats sur le rebord de la fenêtre?

— Je ne sais pas.

— Mira doit le dire à Peter. N'importe quel nombre, cela ne fait rien, mais dites un nombre.

Jamais il ne voulait assumer aucune responsabilité dans la vie, comme s'il ne s'intéressait qu'à son monde imaginaire. Quand je lui demandais de choisir, il répondait toujours : « Qu'est-ce que Mira préfère? » C'était Mira qui devait « préférer » et dire si Peter était malade ou non, si « le bus s'était embourbé ou non », si Peter dessinait ou peignait, etc.

Même dans la souffrance, il refusait toute responsabilité. Il criait, pleurait, et il fallait être un fin détective pour arriver à déceler où il avait mal. Jamais il ne le disait. C'était à vous de découvrir s'il pleurait parce qu'il avait peur, parce qu'il n'arrivait pas à attraper le chat, parce qu'on n'avait pas répondu à ses questions, parce qu'il avait subi une frustration, ou parce qu'il avait mal au ventre. Il était incapable de localiser une douleur physique. Si la pluie nous obligeait à renoncer à la baignade prévue, il ordonnait : « Mira doit faire revenir le soleil. » Il était inutile d'essayer de lui expliquer quoi que ce soit. « Mira doit. » Si le soleil brillait alors que les prévisions météorologiques annonçaient de la pluie, Mira devait faire pleuvoir, « parce que c'est ce qui avait été dit ». Et que « c'était la règle ».

Au cours de cette première période, c'était dur, vraiment très dur, d'être sa force alors que je ne comprenais pas ses symboles, et en même temps d'essayer de mettre un cadre autour de lui pour que, lorsqu'il se disloquait, il ne s'éparpille pas dans tous les coins, mais reste à l'intérieur du cadre que je lui avais donné. En même temps, je devais l'empêcher de m'envahir.

Notre relation se modifia après qu'il m'eut dit être sorti de moi. Je compris alors que le moment était venu de faire porter à Peter davantage de responsabilités. Car toute naissance, même symbolique, s'accompagne de responsabilités nouvelles. Peter n'aimait pas cela. Il disait : « Je veux entrer en Mira; je veux retourner dans Mira. » Mais je lui expliquais qu'une fois qu'on est sorti, on ne peut plus rentrer : « Tu ne peux pas retourner dans Mira, comme tu ne peux pas rentrer dans Maman, parce que tu en es sorti, et c'est comme cela. » Peter n'était pas satisfait de mon explication. Il répétait docilement mes paroles, mais il ne les acceptait pas. Cependant, il finit par assumer de plus en plus de responsabilités. Au lieu de demander : « Combien y a-t-il de crayons dans la boîte? Peter doit savoir », il disait maintenant : « Peter pense qu'il y a dix-sept crayons. C'est aussi l'avis de Mira? » Je devais confirmer le nombre, car Peter n'était pas encore sûr de la réalité. Il devait comparer sa réalité avec la mienne. Il avait aussi peur de perdre contact avec moi.

Il devint lentement un être humain indépendant, qui commençait à élaborer sa propre identité. On ne l'entendait plus répéter : « Mira doit décider pour Peter. Cela lui fait du bien. Cela le met plus à l'aise. » Il disait de plus en plus souvent : « Je veux », « J'arrêterai moi-même », « J'ai fait cela parce que j'avais peur. » Au bout de quelque temps, Peter se mit très nettement à prendre en haine sa dépendance à mon égard, et il essaya de la secouer. Jusqu'au jour où, en 1962, il me dit : « J'ai envie de vous voir de temps en temps, mais pas tout le temps. » La symbiose était finie.

Alors qu'il avait besoin d'être tout le temps avec moi, physiquement et affectivement, il s'était séparé sans problème de sa mère pendant la moitié de l'été 1957. Puis pendant la moitié de l'été 1958; puis pour tout l'été, en 1959 et 1960; enfin, pour toute une année scolaire. Je me rappelle encore notre agitation avant la première longue séparation. Et la lucidité dont Peter fit preuve à propos des conflits qui l'opposaient à sa mère sur ce point; il me dit :

— Peter emmène Maman voir le Dr Goldstein.

— Pourquoi? lui demandai-je.

— Le Dr Goldstein peut aider à décider pour aller au camp.

— Te décider?

— Non, Peter a décidé. Il veut y aller, mais Maman ne veut pas et il aidera Maman.

Quand je lui demandais à d'autres moments :

— Tu veux y aller?

— Oui, répondit-il.

— Et pour Maman?

— Peter veut que Maman aille avec lui, mais il préfère que Maman reste à la maison avec Papa.

Puis se produisit l'incident de la lecture, que j'ai déjà relaté, et cela créa entre nous une fêlure. Après avoir travaillé près de trois ans ensemble, nous nous retirions l'un de l'autre. Je lui avais dit que je sentais qu'il faisait semblant d'être mort parce que, peut-être, il avait vraiment peur de mourir s'il se mettait à vivre. Peter s'écarta alors de moi et, souvent, il essaya de me faire du mal physiquement, car « Mira connaît la vérité. » Je fus un peu effrayée de sa fureur contre moi et, je pense, de celle que j'éprouvais contre lui, et je pris mes distances, moi aussi. Peter retourna à ses chats; toutefois, il conserva toutes ses autres acquisitions. (Je me sentais très culpabilisée par mon attitude et j'essayais désespérément de renouer le contact avec Peter; mais mes efforts étaient surtout d'ordre intellectuel, l'affectivité en était absente, et ils ne servirent à rien. J'essayai alors de convaincre tous ceux que cela concernait, particulièrement le Dr Goldstein, de trouver quelqu'un d'autre pour travailler avec l'enfant. Mais personne ne voulut m'écouter.)

Puis un jour, après six mois de froideur, j'emmenai « mes » trois enfants à un concert. Je ne laissai pas Peter s'asseoir près de moi : les deux autres enfants m'encadraient. Puis, au milieu du concert, je me sentis apaisée; je n'avais plus peur. Je tendis la main vers Peter et, au même instant, l'enfant tendit la sienne vers moi. Une partie de ses frayeurs semblait s'être envolée avec ma propre peur. Nous avons renoué notre relation. Peter abandonna immédiatement les chats et nous avons repris les choses là où nous les avions laissées. Mais il commençait à vivre en y prenant plus de goût.

Plus je voyais Peter, plus je pensais à lui, plus j'avais l'impression qu'il se disloquait pour une raison bien précise. Avait-il jamais été un être distinct, avec des frontières réelles, je ne sais pas, mais quelque part en lui, à un certain niveau, il l'était. Peter construisait des défenses pour se protéger. Je pense qu'il était terrorisé par la mort, par cette chose irrévocable dont il avait été témoin et à laquelle, dans un sens, il avait participé — qu'il s'agisse des chats ou du chien, du petit frère mort mystérieusement quand Peter avait quatre ou cinq ans, ou de lui-même. Pour éviter d'affronter la mort, il se dispersait aux quatre coins du monde. Mais en même temps, comme tous ses morceaux étaient éparpillés, il passait son temps à les chercher. Les gens pouvaient emporter des parties de lui-même — en fait, il les leur *donnait* —, mais il devait savoir où les retrouver. Connaître leur adresse et leur numéro de téléphone. Par ailleurs, s'il plaçait ces morceaux chez d'autres personnes, comment pourrait-il mourir complètement? Qui pourrait les retrouver tous, à part Peter? Même si la mort en trouvait un, jamais elle ne pourrait tous les découvrir. Sa dislocation le terrifiait; mais c'était malgré tout moins dangereux que la désintégration finale — la mort.

Peter, je pense, n'avait aucune notion du temps, malgré son habileté à jouer avec les dates, son obsession du temps et sa manie de toujours regarder l'heure. Je crois que, d'une certaine manière, il éliminait la question du temps qui passe; pour lui, le passé, le présent et l'avenir ne faisaient qu'un. Car, ainsi, il n'y avait ni commencement ni fin — et, par conséquent, pas de mort.

C'est pour cette raison qu'il avait besoin de connaître les dates, de se rappeler l'événement qui marquait chacune d'entre elles : ainsi, il en prenait possession, le maîtrisait, l'éliminait (s'il contredisait sa notion de la vie ou de la mort), le dirigeait. Sa mémoire n'était pas verticale, mais horizontale; elle n'avait ni commencement ni fin; chaque événement était aussi important que les autres. Je pense qu'à ses yeux, la vie était comme un canevas qu'il avait lui-même soigneusement brodé et dont il avait choisi et examiné chaque détail. La broderie n'avait ni commencement ni fin. La tapisserie se composait d'une série d'événements interminable, fantomatique, qui permettait d'éviter un seul et terrible événement — la destruction, la désintégration, la mort. Chaque élément devait être à sa place, celle que Peter lui avait attribuée; c'est pourquoi l'enfant passait son temps à chercher et à répéter chaque petit détail de sa « vie ». Leur réorganisation (ou leur éparpillement) pouvait le replonger dans la vie réelle et, par conséquent, le mener à la mort.

Peter me disait que les chats ne meurent pas vraiment « parce qu'ils ont neuf vies ». C'était donc rassurant d'être un chat. Il disait aussi : « S'il y a quatorze crayons dans une boîte, cela veut dire qu'il y a quatorze vies. » Si l'un de ces crayons venait à se casser, Peter était bouleversé, il pleurait à chaudes larmes — parce qu'« il y a une vie en moins, une vie brisée ». Les nombres étaient dotés d'un pouvoir magique. Ils chassaient la peur et la mort : « Peter aime être un chat parce qu'alors il a neuf vies. » Cependant, de temps en temps, il réalisait que ces animaux ne meurent qu'une fois, et pour de bon. Jamais il ne les trouvait dans la « cachette ». Il me disait : « Peter a trois chats — celui qu'il a maintenant et les deux chats qui avaient neuf vies. » Mais il ajoutait aussitôt : « Vous n'avez qu'un chat, parce que Maman s'est débarrassée des autres. »

Quand il parlait de Tippy, le chien que l'on avait tué, il disait : « J'avais un chien. Il dormait dans ma chambre. Et puis Maman l'a tué. Parce qu'il tuait les chats. Et alors *vous* [c'està-dire lui] n'aviez plus de chien et *vous* dormiez dans la chambre de Maman. » Face à la mort, il valait mieux ne pas avoir d'identité. Et « je » devient « vous ».

Les rues et les adresses — comme les anniversaires, les nombres et les chats — étaient autant de moyens de protection, de tentatives pour atteindre l'éternité et l'immortalité. C'est là qu'il se dispersait, qu'il cachait ses morceaux. D'autre part, les rues lui servaient de points de repère pour retrouver les différentes parties de lui-même qu'il avait perdues. Elles imposaient ainsi certaines limites à sa frayeur, et peut-être même qu'elles arrivaient à la chasser momentanément.

Quand il était vraiment très fâché, il se transformait en chat;
cela aussi faisait partie de son conte imaginaire. Un chat griffe
et fait du mal, et puis il possède plusieurs vies. Mais Tippy
avait tué un chat. Et parfois Peter se mettait à aboyer, mais
pas pour longtemps, car « un chien n'a qu'une vie », précisait-il.

L'obsession des nombres, et surtout le fait de compter pour
conjurer la peur, constituait une autre forme de protection. Les
nombres n'ont pas de fin. Il n'y a pas de dernier nombre; on
peut compter à l'infini. Et comme il n'y a pas de fin, il n'y a
pas de mort.

Ce qui me semblait le plus extraordinaire, c'est qu'en dépit
de tout cela, ce petit garçon solitaire, hanté par la terreur, osait
parfois réorganiser ses plans, abandonner certaines de ses pro-
tections : il osait oser.

En 1962, il prenait tout seul l'autobus et le métro pour venir
à l'école, il accompagnait sa mère dans les magasins, faisait la
vaisselle, mangeait seul au restaurant, patinait, montait à bicyclette, nageait, jouait au ballon, commençait à taper à la
machine; il ne lui arrivait presque plus jamais de parler de ses
chats et de ses rues, de chercher ses « morceaux » ou de compter;
et s'il vous demandait votre date d'anniversaire et votre adresse,
c'était moins poussé par le besoin de retrouver ses morceaux que
pour avoir un sujet de conversation.

Quand Peter eut quinze ans, il alla tout seul dans le Connec-
ticut, où il entra dans un internat pour enfants atteints de
troubles émotionnels. Il avait totalement renoncé à parler de
ses chats et à les chercher; il ne se lançait plus non plus à la
recherche de la « cachette » ou de ses « morceaux ». Il marchait
rarement sur la pointe des pieds. Sa coordination s'était nettement améliorée; il avait acquis plus de grâce (mais cela lui
demandait encore un gros effort). Il était plus calme, plus
heureux; il était capable d'aimer et de le montrer. Il savait très
bien se faire comprendre quand il voulait quelque chose. C'est
lui qui fixait ses propres règles et ses limites. Il se montrait très
catégorique dans ce domaine.

Il élaborait sa propre identité, et, la plupart du temps, il était
tout à fait distinct des autres. Cependant, il lui arrivait encore

de temps en temps de fusionner avec sa mère; et, dans ces cas-là, il arrivait à deviner les désirs maternels, même les plus inconscients.

Il avait envie de nouer des relations, mais il ne savait pas comment s'y prendre. Il se mettait à harceler les gens, à leur poser sans arrêt ses questions absurdes d'un ton si agaçant qu'il faisait fuir tout le monde. Quand j'évoquais ce problème avec lui, il me disait, désespéré : « Comment mène-t-on une conversation? Que dois-je dire? Je veux avoir des amis. » Il avait aussi recours à une autre méthode pour obliger les gens à s'occuper de lui : tout à coup, il tombait dans la passivité et essayait d'amener les autres à prendre des décisions à sa place. « Dois-je faire ce puzzle maintenant, ou bien l'autre? » Cependant, dès qu'il apercevait quelqu'un qui le connaissait bien, moi en particulier, il cessait immédiatement. Souvent il me suppliait : « Je ne veux plus ennuyer les gens. S'il vous plaît, Mira, empêchez Peter d'ennuyer les autres, comme cela il pourra avoir des amis. » A ces moments-là, j'avais l'impression de tenir encore son sort entre mes mains.

Peter savait très bien ce qu'il voulait ou ce dont il avait besoin. Une fois où j'étais à l'hôpital, il m'envoya une lettre par avion pour me demander de me rétablir très vite parce qu'il avait besoin de me voir, car je devais l'aider à cesser d'« ennuyer » les autres. Il comprenait parfaitement qu'il devait perdre cette habitude, mais il n'était pas encore capable d'assumer tout seul la pleine responsabilité de ce changement.

C'était encore un garçon très étrange. Parfois il semblait doté d'une certaine élégance; à d'autres moments, c'était un être brisé. Lorsqu'on l'y obligeait, il arrivait à prendre pied dans la réalité. Mais le plus souvent il cherchait à la fuir. Il essayait de se décharger de ses responsabilités sur autrui. Sa mémoire était encore extraordinaire. Il manipulait toujours les nombres avec autant d'aisance, mais il commençait à oublier les dates, à mélanger les adresses; quant aux numéros de téléphone, bien souvent il se contentait de les inventer. La formidable énergie qu'il avait investie dans son système mathématique se mettait petit à petit au service des autres sphères de son existence. Cependant, elle restait encore en majeure partie dans cette orbite des mathématiques et de la mémoire, et l'enfant donnait l'impression d'un être morcelé psychologiquement. Il semblait n'établir aucun rapport entre les différentes choses qu'il comprenait. Parfois, il montrait un esprit très concret; à d'autres moments, il était capable d'abstraction; et c'était la connection et la transition entre ces deux domaines qui semblaient lui causer le plus de difficultés.

Une fois, il m'expliqua ce qu'étaient la mitose et l'amitose (il avait appris cela pendant son cours de sciences). Il me dit : « La mitose est une division égale des cellules et l'amitose une division inégale des cellules. » Je lui demandai alors ce qu'étaient les cellules; il me répondit : « C'est, bien sûr, les pièces avec des barreaux, dans les prisons. »

Un autre jour, je l'emmenai voir une comédie musicale. Peu de temps après, il m'en parla. Il se souvenait de chacune des paroles et des mélodies du spectacle, mais quand je lui demandai de me raconter l'histoire, il ne me répondit pas. Finalement, excédé par mon insistance, il me dit : « C'est simplement un tas de gens qui jouent, qui font croire qu'ils sont quelqu'un d'autre, et qui sont payés pour cela. » Il était capable de donner une définition très abstraite d'un mot et son synonyme. Il savait jouer à tous les jeux verbaux. Parfois, il décrivait ses sentiments ou son état psychologique dans les termes les plus abstraits, alors qu'à d'autres moments il ne pouvait dépasser le stade du concret. C'était la même chose avec ses symboles. « Une voie sans issue est *mishuga*, et *mishuga* tourne en rond, sans arriver à sortir », me dit-il une fois. Et, pourtant, ses formules mathématiques, quelles qu'elles soient, semblaient très abstraites et à peu près incompréhensibles pour la majorité d'entre nous.

Quand on exerçait sur lui une contrainte, quand il comprenait qu'il ne pourrait pas se réfugier dans son système de défense, il rassemblait toutes ses aptitudes pour n'en plus faire qu'une. Il arrivait alors à comprendre énormément de choses — et il était de plain-pied dans la réalité.

C'était très intéressant d'observer le changement d'attitude des gens à l'égard de Peter. Il montrait si souvent tant de chaleur et de sympathie qu'il ne provoquait plus autour de lui la répulsion ou la fascination, mais un intérêt sincère, une certaine attirance et, souvent, de l'admiration. Bien qu'il fût encore assez seul, certains de mes amis commencèrent à sympathiser et à travailler avec lui; ils lui donnaient l'impression de n'être « pas si seul », et qu'ils étaient vraiment ses « amis » — « malgré, disait Peter, que ce soient des amis vraiment vieux, mais ce sont quand même des amis ».

Toute l'énergie et la force formidables qu'il avait investies dans ses terreurs paniques et l'élaboration des règles de sa maladie, il les utilisait maintenant à contrôler cette maladie et établir les règles qui l'aideraient à se rétablir. C'est lui qui décida : « On ne parle plus de chat. » C'est lui aussi qui décida quand et comment ne pas avoir peur, et du moment où il devait se séparer de moi, de sa mère et de son foyer.

Hier, 17 décembre 1976, j'ai vu Peter. Il a vingt-huit ans maintenant. Il vit dans un centre d'accueil pour jeunes adultes qui héberge seize jeunes gens et jeunes filles. Il s'entend bien avec les autres occupants de la maison; il a des amis et une petite amie, m'a-t-il dit.

Dans la journée, il travaille comme coursier. Le soir et pendant les week-ends, il mène une vie sociale relativement normale. Il va au cinéma, au théâtre et au concert avec ses camarades du centre. Il va à Chinatown, fréquente les bals et les restaurants, il regarde la télévision, joue au Scrabble, etc. Et il travaille pour obtenir l'équivalence du diplôme de fin d'études secondaires. Ses camarades ont l'air de l'apprécier.

Mais, malheureusement, nous vivons dans un monde qui est incapable de faire une place à des gens comme Peter — aux génies idiots. Nous ne pouvons ni suivre ni comprendre leur logique, leur manière d'agir, de court-circuiter, de condenser et de télescoper les étapes.

Alors nous vivons dans des mondes différents, sur deux planètes différentes, les « Peter » et nous. Et, pour nous relier les uns aux autres, nous ne disposons que d'une étroite passerelle sur laquelle nous nous aventurons avec lenteur et prudence, pour essayer de nous rejoindre, d'une planète à l'autre; mais jamais nous ne pouvons nous toucher vraiment, nous comprendre complètement.

Quand j'ai parlé aux personnes du centre des prouesses lin-
guistiques de Peter, ils m'ont dit : « Oui, il bat tout le monde
au Scrabble. Toujours. Hier, par exemple, il a battu un professeur de deux cent-cinquante points, et à toute vitesse. »

Peter me regarda et me fit un sourire — nous comprenions
tous les deux.

« Et il réussit tous les mots croisés du *Times*, comme de n'importe quel journal », continuaient les autres, pleins d'admiration; et ils ajoutèrent : « à toute vitesse ». Peter me sourit encore.

Quand je lui ai demandé s'il s'intéressait toujours aux chats,
il me dit : « Non, pas du tout, mais ce sont des créatures affec-
tueuses. »

Les autres demandèrent : « Pourquoi les chats? Il n'y en a pas
un seul, ici, au centre. » Nous avons encore souri tous les deux,
mais, chez Peter, ce n'était cette fois qu'une ombre de sourire.

Puis il me demanda comment j'étais venue jusqu'au centre.
Je le lui dis. Alors, il m'assura que je m'y étais mal prise et me
parla d'« une autre route plus simple et plus rapide ». Il
m'expliqua les sens de circulation dans les rues, en utilisant tous
ses vieux points de repère comme les « voies sans issue », les
« rues à sens unique », etc. Mais il n'y mettait plus la moindre
signification émotionnelle; il voulait simplement m'aider à rac-
courcir mon trajet. Je suivis ses conseils. Il avait raison :
grâce à lui, j'ai gagné un quart d'heure. Sa mémoire était toujours aussi phénoménale.

J'ai parlé à Peter du Dr Goldstein et je lui ai demandé s'il se
souvenait de notre première rencontre avec lui. Il m'en donna
aussitôt la date, en précisant le jour, le mois et l'année.

Je lui ai demandé quand le Dr Goldstein était mort. Il s'en
souvenait parfaitement, avec toujours la même précision. Je lui
parlai de notre passé commun. Il se rappelait chaque événement;
il était même capable de me dire la couleur de la robe que j'avais
portée tel ou tel jour. Mais il parlait de tout cela avec naturel,
comme s'il était simplement heureux d'évoquer tous ces souvenirs.

A ma demande, il me dit sans hésiter la date de mon anniversaire, quel jour il tombait cette année-là, et quel jour il avait
eu lieu vingt ans auparavant.

Je voulais savoir s'il avait gardé ses dons en mathématiques et s'il les utilisait encore. Il me dit alors d'un air détaché : « Bien sûr, je peux toujours faire ces calculs, mais ce n'est pas la peine; personne ne me demande jamais d'en faire, personne n'en a besoin. »

Et c'était bien là le drame : l'inutilité de Peter. Un jour, quelqu'un a dit en parlant de lui : « C'est un ordinateur humain, mais nous n'avons pas besoin de cela; nous avons des machines. »

On n'a que faire des dons de Peter.

Tout en lui semble se télescoper. Il est jeune et, pourtant, il a l'air vieux, très vieux; on dirait que sa vie elle-même se télescope. Je pense qu'il mourra bientôt. Comme si cela aussi faisait partie de sa manière d'être.

Qu'est-ce que Peter? *Pourquoi* existe-t-il? Est-il un lien biologique avec le passé ou avec le futur? Représente-t-il une régression ou un progrès dans notre évolution? Est-il un lien entre le passé et le présent ou entre le futur et le présent? Mais est-ce bien de cela qu'il s'agit?

Table

IMPRIMERIE FLOCH À MAYENNE
D.L. 2e TRIM. 1979 No 5205 (16871)

AUX MÊMES ÉDITIONS